D1210842

Si vous souhaitez recevoir notre catalogue
et être tenu au courant de nos publications,
envoyez-nous vos nom et adresse, en citant ce livre
et en précisant les domaines qui vous intéressent.

Éditions Solar
12, avenue d'Italie
75013 PARIS

Internet: www.solar.tm.fr

Titre original : *Stretching (20th anniversary edition)*
Traduit et adapté de l'américain par Chantal Jayat
Actualisation de la présente édition : Christine Dorville (Agence Véronique Phalente)

Publié avec l'autorisation de Shelter Publications

Directeur de collection: Renaud de Laborderie

ISBN: 2-263-03120-0
Code éditeur: S03120
Dépôt légal: septembre 2001

Bob Anderson

Pour être et rester en forme

Illustrations Jean Anderson

SOLAR

INITIATION

Introduction 8
La pratique du stretching
Pour qui ? 10
Quand ? 10
Pourquoi ? 11
Comment ? 12
L'échauffement 14
La technique PNF 14
Quelques exercices d'initiation 15

DES ÉTIREMENTS POUR CHAQUE PARTIE DU CORPS

Les parties du corps 24
Exercices de relaxation pour le dos 26
Exercices pour les jambes, les pieds et les chevilles 34
Exercices pour le dos, les épaules et les bras 42
Exercices pour les jambes 49
Exercices pour le bas du dos, les hanches, l'aine et les muscles tendineux 54
Exercices pour le dos, les hanches et les jambes 63
Élévation des pieds 68
Exercices en position debout pour les jambes et les hanches 71
Exercices en position debout pour le haut du corps 79
Exercice à la barre fixe 85
Exercices avec une serviette pour le haut du corps 86
Exercices pour les mains, les poignets et les avant-bras 88
Exercices en position assise 90
Exercices d'élévation des pieds pour l'aine et les jambes 94
Exercices jambes écartées pour l'aine et les hanches 97
Apprendre le grand écart 101

Sommaire

LE STRETCHING AU QUOTIDIEN

À votre lever 106
Avant de vous coucher 107
Exercices quotidiens 108
Mains, bras et épaules 110
Cou, épaules et bras 111
Jambes, aines et hanches 112
Bas du dos 113
Au bureau ou devant un ordinateur 114
À la carte 115
Avant un effort physique 116
Après une longue position assise 118
Au jardin 119
Pour les plus de soixante ans 120
Pour les enfants 122
Devant la télévision 124
Avant et après la marche 125
En voyage 126
En avion 127

LE STRETCHING ET LE SPORT

Aérobic 130
Arts martiaux 132
Badminton 134
Base-ball 136
Basket-ball 138
Bowling 140
Course 142
Cyclisme 144
Danse 146
Escalade 148
Football 150
Golf 152
Gymnastique 154
Haltérophilie 156
Handball et squash 158
Hockey sur glace 160
Kayak 162
Lutte 164
Moto-cross 166
Natation 168
Patinage artistique 170
Patinage de vitesse 172
Planche à voile 174
Randonnée 176
Rugby 178
Ski alpin 180
Ski de fond 182
Snowboard 184
Sports équestres 186
Surf 188
Tennis 190
Tennis de table 192
Triathlon 194
Volley-ball 196
VTT 198

ANNEXES

Exercices de technique PNF 202
Une alimentation légère et équilibrée 204
Travaillez votre ceinture abdominale 206
Prenez soin de votre dos 210
À l'attention des professeurs et des entraîneurs 215
Mémo à l'usage des prescripteurs 216
Index 220

INITIATION

Nous vous conseillons de lire attentivement les pages consacrées à la méthode préconisée ici pour comprendre comment bien faire du stretching. Les exercices d'initiation (pages 15-21) constituent ensuite un excellent point de départ.

Introduction 8

La pratique du stretching 10

Pour qui ? 10

Quand ? 10

Pourquoi ? 11

Comment ? 12

L'échauffement 14

La technique PNF 14

Quelques exercices d'initiation 15

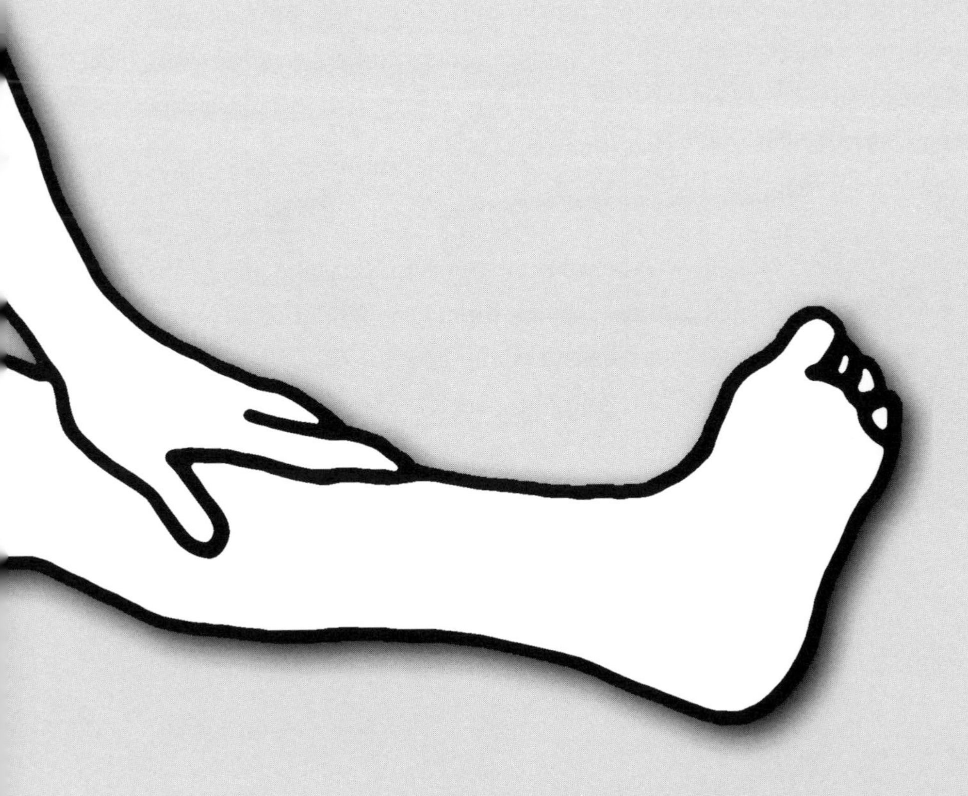

Des millions de personnes, de plus en plus nombreuses, fréquentent les courts de tennis, font du jogging, de la marche, du cyclisme, du football, du basket ou de la natation. Un seul leitmotiv: «être en forme». Parallèlement, les progrès en matière d'hygiène et de prévention favorisent l'évolution de notre mode de vie – les personnes actives ont une vie mieux remplie et plus équilibrée. Garder la forme, c'est lutter efficacement contre la maladie ou la dépression et pouvoir, même à un âge avancé, s'attaquer avec enthousiasme à de nouveaux projets.

Jadis, les méfaits de la vie sédentaire étaient moins apparents. Aujourd'hui, l'*Homo erectus* passe la majeure partie de son temps en position assise. Au lieu de marcher, nous préférons nous déplacer en voiture. Les ascenseurs ont remplacé les escaliers. Privé d'une activité physique journalière, notre système nerveux accumule les tensions, nos muscles s'affaiblissent.

Les capacités d'auto-guérison du corps humain sont phénoménales. Après l'intervention d'un chirurgien qui traite une anomalie puis recoud les chairs qu'il a incisées, la nature finit le travail. Nous possédons tous ce moyen formidable de recouvrer la santé, non seulement pour surmonter les séquelles d'une opération mais, simplement, pour compenser une baisse d'activité. La santé n'est plus vécue comme une fatalité. Chacun est en droit de la contrôler et de prévenir les maladies qui la menacent. Le plaisir du confort sédentaire s'est agrémenté de la redécouverte du mouvement: la vie gagne à être plus active, quels que soient notre âge et notre situation personnelle.

Dans tout cela, le stretching représente un passage privilégié entre la vie sédentaire, typique du monde moderne, et la vie active dont nous avons besoin. Ceux qui ont choisi le vélo, le tennis, le jogging ou l'athlétisme vivent concrètement cette transition car, dans ces disciplines où la

Introduction

force joue un grand rôle, la raideur et le manque de souplesse ne pardonnent pas. Pratiqué régulièrement, avant et après l'effort, le stretching délie les muscles et prévient le claquage des coureurs, le tennis-elbow des fanas de la raquette et la tendinite des joggers du dimanche. Le stretching, méthode simple et facile pour se mettre en train, permet d'optimiser les capacités des sportifs. Et, pour les adeptes d'un simple entretien physique, le stretching ne présente aucune difficulté particulière. Pourtant, son enseignement et sa pratique exigent une connaissance correcte de ses techniques. On risque, à défaut, d'en retirer plus de mal que de bien.

Correctement pratiqué, sans violence, sans combat contre soi-même – comme le chat ou le chien qui sait d'instinct comment s'étirer, spontanément, sans exagération –, le stretching procure une réelle sensation de bien-être. Il n'est pas nécessaire d'adapter au stretching sa musculature ou sa condition physique. Il s'agit, au contraire, de diminuer sa tension musculaire et, partant, de favoriser une plus grande liberté de mouvements. Loin de provoquer l'émulation ou la course à la performance, le stretching laisse une impression de calme qui facilite le contrôle des muscles et des ligaments. C'est une activité « sur mesure », qui rend libre d'être soi-même et d'apprécier cette liberté.

Notre méthode s'adresse à tous. Inutile d'être un sportif de haut niveau. Lancez-vous progressivement, lentement, surtout au début. Laissez à votre corps le temps de s'adapter aux tensions de l'activité physique. Respectez ce rythme. Reprenez régulièrement les exercices choisis. Dans ce domaine, les résultats ne s'obtiennent jamais en vingt-quatre heures. Si vous passez ce premier cap, vous prendrez vite plaisir à exécuter tous les mouvements que nous vous indiquons. Force, endurance, souplesse, tempérament constituent une combinaison propre à chacun et à chacune d'entre nous. Avec une meilleure connaissance de votre corps et de ses besoins, peu à peu, sans effort et sans danger, vous ferez du bien-être une des base solides de votre existence.

La pratique du stretching

Pour qui ?

Méthode « douce », le stretching est à la portée de tous. Vous pouvez le pratiquer quel que soit votre âge, que vous vous sentiez en forme ou non, que votre travail vous oblige à rester assis ou debout à longueur de journée. Si vous êtes en bonne santé, sans problème particulier, vous pouvez apprendre dès maintenant à vous « étirer » de façon sûre et agréable.

Si vous avez subi récemment une intervention chirurgicale ou rencontré des problèmes d'ordre musculaire ou articulaire, consultez votre médecin avant de commencer à pratiquer le stretching. De même, si vous sortez d'une période assez longue d'inactivité, rendez-lui visite.

Quand ?

Le stretching peut se pratiquer avant ou après un effort physique mais aussi à tout moment de la journée. Cela peut être au bureau, dans votre voiture, devant un arrêt d'autobus, en marchant dans la rue ou sur la plage... Étirez-vous quand vous le désirez, quand vous le pouvez :

- le matin, quand vous vous levez ;
- au bureau, pour dissiper la tension nerveuse ;
- après être resté longtemps assis ou debout ;
- quand vous éprouvez une sensation pénible de raideur ;
- durant vos instants de loisir, devant la télévision, en écoutant de la musique, en lisant ou en bavardant.

Pourquoi ?

Le stretching peut faire partie intégrante de votre vie quotidienne car ses bienfaits sont nombreux :

- il réduit la tension musculaire et aide le corps à se relaxer ;
- les gestes sont mieux coordonnés et deviennent plus faciles ;
- il constitue une excellente prévention contre les « claquages » et autres accidents musculaires. À égalité de force, un muscle pré-étiré résiste mieux à l'effort qu'un muscle froid ;
- il facilite la pratique des sports éprouvants comme la course, le ski, le tennis, la natation ou le cyclisme, car il prépare les muscles qui seront les plus sollicités ;
- il permet de conserver une souplesse étonnante et d'éviter les raideurs qui apparaissent avec l'âge ;
- il permet de se concentrer sur toutes les parties du corps et de comprendre le fonctionnement individuel de chacune ;
- il stimule la circulation sanguine et procure un bien-être immédiat.

Comment ?

Le stretching s'apprend facilement mais il y a une bonne et une mauvaise façon de le pratiquer. L'étirement doit être soutenu mais détendu, l'attention restant concentrée sur les muscles que l'on fait travailler. Il devient néfaste s'il est réalisé de manière sporadique ou en force, jusqu'à ressentir de la douleur.

Régulièrement et correctement pratiqué, le stretching rendra à tous vos mouvements leur aisance naturelle. Il faudra du temps, bien sûr, pour dénouer les muscles contractés, mais le bien-être que vous ressentirez au bout du compte vaut bien un peu de patience.

L'étirement simple

Quand vous commencez un exercice, consacrez 10 à 15 secondes à l'étirement simple. Ne forcez pas ! Maintenez-le jusqu'à éprouver une légère tension, puis relaxez-vous tout en gardant la position. La tension doit alors disparaître. Si ce n'est pas le cas, relâchez peu à peu la posture afin d'obtenir un degré de tension plus confortable. L'étirement simple réduit la contraction musculaire et prépare les tissus à l'étirement complet.

L'étirement complet

Après ce préliminaire indispensable, passez à l'étirement complet. Là encore, pas question de forcer. Bougez millimètre par millimètre. Dès que vous sentez à nouveau une légère tension, gardez la position pendant 10 à 15 secondes. Même principe : si la tension persiste, relâchez doucement. L'étirement complet constitue une excellente mise en train et améliore la souplesse.

La respiration

Votre respiration doit être lente, bien rythmée et contrôlée. Lorsque vous vous penchez en avant pour un étirement, expirez en même temps que vous courbez le corps. Pendant que vous restez en position, respirez lentement. Ne bloquez pas votre souffle. Si une position gêne votre respiration naturelle, c'est que vous n'êtes pas vraiment détendu. Relâchez votre effort pour respirer sans contrainte.

La durée

Si vous êtes débutant, comptez les secondes pendant chaque exercice afin de vous assurer que vous gardez la position suffisamment longtemps. Bientôt, vous saurez d'instinct la durée qui convient sans avoir à procéder à ce décompte susceptible de nuire à votre concentration.

Le réflexe d'étirement

Si vous étirez trop vite ou de façon trop importante vos muscles, le réflexe d'étirement provoquera une contraction musculaire involontaire qui vous évitera de vous blesser. Ce réflexe est du même ordre que celui qui vous fait retirer la main quand vous touchez un objet brûlant.

En exagérant un étirement, vous contractez les muscles que vous cherchez précisément à détendre. Vouloir aller trop vite, forcer, provoque un réflexe de défense mais aussi des effets en chaîne particulièrement nuisibles. La douleur ressentie résulte du traumatisme qu'occasionne le déchirement microscopique des fibres musculaires. Celui-ci entraîne la formation de tissu cicatriciel dans les muscles qui, progressivement, perdent de leur élasticité et deviennent douloureux.

Non à la souffrance

L'idée qu'il n'y a « pas de profit sans souffrance » est encore largement répandue. L'école nous apprend encore trop souvent à associer douleur et performance physique : « Plus ça fait mal, meilleur c'est. » Oubliez ces préceptes et soyez à l'écoute de votre corps, car la souffrance trahit toujours un dysfonctionnement.

Précisons que les exercices proposés dans ce livre ne provoquent jamais ni douleur ni réflexe d'étirement.

Niveau des étirements

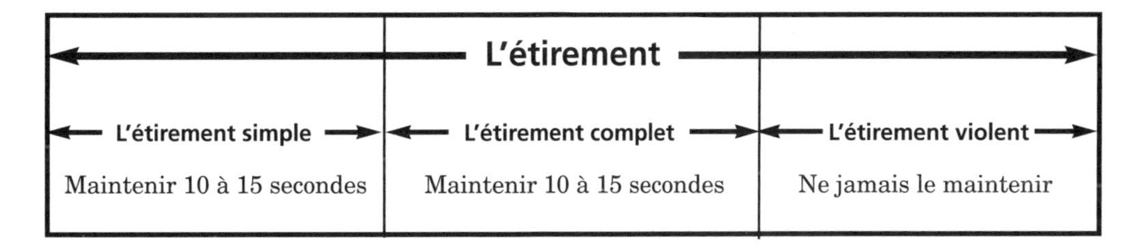

Ce schéma représente les étirements acceptables par vos muscles et vos tissus. Vous découvrirez que votre souplesse augmente naturellement au fur et à mesure des étirements, simples puis complets, que vous réaliserez. Mais la régularité est essentielle ; ce n'est qu'ainsi que vous dépasserez vos limites actuelles et vous rapprocherez de votre potentiel personnel.

L'échauffement

Faut-il s'échauffer avant de pratiquer le stretching? Est-il dangereux de faire des étirements sans échauffement préalable? Si vous faites les exercices à votre rythme, sans jamais forcer, la réponse est non. Toutefois, nous vous suggérons de marcher quelques minutes sur place en balançant les bras avant de commencer, pour échauffer les muscles et les tissus et accélérer la circulation du sang.

Avec ou sans échauffement, vous devez toujours faire les étirements en contrôlant vos gestes. Vous ne ressentirez jamais aucune douleur si vous vous étirez correctement, en respectant les règles indiquées pages 12 et 13. Vous définirez vos propres limites en prêtant attention à vos sensations et en restant toujours en harmonie avec votre corps.

Nous vous engageons, quelle que soit l'activité que vous pratiquez – course, cyclisme ou tout autre sport –, à démarrer en douceur: si vous vous apprêtez à faire une course, commencez par marcher ou «jogger» pendant 2 à 5 minutes, jusqu'à ce que vous transpiriez légèrement, puis faites quelques étirements. La marche et le jogging constituent un excellent échauffement pour de nombreux sports car leur pratique permet d'élever la température du corps tout entier.

De même, après la pratique d'un sport violent, ne vous arrêtez pas brutalement, mais continuez à faire les mouvements au ralenti, jusqu'à ce que votre rythme cardiaque soit redescendu à un niveau normal. Faites ensuite quelques étirements pour prévenir les douleurs et les raideurs musculaires.

La technique PNF

Dans la suite du livre, nous vous recommandons certains exercices dits de technique PNF *(Proprioceptive neuromuscular facilitation)*, une thérapie développée après la Seconde Guerre mondiale pour traiter les troubles neurologiques des soldats américains, puis reprise dans les années 60-70 par les entraîneurs sportifs pour accroître la souplesse des athlètes.

Cette méthode est une technique spécifique de stretching dans laquelle chaque étirement constitue la troisième phase d'un ensemble constitué par:

- une phase de contraction. Il s'agit de mettre sous tension le muscle que vous allez étirer sans l'allonger ni faire bouger les articulations;
- une phase de détente;
- une phase d'étirement.

Quelques exercices d'initiation

Ces exercices vous aideront à prendre conscience de ce qu'est un étirement. Apprenez à placer et à mouvoir correctement votre corps pour sentir jusqu'où vous pouvez vous étirer.

Les surfaces tramées indiquent les parties du corps que la position décrite est censée faire travailler. Mais comme chaque personne réagit différemment, il est possible que vous en sentiez les effets dans d'autres zones.

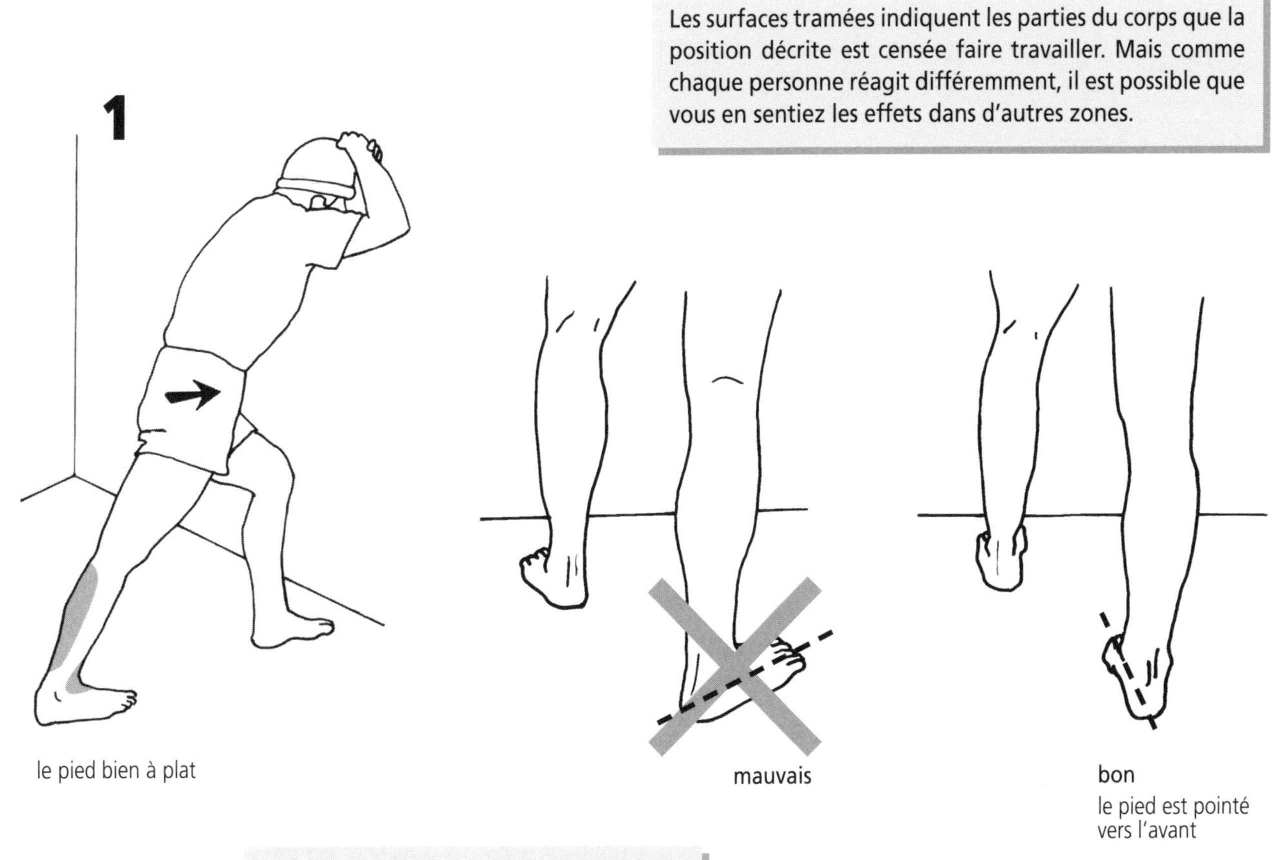

Commencez par un léger échauffement de 2 à 3 minutes: marchez sur place en balançant les bras le long du corps.

Étirement des jambes. Commençons par le mollet. Appuyez vos avant-bras contre un mur, la tête posée sur le dos des mains. Pliez votre jambe gauche en rapprochant le genou du support choisi. Votre jambe droite demeure tendue, le pied bien à plat sur le sol, perpendiculaire à la paroi ou légèrement tourné vers l'autre pied.

Sans bouger les pieds, rapprochez lentement vos hanches de la paroi. Gardez la jambe droite tendue, maintenez le talon en contact avec le sol. Ressentez-vous l'étirement dans votre mollet droit?

Restez dans cette position d'étirement simple pendant 10 secondes, puis accentuez la pression des hanches pour faire un étirement complet pendant 10 secondes. Ne forcez pas.

Étirez maintenant la jambe gauche. Sentez-vous une différence? L'une de vos jambes est-elle plus souple que l'autre?

Étirement de l'aine en position assise. Asseyez-vous sur le sol, les jambes pliées, les plantes des pieds jointes, les mains posées sur vos orteils. Assurez-vous que les pieds ne sont pas trop près du bassin. Penchez le buste vers l'avant jusqu'à ce que vous ressentiez un léger étirement des muscles de l'aine. Gardez cette position pendant 20 secondes. Si elle est correcte, vous devez vous sentir bien. Plus vous prolongez l'étirement, moins vous le ressentez. Si vous pouvez le faire sans peine, posez les coudes sur la face interne des jambes, cela vous donnera un meilleur équilibre et une plus grande stabilité.

2

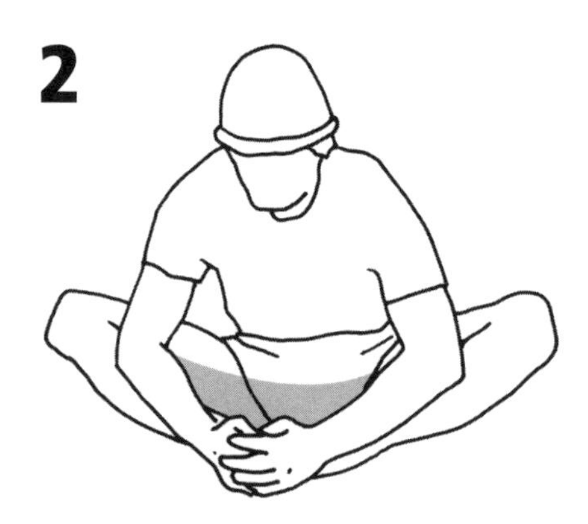

Soufflez profondément avant de prendre la position. Respirez lentement et régulièrement pendant l'étirement, tout en relaxant votre visage et vos épaules.

Ne pliez pas le haut du corps. En arrondissant les épaules, vous forceriez sur le bas de votre dos.

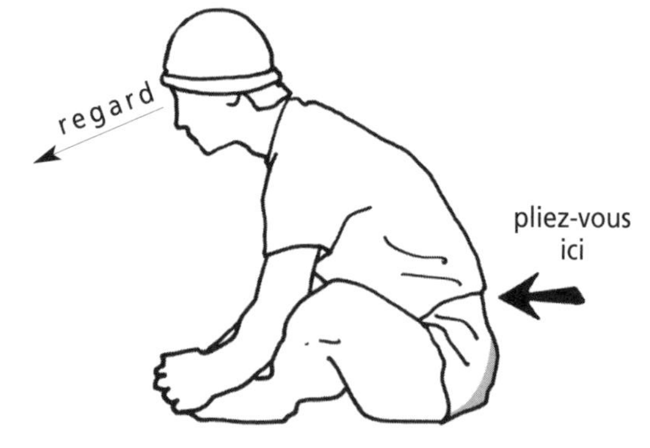

Faites bien partir le mouvement des hanches. Essayez de gardez le dos droit. Regardez devant vous.

Lorsque la tension est moins forte, accentuez l'étirement en vous pliant un peu plus. La sensation doit être plus intense, sans être douloureuse. Restez ainsi pendant 15 secondes. À ce stade d'étirement complet, la tension doit diminuer progressivement. Redressez-vous lentement. Attention aux mouvements violents, rapides ou saccadés !

Vous devez toujours garder le contrôle de ce que vous faites, de manière à sentir réellement ce qui se passe dans votre corps pendant chaque exercice.

3

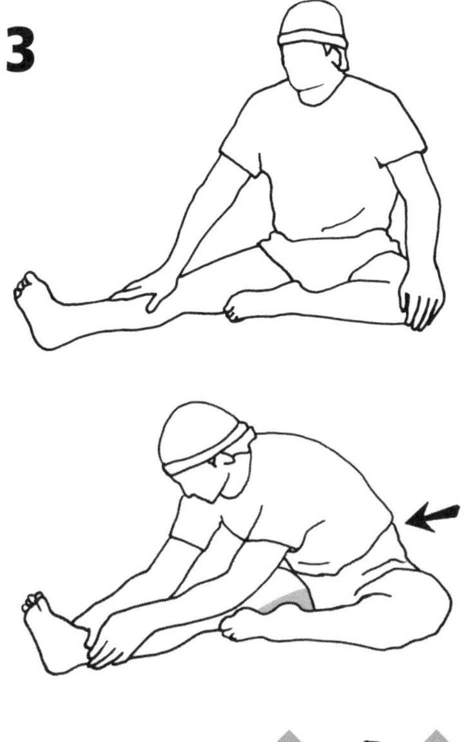

Étirement des cuisses. Maintenant, étendez la jambe droite sans bouger celle de gauche, la plante du pied gauche près de la face interne de la cuisse droite. Le genou droit ne doit pas être raidi. Vous êtes en position jambe tendue/genou plié.

Pour étirer l'arrière de la cuisse droite et le flanc gauche (certains ressentiront aussi un étirement dans le bas du dos), penchez-vous vers l'avant, au niveau des hanches, en expirant. Essayez de poser les mains sur vos chevilles et maintenez cet étirement simple pendant 10 à 15 secondes. Respirez lentement et régulièrement. Pour vous assurer que votre position est correcte, palpez le quadriceps de votre cuisse droite : il doit être souple, ni tendu ni dur.

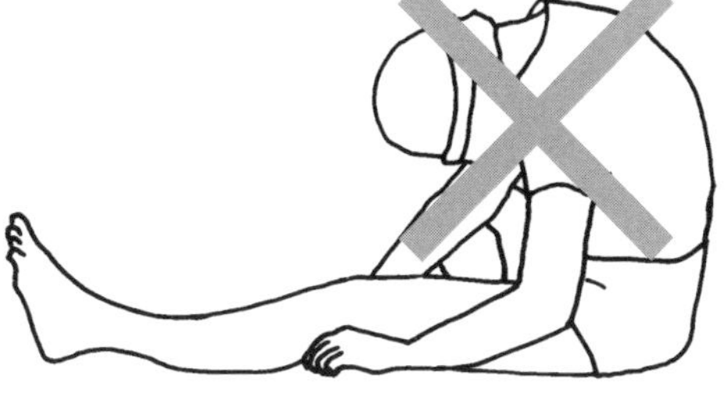

Ne faites pas partir le mouvement de la tête ou des épaules. Ne baissez pas le front, vers le genou. N'arrondissez pas les épaules. Cette position aurait pour résultat de faire basculer vos hanches ou votre bassin vers l'arrière.

Assurez-vous que le mouvement part bien des hanches. Maintenez votre menton à l'horizontale, cela vous aidera à placer correctement la tête et le cou. Pendant l'exercice, épaules et bras ne doivent pas être tendus.

Gardez le pied droit vertical ou légèrement incliné vers l'intérieur, les orteils et la cheville détendus, la jambe dans l'alignement de la hanche.

Ne laissez pas votre jambe et votre pied tournés vers l'extérieur. Le talon, la cheville, le genou et la hanche ne seraient plus alignés.

Pour faciliter ce mouvement, passez une serviette sous votre pied et tirez sur ses extrémités. Maintenez cette position pendant 15 secondes afin de créer et de maintenir la tension désirée.

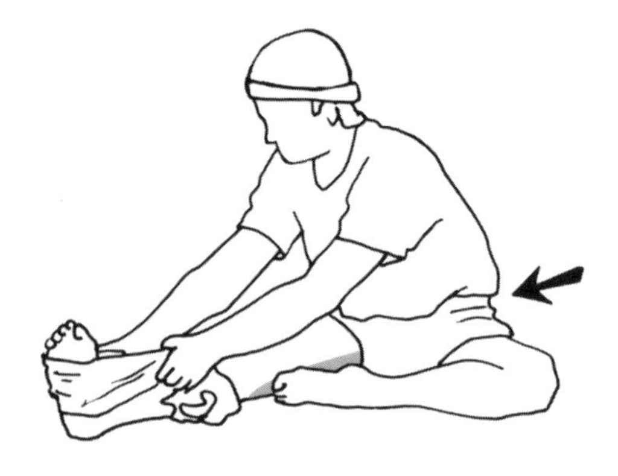

Lorsque la sensation créée par l'étirement simple s'est atténuée, cherchez l'étirement complet en vous penchant un peu plus et maintenez la position 10 à 15 secondes. Il suffit d'aller 1 cm plus loin. Souvenez-vous qu'il n'y a pas de règle, puisque nous sommes tous différents.

Redressez-vous lentement, puis refaites l'exercice avec l'autre jambe pour étirer le flanc droit et l'arrière de la cuisse gauche. L'avant de la cuisse droite doit être détendu, le pied vertical, les orteils et la cheville relaxés.

Il vous faudra sans doute plusieurs essais pour parvenir à effectuer correctement cet exercice et sentir la différence entre les deux étirements.

Apprenez à vous étirer en fonction de ce que vous ressentez, et non en fonction de ce que vous aimeriez faire.

4

Recommencez l'exercice n° 2 (étirement de l'aine). Sentez-vous une différence avec la première fois ?

La souplesse n'est pas le seul objectif de ces exercices. Vous devez également apprendre à :

- relaxer les zones tendues, comme les orteils, les pieds, les mains, les poignets, les épaules ;
- sentir et contrôler vos étirements ;
- placer correctement votre tête et vos épaules, ainsi que votre jambe tendue ;
- adapter l'exercice à votre condition physique, qui change chaque jour.

5

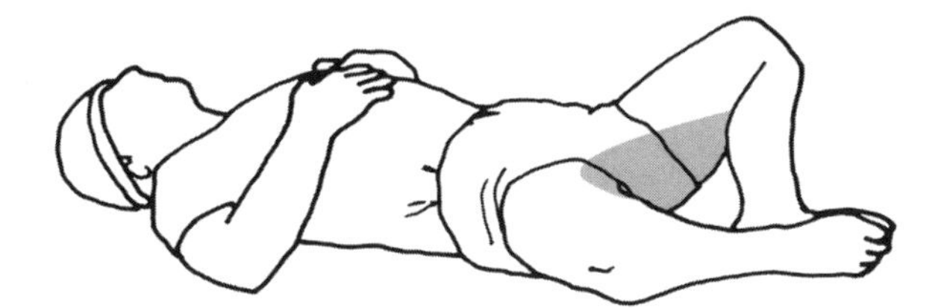

Étirement de l'aine en position couchée. Allongez-vous sur le dos, les mains sur la poitrine. Joignez les plantes des pieds en laissant les genoux s'écarter librement. Ne raidissez pas les hanches. Demeurez dans cette position de décontraction totale pendant 40 secondes, en veillant à chasser toute tension de votre corps. Respirez profondément.

Le léger étirement de l'aine que vous ressentez ne doit pas résulter d'un effort de votre part, mais se produire naturellement sous l'effet de la pesanteur.

6

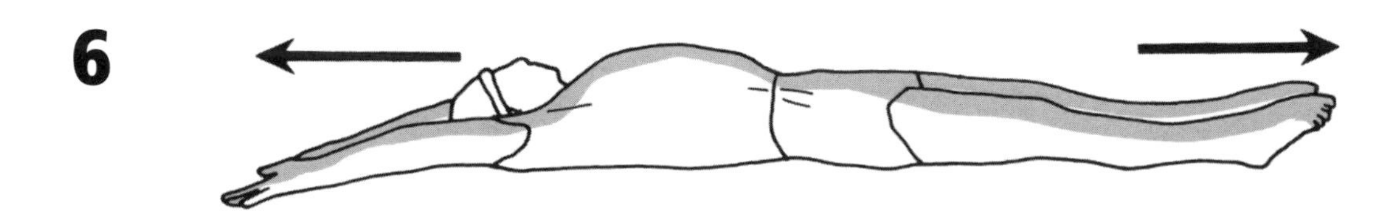

Élongation. Étendez lentement vos jambes et vos bras, les mains et les pieds joints, les doigts et les orteils tendus comme si vous vouliez vous grandir au maximum. Rentrez votre ventre et gardez cette position pendant 5 secondes, puis détendez-vous. Recommencez trois fois.

Cet excellent exercice, qui étire les bras, les épaules, le dos, la cage thoracique, les jambes et les pieds, peut être pratiqué au réveil, lorsque vous êtes encore dans votre lit.

Ensuite, pliez votre jambe droite et ramenez-la vers la poitrine avec vos mains. Restez ainsi pendant 30 secondes. Vous devez ressentir un étirement à l'arrière de la cuisse et dans le bas du dos mais, même si vous ne ressentez rien, cet exercice vous aidera à vous détendre. Changez de jambe et comparez les résultats. Respirez régulièrement.

7

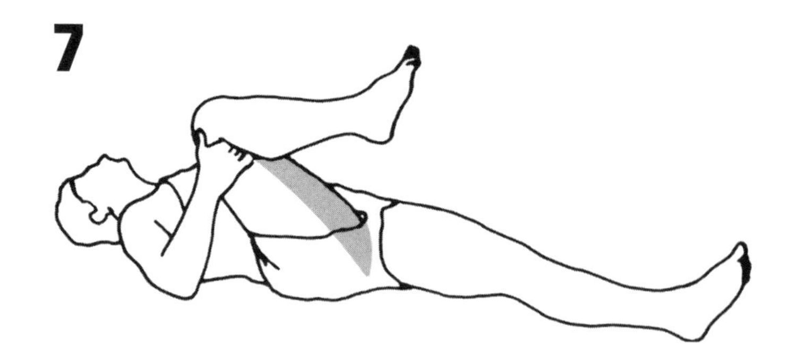

> Apprenez progressivement à reconnaître et à mesurer les réactions de votre corps.

Reprenez maintenant la position n° 5 et détendez-vous pendant 30 secondes. Chassez toute tension des mains, des pieds, des épaules. Décontractez-vous totalement en fermant les yeux et en essayant de faire le vide dans votre esprit.

8

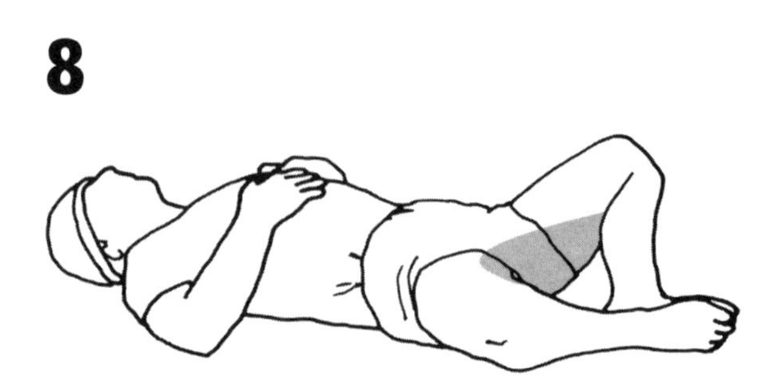

Comment vous redresser lorsque vous êtes en position allongée

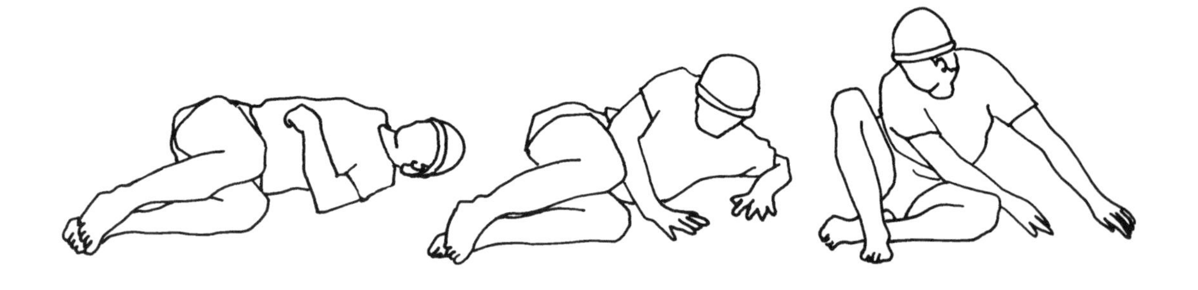

Joignez les genoux pour vous coucher sur le flanc, du côté de votre choix. Servez-vous des mains pour vous mettre en position assise. En vous relevant cette manière, vous éviterez de soumettre votre dos à de trop grands efforts.

9

Une fois assis, répétez l'exercice n° 3. Sentez-vous une différence? Êtes-vous plus souple, moins tendu que la première fois?

RAPPEL DES ENCHAÎNEMENTS

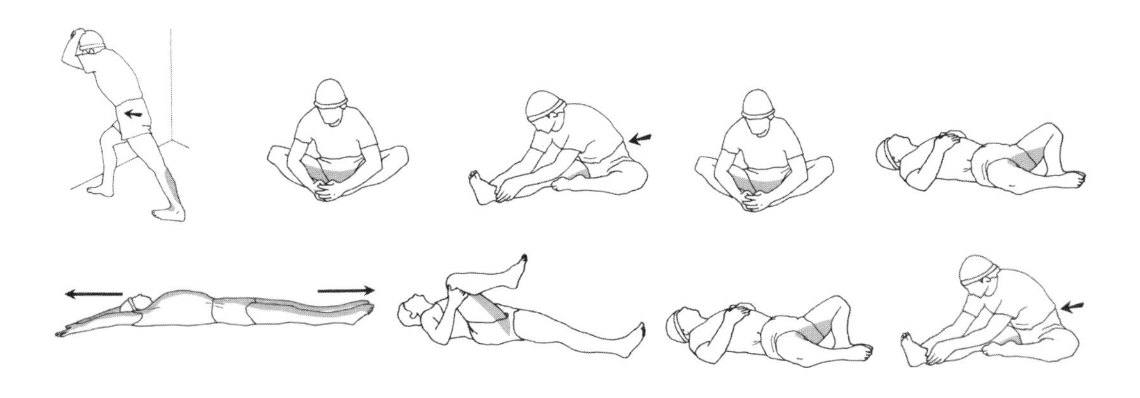

Ces exercices élémentaires sont destinés à vous faire découvrir le stretching et à vous faire comprendre qu'il ne se réduit pas à la recherche d'une plus grande souplesse. Le stretching ne vous rendra plus souple que si vous le pratiquez correctement, en n'oubliant jamais que son objectif est d'accroître votre bien-être.

La plupart des exercices durent entre 20 et 30 secondes. Avec un peu de pratique, vous apprendrez à leur donner la durée qui vous convient: vous pourrez en prolonger certains, parce que vous les appréciez ou parce que vous êtes particulièrement tendu... N'oubliez jamais que votre condition physique change d'un jour à l'autre et que vous devez doser vos étirements en fonction de ce que vous ressentez.

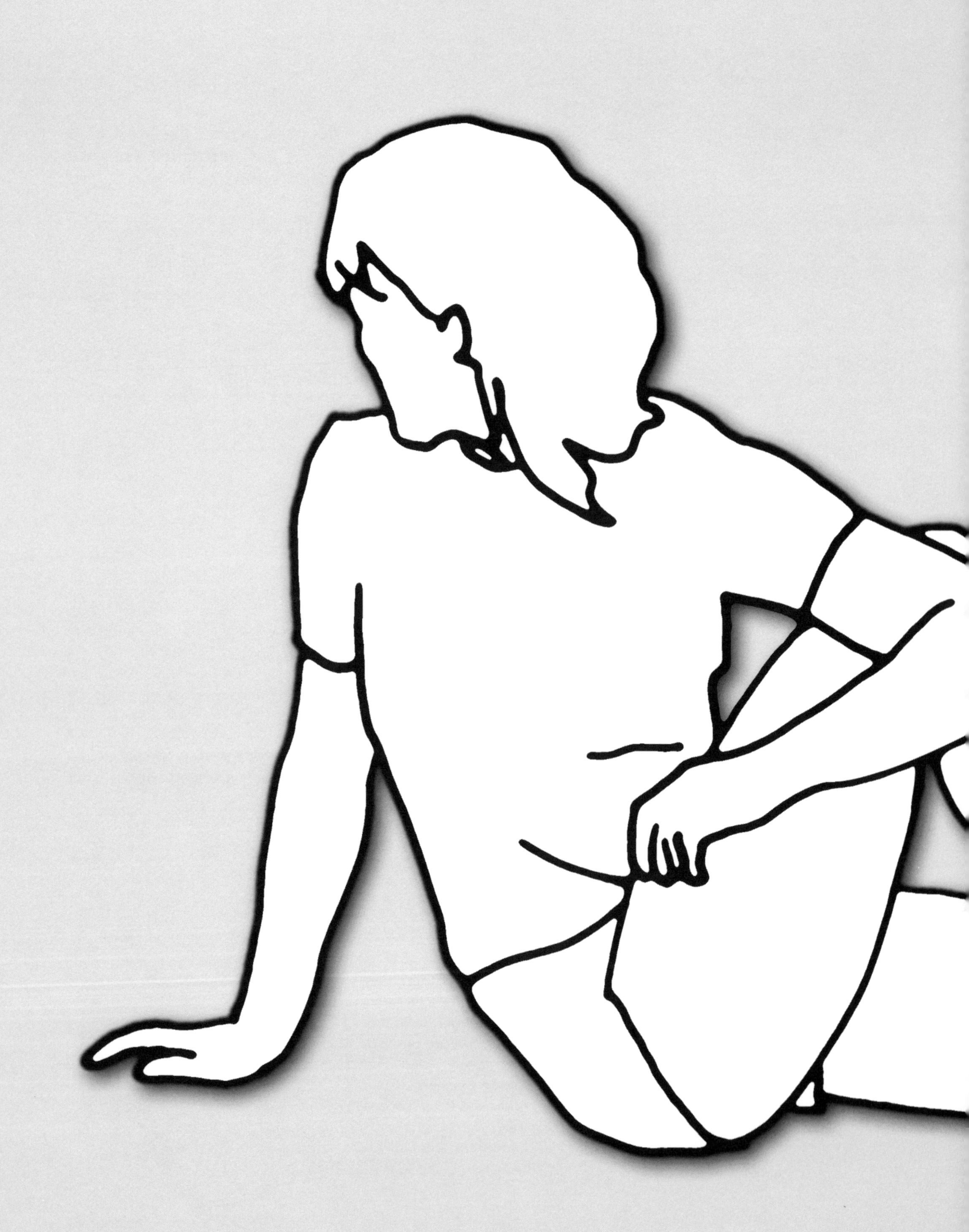

DES ÉTIREMENTS POUR CHAQUE PARTIE DU CORPS

Les principaux étirements sont présentés sous forme d'enchaînements et regroupés selon les parties du corps. Les dessins représentent les étirements complets; vous pouvez vous en inspirer, mais vous n'êtes pas obligé de les reproduire entièrement. Faites ce que vous pouvez, en adaptant chaque exercice à vos possibilités, qui peuvent varier d'un jour à l'autre.

Les parties du corps 24
Exercices de relaxation pour le dos 26
Exercices pour les jambes, les pieds et les chevilles 34
Exercices pour le dos, les épaules et les bras 42
Exercices pour les jambes 49
Exercices pour le bas du dos, les hanches, l'aine et les muscles tendineux 54
Exercices pour le dos, les hanches et les jambes 63
Élévation des pieds 68
Exercices en position debout pour les jambes et les hanches 71
Exercices en position debout pour le haut du corps 79
Exercice à la barre fixe 85
Exercices avec une serviette pour le haut du corps 86
Exercices pour les mains, les poignets et les avant-bras 88
Exercices en position assise 90
Exercices d'élévation des pieds pour l'aine et les jambes 94
Exercices jambes écartées pour l'aine et les hanches 97
Apprendre le grand écart 101

Les parties du corps

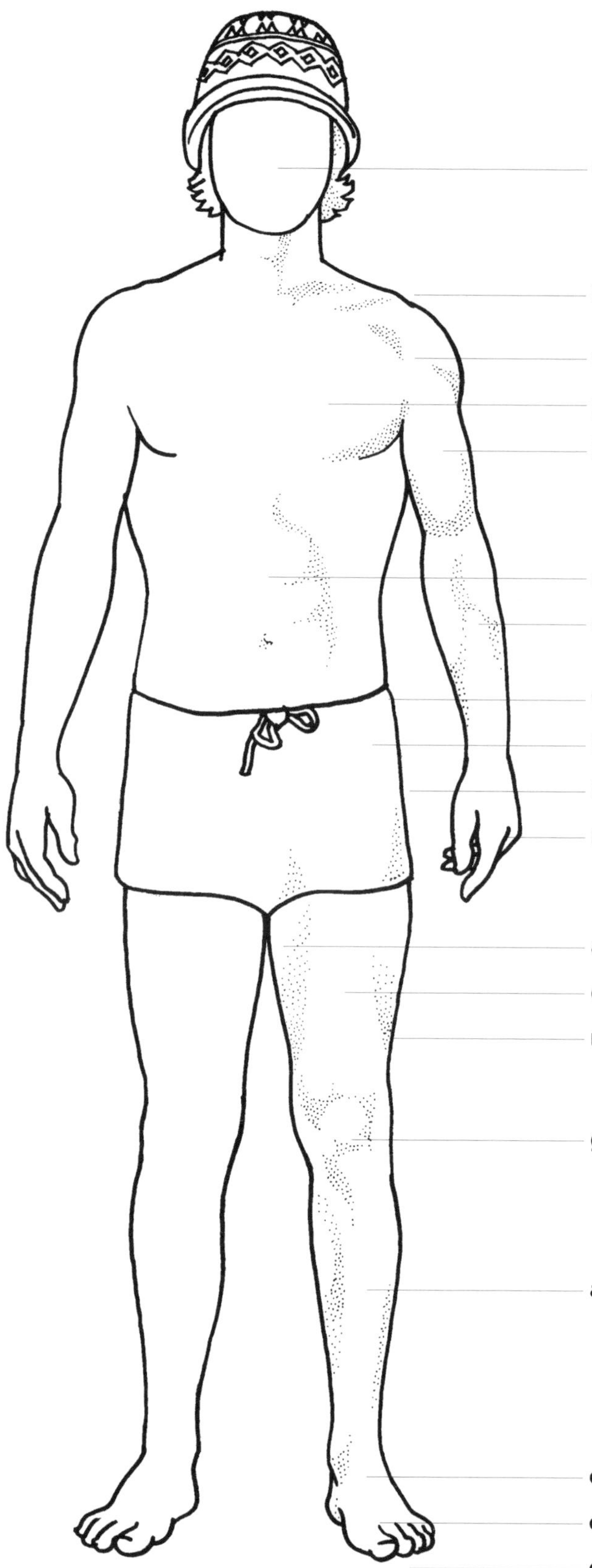

visage : 93

haut de l'épaule : 29-30, 42-47, 76, 79, 81, 83, 85-87, 90-91

avant de l'épaule : 30, 47, 82-83, 86

poitrine : 47, 69, 81-82, 87, 91

biceps : 47, 82, 87

abdominaux : 29-30, 206-209

avant-bras : 42, 91

taille : 26-27, 79, 83, 98, 100

bassin : 37, 51-52, 74, 101

hanche : 26-27, 32, 60-61, 72, 92

mains et doigts : 45, 88-90

aine : 26, 51-52, 58-60, 65-66, 69, 74, 76-77, 94-103

quadriceps : 37-39, 52, 74-75

muscle externe de la cuisse : 37

genou : 35-37, 49-53, 65-66, 75

avant de la jambe : 49, 75

cheville : 34-37, 49-51, 65-66, 71-72, 91

cou-de-pied : 34, 50

orteils : 34, 50

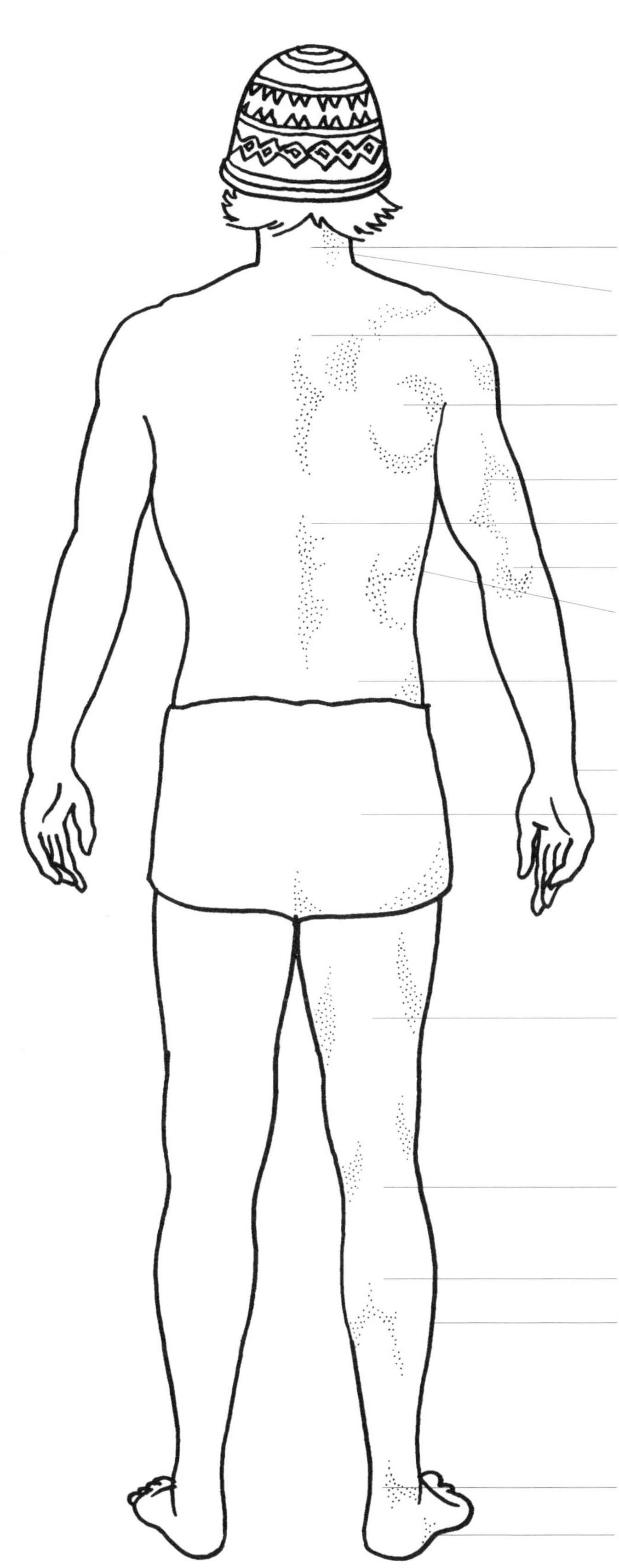
nuque : 27-28, 63-64, 69, 92, 95
côté du cou : 28, 47, 80
haut du dos : 29, 40, 42-44, 47, 60, 63-64, 81-82, 85, 90-91
omoplates : 28, 30, 40, 43-44, 45, 80-81, 91
triceps : 43-45, 90
milieu du dos : 40, 43, 46, 63-66, 80, 98
coude : 43, 47
flanc : 29, 42, 45-47, 79-81, 83, 85, 90, 98-99
bas du dos : 26-27, 30-33, 40, 54, 57, 60, 63-66, 80, 85, 92
poignet : 42, 88-91
muscles fessiers : 32, 35, 60, 73, 92
muscles tendineux : 35, 39-41, 52, 54, 56-58, 69, 73-74, 76-77, 94-103
arrière du genou : 41, 54, 56-57, 94, 102
mollet : 39-41, 71-72
face externe de la jambe : 41
tendon d'Achille : 50, 65-66, 71-72
voûte plantaire : 34, 50

Exercices de relaxation pour le dos

Voici quelques exercices faciles, à faire allongé sur le dos. Chaque position soulage une partie du corps généralement difficile à détendre. Vous pouvez effectuer ces exercices de routine pour vous étirer sans effort ou tout simplement vous relaxer.

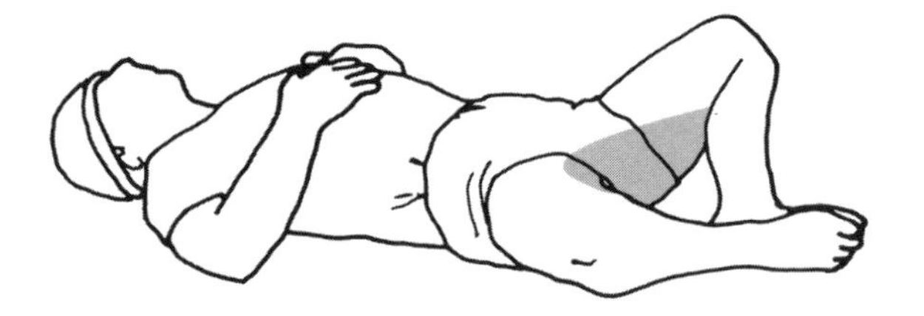

Laissez-vous aller, les mains sur la poitrine, les genoux pliés, les plantes des pieds jointes. Cette position détend les muscles de l'aine. Demeurez ainsi 30 secondes en vous abandonnant à la pesanteur. Pour votre confort, vous pouvez placer un petit coussin derrière la nuque.

Variante. En demeurant dans la même position, effectuez un léger balancement sur les côtés, de quelques centimètres seulement, comme si vos jambes étaient les ailes d'un avion. Le mouvement doit partir de la taille. Répétez-le dix à douze fois. Cet exercice assouplit les hanches et l'aine.

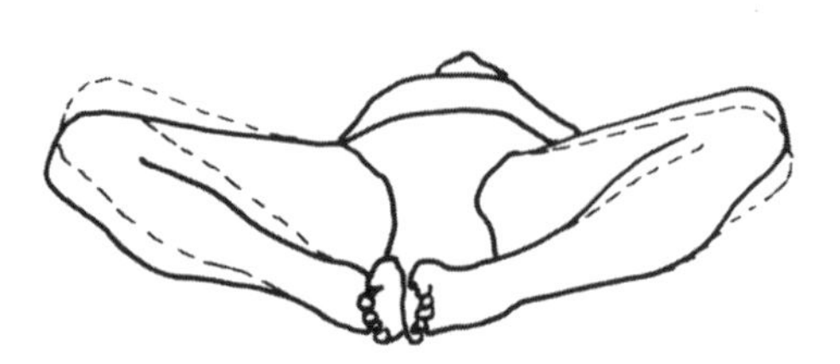

Exercice pour le bas du dos, le flanc et la taille

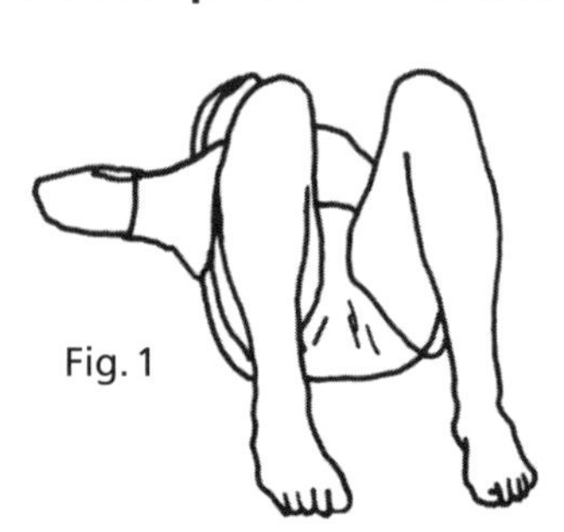

Fig. 1

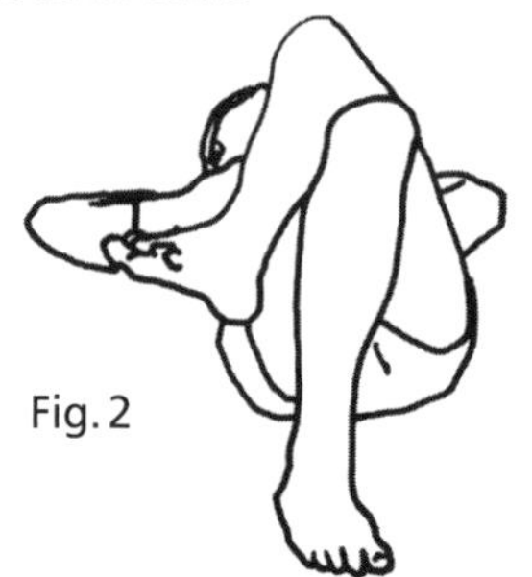

Fig. 2

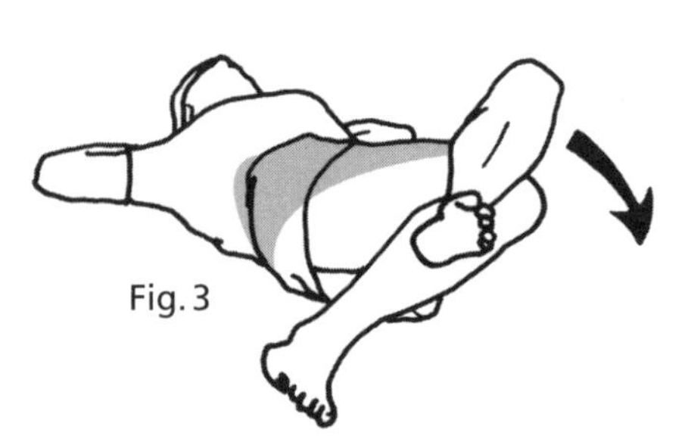

Fig. 3

Pliez vos jambes et posez vos pieds à plat sur le sol, les doigts entrelacés derrière la nuque, les bras au repos *(fig. 1)*. Placez votre jambe gauche sur votre jambe droite *(fig. 2)*. Utilisez votre jambe gauche pour ramener votre jambe droite vers le sol *(fig. 3)* jusqu'à ce que vous sentiez l'étirement de votre flanc droit et du bas de votre dos. Le haut du dos, la nuque, les épaules et les coudes doivent reposer sur le sol. Demeurez 10 à 20 secondes dans cette position. Le but n'est pas de toucher le sol avec votre genou droit, mais de vous étirer sans forcer, jusqu'à ce que vous éprouviez une sensation de détente. Répétez ensuite l'opération de l'autre côté, la jambe droite sur la jambe gauche. Soufflez bien avant de commencer l'exercice puis respirez régulièrement en l'effectuant.

- Respirez régulièrement.
- Détendez-vous.

Cet exercice est très utile si vous souffrez d'une sciatique[1] mais, dans ce cas, ne recherchez que votre bien-être et arrêtez le mouvement avant qu'il ne devienne douloureux.

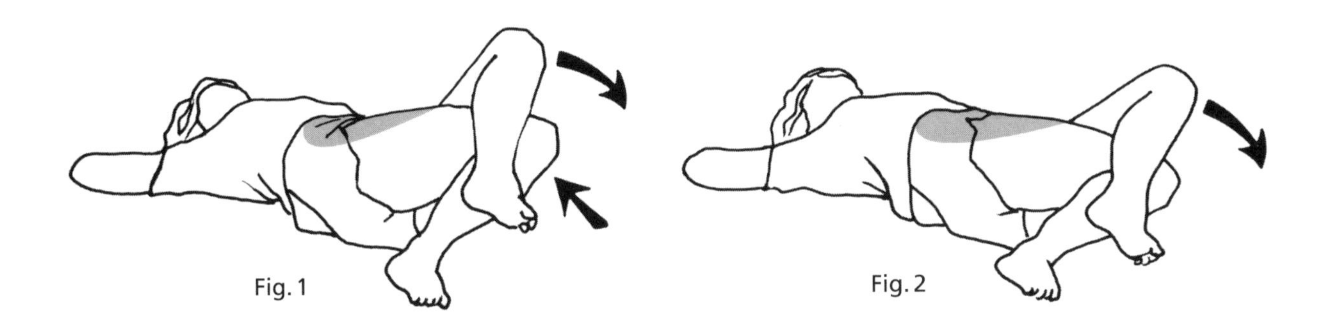

Fig. 1 Fig. 2

Technique PNF. Passez votre jambe gauche sur votre jambe droite comme précédemment mais, dans le même temps, contractez votre jambe droite pour essayer de la maintenir en place : les deux forces qui s'opposent étant égales, votre jambe ne bougera pas. Ce mouvement provoque la contraction des muscles de la hanche *(fig. 1)*. Maintenez cette posture pendant 5 secondes, puis détendez-vous et refaites le mouvement sans opposer de résistance avec votre jambe droite *(fig. 2)*. Cet exercice est excellent pour les personnes très tendues.

Exercice pour réduire la tension dans le cou

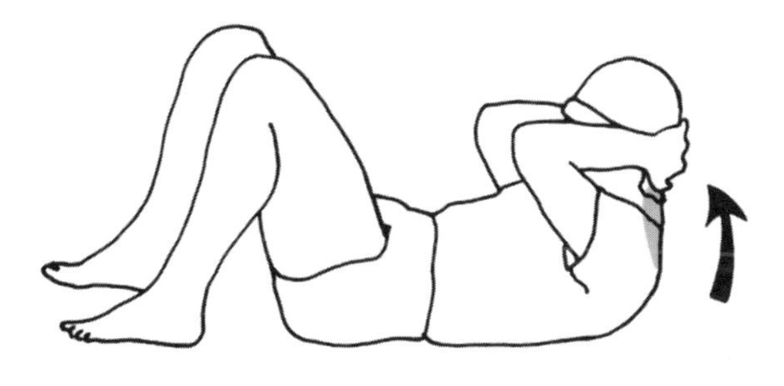

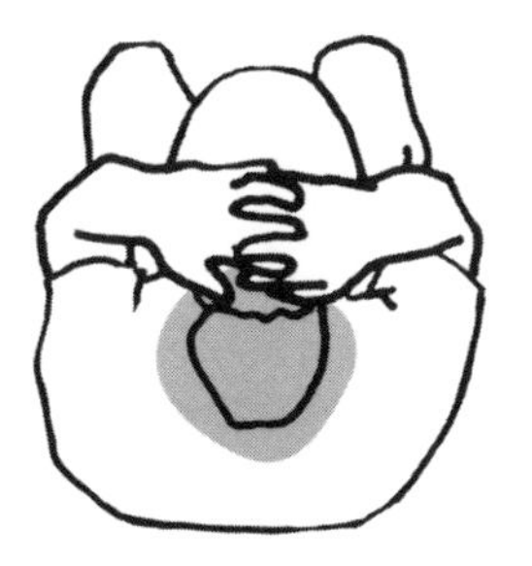

En partant toujours de la même position couchée, étirez votre cou et le haut de votre colonne vertébrale. Cet exercice réduit la tension dans la région de la nuque et facilite les mouvements de la tête et du cou.

Entrecroisez vos doigts derrière la nuque, à hauteur des oreilles. Utilisez la force de vos bras sans jamais forcer pour ramener la tête vers l'avant, jusqu'à ce que vous sentiez un léger étirement ; demeurez ainsi de 3 à 5 secondes, puis revenez lentement à votre position de départ. Recommencez le mouvement trois ou quatre fois. Pendant l'étirement, relâchez vos maxillaires et respirez régulièrement.

[1] Le nerf sciatique part du bas de l'épine dorsale et descend le long de la fesse, puis de la jambe, jusqu'au gros orteil.

Technique PNF. Toujours en position couchée, genoux fléchis, entrecroisez vos mains derrière la tête (et non derrière la nuque). Relevez doucement la tête avec vos mains, puis essayez de la reposer sur le sol tout en vous y opposant avec vos mains et vos bras. Maintenez cette contraction pendant 3 à 4 secondes. Détendez-vous 1 à 2 secondes, puis poussez votre tête vers l'avant, le menton vers le nombril, jusqu'à ressentir un étirement agréable. Maintenez-le pendant 3 à 5 secondes. Répétez l'exercice deux ou trois fois.

Poussez doucement tête et menton en direction de votre genou gauche. Demeurez ainsi 3 à 5 secondes, puis laissez revenir votre tête sur le sol. Recommencez en direction du genou droit. Répétez deux ou trois fois de chaque côté.

La tête posée sur le sol, tournez votre menton vers l'épaule (sans relever la tête). Arrêtez-vous lorsque vous sentez un étirement agréable, sans forcer. Gardez la position 3 à 5 secondes, puis tournez dans l'autre sens. Répétez l'exercice deux ou trois fois. Détendez vos maxillaires et ne retenez pas votre respiration.

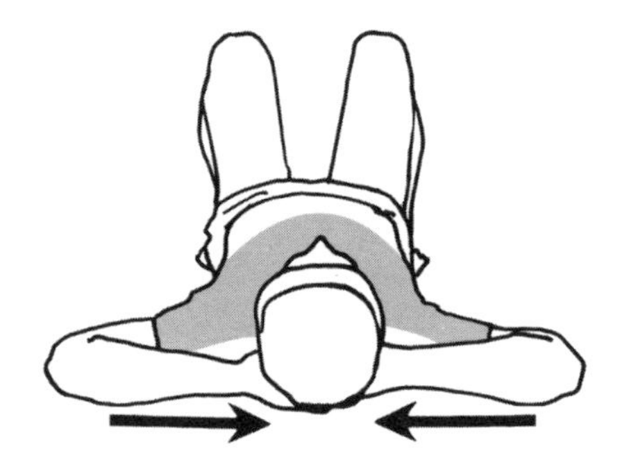

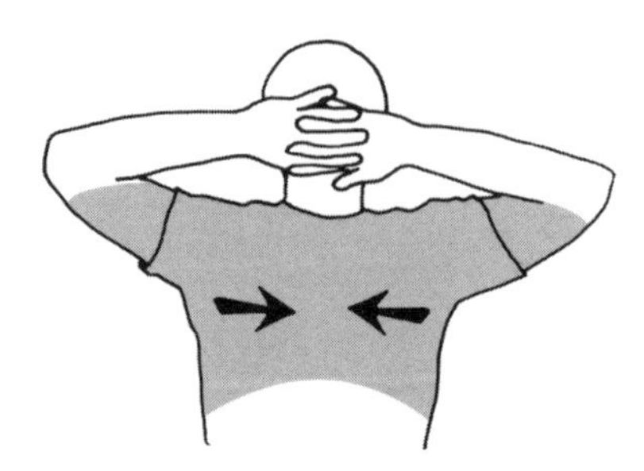

Rapprochement des omoplates. Les genoux pliés, les mains entrecroisées derrière la tête, rapprochez lentement les omoplates pour tendre le haut du dos (lorsque vous faites cela, votre poitrine se soulève). Demeurez dans cette position pendant 4 ou 5 secondes, puis détendez-vous et poussez votre tête vers l'avant avec les bras, comme indiqué page 27. Cela relâchera la tension et assurera un meilleur étirement de votre cou. Répétez l'enchaînement trois ou quatre fois.

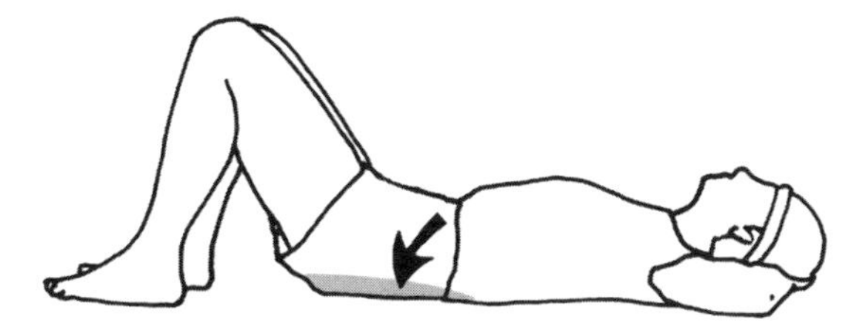

Aplatissement du dos. Pour diminuer la tension dans le bas de votre dos, contractez vos muscles fessiers et, dans le même temps, rentrez vos muscles abdominaux comme si vous vouliez aplatir votre bassin et le coller au sol. Gardez la position pendant 5 à 8 secondes, puis détendez-vous. Recommencez deux ou trois fois. Cet exercice renforce les muscles fessiers et abdominaux et vous permettra de mieux vous tenir lorsque vous êtes assis ou debout (vous pouvez d'ailleurs l'effectuer aussi dans ces deux positions).

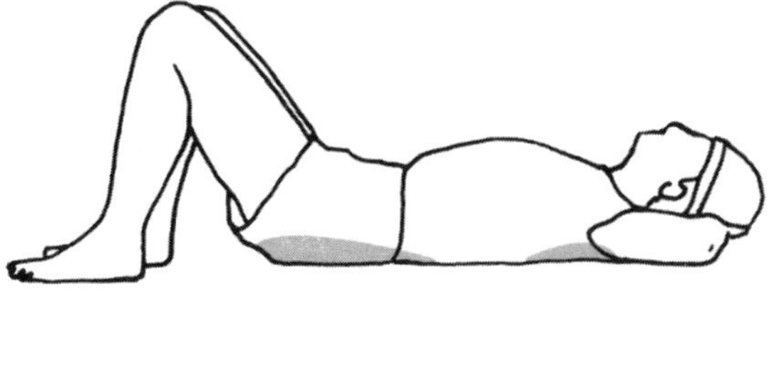

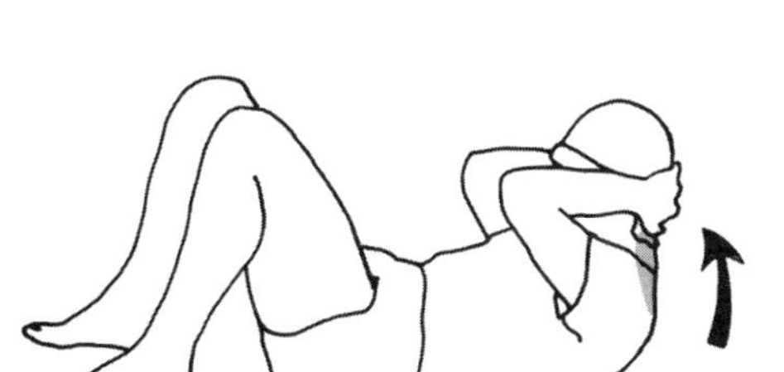

Rapprochement des omoplates et aplatissement du dos. Simultanément, rapprochez les omoplates, contractez les muscles fessiers et rentrez les muscles abdominaux. Tenez 5 secondes, puis relaxez-vous.

Enchaînez en poussant votre tête vers l'avant. Recommencez plusieurs fois. Cet enchaînement vous fera beaucoup de bien.

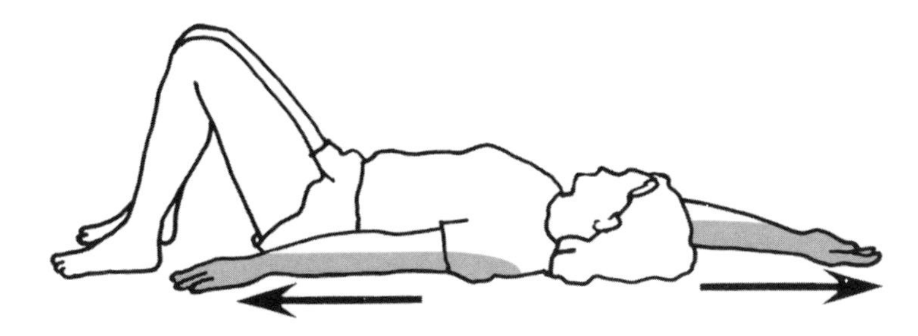

Allongé sur le dos, genoux pliés, tête sur le sol, tendez un bras vers l'arrière, la paume vers le haut, et gardez l'autre le long du corps, la paume vers le bas. Étirez vos deux bras en même temps dans les directions opposées pendant 6 à 8 secondes. Changez et recommencez au moins deux fois, en essayant de bien sentir le mouvement de bascule des épaules. Votre bassin doit être décontracté, bien à plat sur le sol. Gardez votre mâchoire souple.

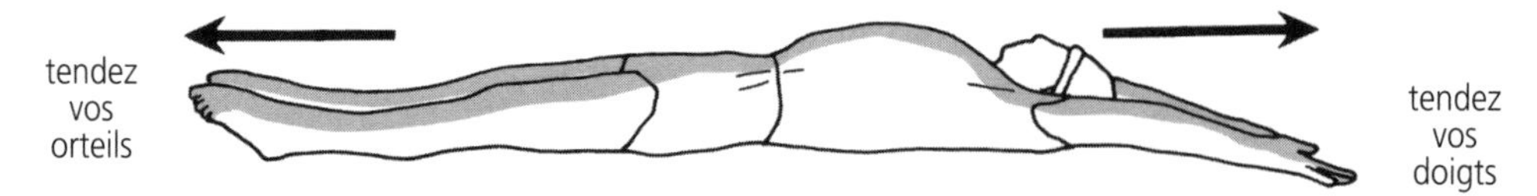

Élongation. Allongez-vous, les jambes jointes, les bras vers l'arrière. Tendez vos bras et vos jambes en même temps, sans forcer, comme si vous vouliez toucher quelque chose avec vos doigts et avec vos orteils. Tenez 5 secondes et détendez-vous.

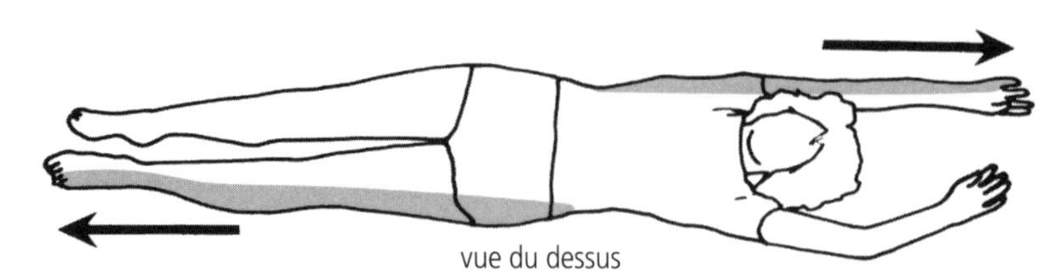

Étirez-vous maintenant en diagonale, en tendant en même temps la jambe gauche et le bras droit. Ne cherchez pas à forcer. Recommencez avec votre jambe droite et votre bras gauche. Conservez chaque position pendant au moins 5 secondes, puis relaxez-vous.

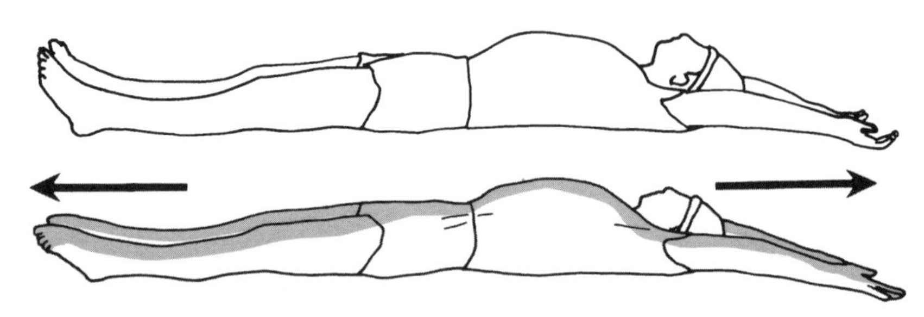

Recommencez la première élongation. Étirez-vous pendant 5 secondes, puis détendez-vous. Cet exercice est excellent pour la cage thoracique, l'abdomen, la colonne vertébrale, les épaules, les bras et les jambes.

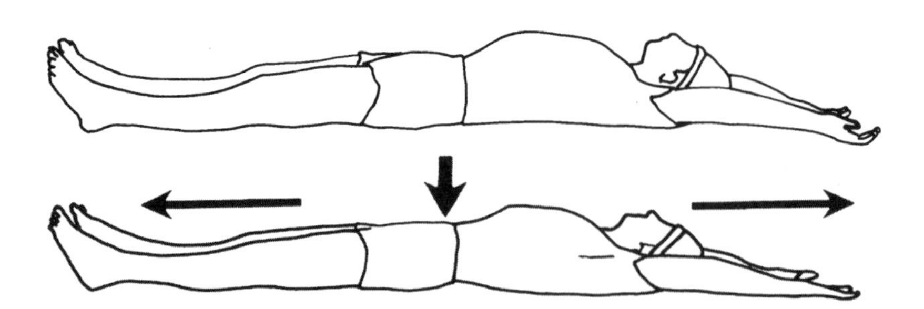

Variante. Effectuez cet exercice en rentrant vos muscles abdominaux. Faites-vous le plus mince possible. Ce mouvement combiné est très bon pour les organes internes.

Effectuez ces exercices autant de fois que vous le désirez. En général, trois ou quatre fois suffisent pour obtenir un résultat. Ils réduisent rapidement la tension et soulagent le dos. Vous pouvez les effectuer juste avant d'aller vous coucher.

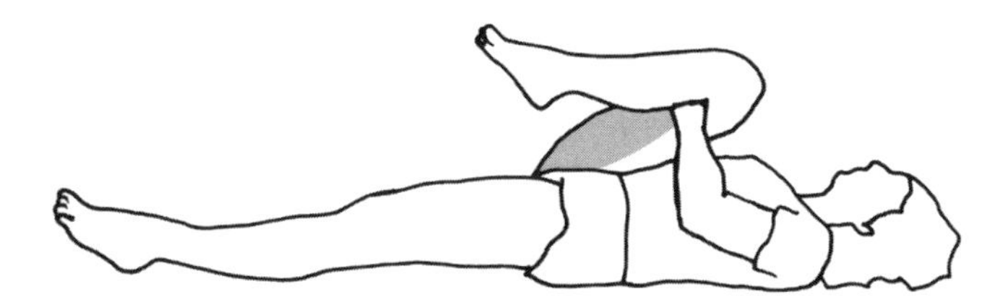

En vous aidant de vos mains, ramenez votre genou droit vers la poitrine. Veillez à ce que votre nuque et votre bassin soient bien à plat sur le sol, mais ne forcez pas. Restez ainsi 10 à 30 secondes, puis changez de jambe. Ne vous inquiétez pas si vous ne sentez aucun étirement. L'important est que vous éprouviez une sensation de bien-être. Cette position est excellente pour les jambes, les pieds et le dos.

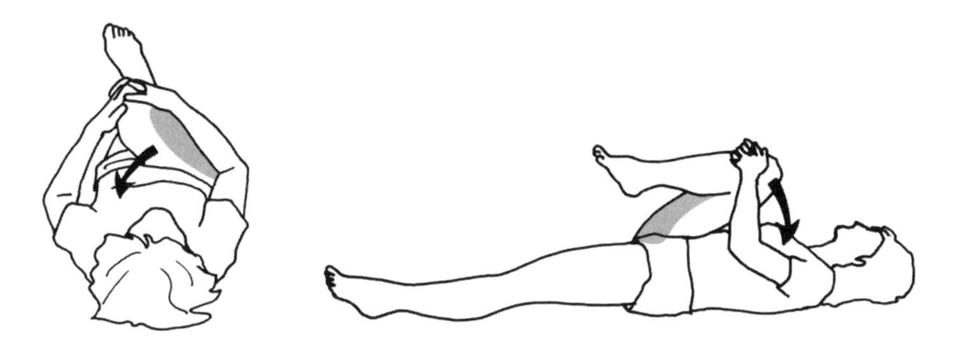

Variante. Faites le même exercice, mais en ramenant votre genou droit vers votre épaule gauche, de manière à étirer les muscles extérieurs de la hanche et de la cuisse droite. Restez ainsi 10 à 20 secondes sans forcer. Changez de jambe.

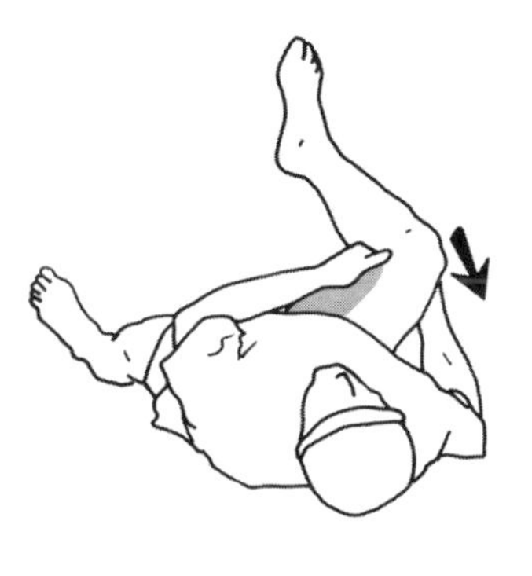

Variante. Faites le même exercice, mais en ramenant votre genou droit vers l'extérieur de votre épaule droite, en vous aidant de vos mains placées derrière le genou. Restez ainsi 10 à 20 secondes sans forcer, en respirant régulièrement et profondément. Changez de genou.

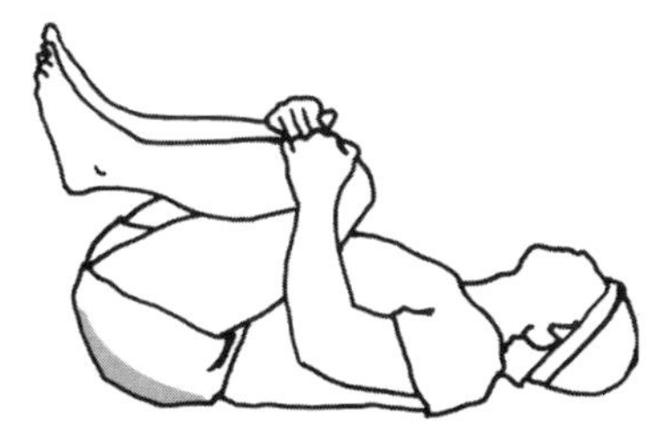

Ramenez maintenant vos deux jambes jointes vers la poitrine. Au début de l'exercice, gardez la tête bien à plat sur le sol, puis redressez-la lentement, jusqu'à ce qu'elle vienne toucher vos genoux.

Couchez-vous sur le dos, les genoux remontés sur la poitrine. Prenez vos jambes juste au-dessous du genou et écartez-les doucement jusqu'à ce que vous sentiez un étirement agréable en haut des cuisses et dans l'aine. Maintenez-le 10 secondes. Votre tête peut reposer sur le sol ou être légèrement surélevée à l'aide d'un coussin.

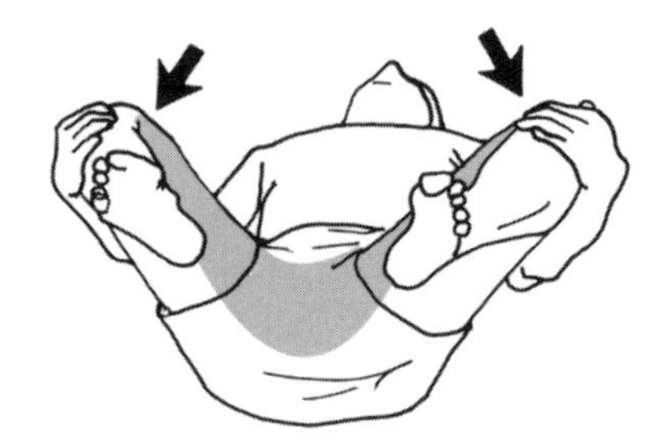

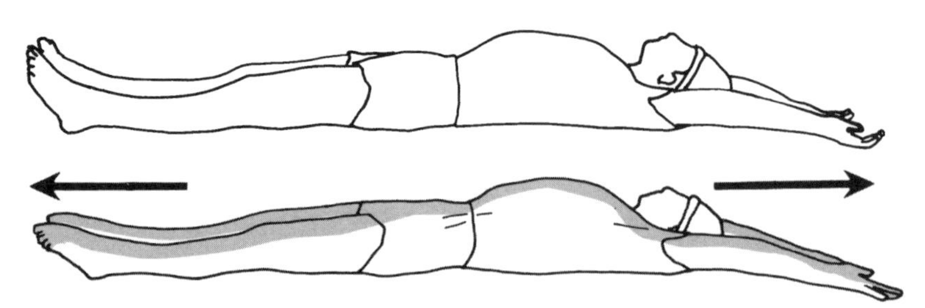

Tendez à nouveau vos bras et vos jambes, puis relaxez-vous.

Exercice pour le bas du dos et le flanc

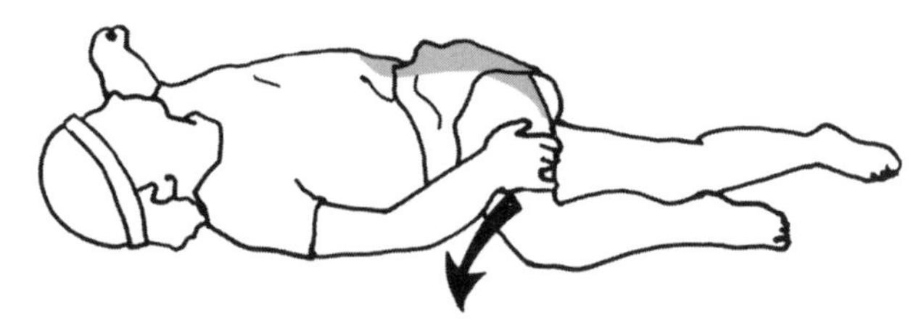

Pliez la jambe gauche à 90° et faites-la passer par dessus l'autre en maintenant votre cuisse avec votre main droite. Votre bras gauche est posé sur le sol, perpendiculairement à votre corps. Votre tête est tournée vers lui, mais ne doit pas être relevée. À l'aide de votre main droite, remontez votre jambe pliée en la laissant collée au sol, jusqu'à ce que vous sentiez un étirement agréable du flanc et du bas du dos. Vos pieds et vos chevilles doivent être souples. Pour que l'étirement soit réellement efficace, vos épaules doivent demeurer collées au sol. Gardez la position pendant 15 à 20 secondes, puis changez de côté.

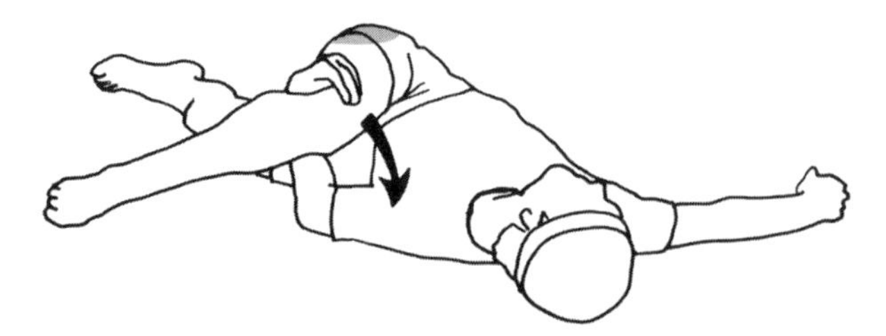

Pour mieux étirer vos muscles fessiers, placez votre main sur la face interne de la cuisse. Ramenez lentement votre genou vers l'épaule opposée. Vos épaules doivent être bien à plat sur le sol. Demeurez ainsi de 15 à 20 secondes. Changez de jambe.

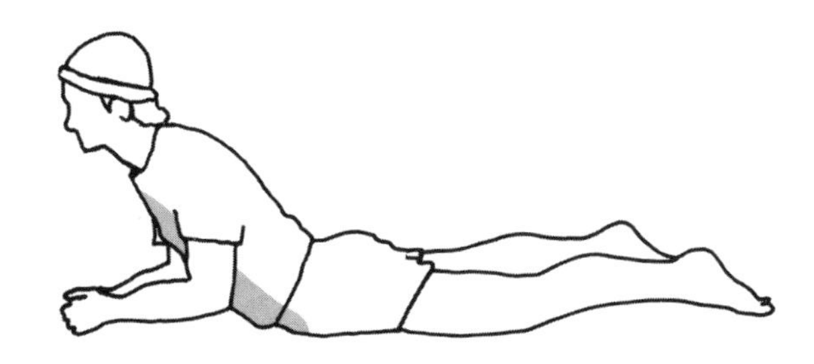

Extension du dos. Mettez-vous à plat ventre, puis remontez le buste en plaçant vos coudes sous vos épaules. Vous devez sentir une légère tension dans le milieu et le bas du dos. Veillez à maintenir le haut de vos hanches sur le sol. Gardez la position 5 à 10 secondes et répétez l'exercice deux à trois fois.

Vous pouvez conclure cette série d'exercices dorsaux en vous mettant en position fœtale, couché sur le côté, les jambes repliées, la tête reposant sur les mains jointes, tous les muscles relâchés.

RAPPEL DES ENCHAÎNEMENTS

Pour détendre votre dos, faites les exercices dans cet ordre.

> Apprenez à écouter votre corps. Si vous êtes tendu, mal à l'aise, ou si vous souffrez, votre corps essaie de manifester un problème. Lorsque cela se produit, étirez-vous jusqu'à ce que vous sentiez un soulagement, sans chercher à aller plus loin.

Exercices pour les jambes, les pieds et les chevilles

La jambe repliée, placez une main sur votre cheville, l'autre sur votre pied et faites tourner celui-ci sans forcer, dans un sens puis dans l'autre, une vingtaine de fois. Ce mouvement permet de détendre sans douleur les ligaments trop tendus. Faites l'exercice avec chaque cheville, en observant leur raideur et l'ampleur de la rotation qu'elles peuvent effectuer. Une cheville qui a eu une entorse est souvent moins souple.

Prenez ensuite vos orteils d'une main et tirez doucement le pied vers vous, sans lâcher la cheville que vous maintenez de l'autre main. Maintenez l'étirement pendant 10 secondes pour soulager les muscles et les tendons. Recommencez deux ou trois fois avec chaque pied. Cet étirement détend aussi la voûte plantaire.

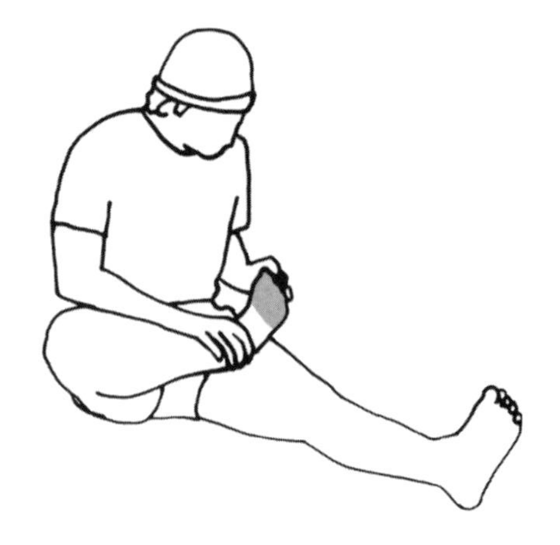

Saisissez chaque gros orteil entre le pouce et l'index, en plaçant vos pouces sous la plante des pieds, à la naissance des orteils. Pliez les orteils puis retournez-les pendant 15 à 20 secondes. Faites-les aller dans un sens, puis dans l'autre, pendant 10 à 15 secondes, en veillant à donner à votre mouvement le maximum d'ampleur. C'est un excellent étirement pour améliorer et maintenir la souplesse et la circulation.

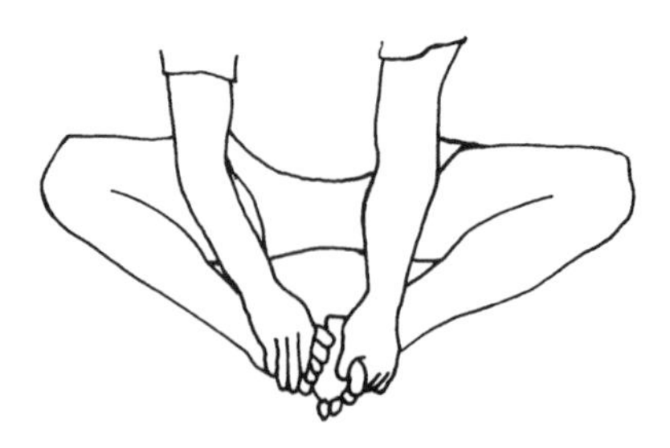

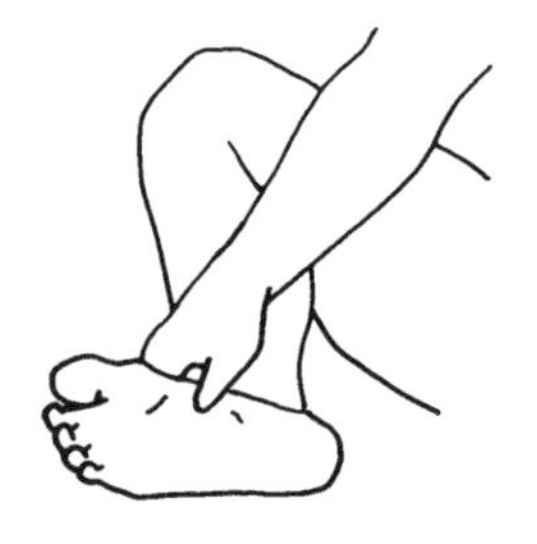

Avec le pouce, massez doucement votre voûte plantaire, du talon aux orteils, en effectuant des mouvements circulaires et en pressant longuement les tissus les plus mous.

Variante. Massez-vous la plante des pieds avec les pouces et faites un massage circulaire sur les zones les plus sensibles. Vous pouvez faire cela pendant que vous regardez la télévision, ou lorsque vous êtes déjà au lit. C'est une excellente relaxation.

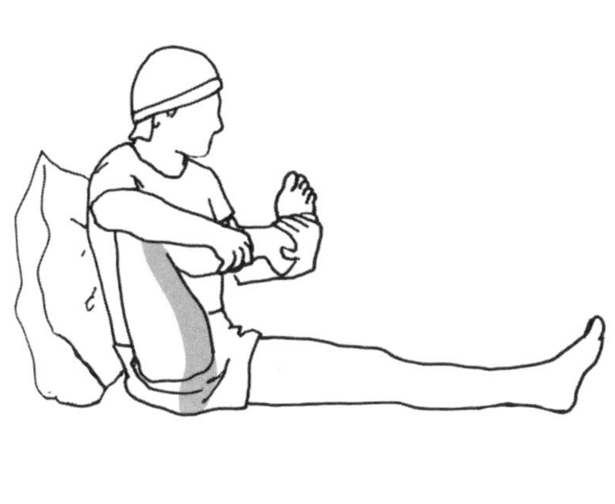

Pour étirer la hanche et la cuisse, placez une main sur la face externe de votre cheville, l'autre main sur le mollet, l'avant-bras reposant sur votre genou plié. Pressez doucement la jambe tout entière vers la poitrine jusqu'à ce que vous sentiez l'étirement de la face interne de votre cuisse. Gardez la position pendant 10 à 20 secondes. Si vous le désirez, vous pouvez faire cet exercice le dos appuyé contre un support. Assurez-vous de bien presser toute la jambe, et pas seulement le mollet (l'articulation de votre genou ne doit pas jouer). Essayez ensuite de toucher votre poitrine avec le pied pendant 10 secondes. Recommencez avec l'autre jambe et comparez les deux côtés.

Chez certaines personnes, cette position n'entraîne aucun étirement. Si c'est votre cas, exécutez l'exercice comme indiqué ci-dessous.

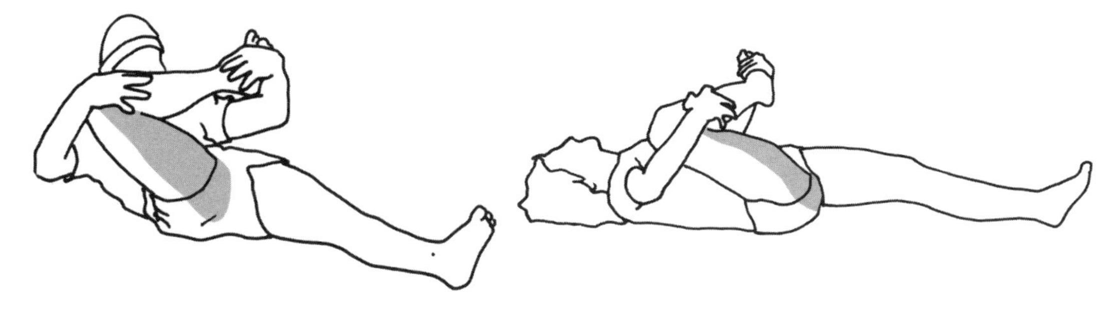

Commencez l'exercice allongé sur le sol, puis redressez-vous en même temps que vous repliez la jambe, comme dans l'exercice précédent, sans tordre le genou, jusqu'à ce que vous sentiez l'étirement de votre cuisse et des muscles fessiers. Demeurez ainsi pendant 20 secondes. Effectué en position couchée, ce mouvement permet un meilleur étirement, mais nécessite une plus grande souplesse. Faites-le avec les deux jambes et comparez les résultats.

Trouvez ce qui vous convient le mieux. Faites un essai en relevant la tête, puis un autre en la maintenant posée sur le sol. Choisissez la position où vous vous sentez le plus à l'aise.

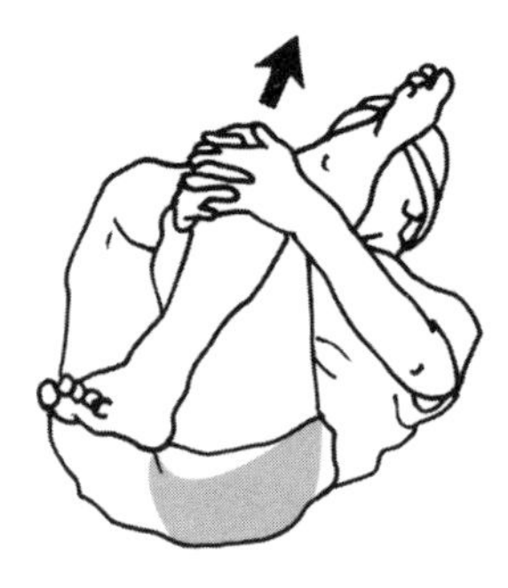

Couchez-vous sur le dos. Pliez votre jambe droite et posez le mollet sur le genou opposé. Croisez vos mains sous le genou gauche et amenez-le vers votre poitrine en relevant la tête jusqu'à ce que vous sentiez un étirement dans les muscles fessiers. Maintenez-le pendant 15 à 20 secondes. Recommencez avec l'autre jambe. Respirez lentement et profondément.

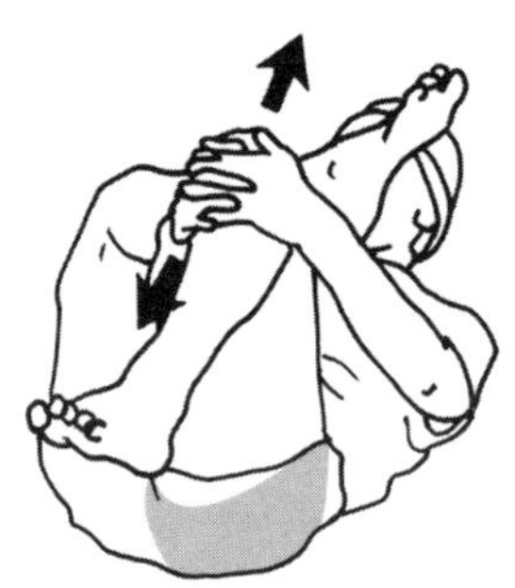

Technique PNF. Recommencez l'exercice mais, dans un premier temps, votre genou gauche doit résister au mouvement qui l'entraîne vers l'arrière. Faites durer cette phase de contraction 4 à 5 secondes, puis détendez-vous et recommencez en allant au bout de l'étirement pendant 15 à 20 secondes. C'est un excellent mouvement pour les muscles fessiers.

Allongez-vous sur le côté gauche. Appuyez la tête sur la paume de votre main gauche. Placez la main droite sur votre pied droit, entre les orteils et l'articulation de la cheville. Rapprochez lentement le talon droit de votre fesse droite, de manière à étirer cheville et quadriceps. Relâchez au bout de 10 secondes.

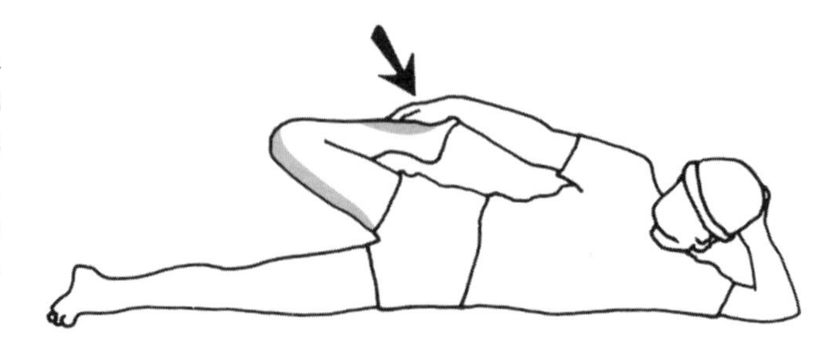

> Contrôlez toujours l'étirement du genou et arrêtez-vous avant d'avoir mal.

Gardez la même position, avancez la hanche droite en contractant vos muscles fessiers sans cesser de tirer sur votre pied. Vous étirez ainsi le devant de la cuisse et détendez l'arrière. Restez dans cette position pendant 10 secondes, le corps bien droit. Recommencez l'exercice avec l'autre jambe. Les premières fois, vous ne réussirez peut-être pas à tenir plus de quelques secondes. Ne vous en souciez pas. Votre objectif est de vous détendre, de vous sentir à l'aise, pas de battre un record. Des exercices réguliers vous permettront de faire mieux les fois suivantes.

On peut enchaîner sur cet exercice les étirements de l'arrière de la cuisse décrits page 58.

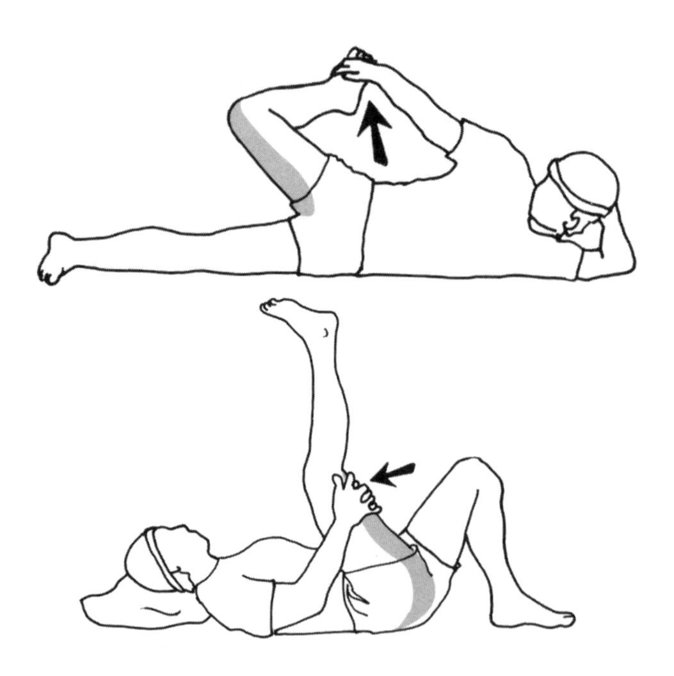

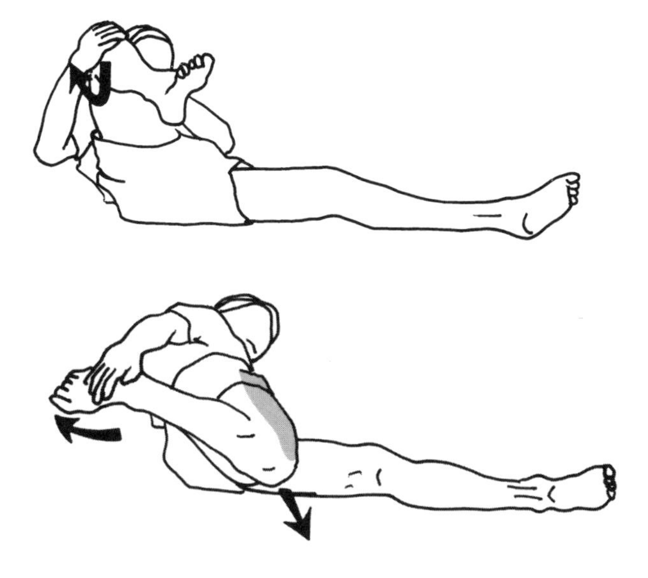

L'étirement de l'extérieur de la cuisse. Couchez-vous sur le dos et prenez votre genou droit dans la main droite. Basculez sur le côté gauche en prenant appui sur le coude gauche, tout en maintenant votre genou droit vertical. Poussez votre genou droit, toujours fléchi, vers l'avant, puis faites glisser votre main droite sur votre cheville droite pour l'amener vers l'arrière.

Vous êtes maintenant complètement sur le côté, comme sur la figure ci-contre. Ramenez doucement votre talon droit vers vos fesses en abaissant votre genou vers le sol. Vous devez sentir un étirement à l'extérieur de la cuisse. Maintenez-le 15 à 20 secondes et changez de jambe.

Si vous avez mal aux genoux en pratiquant ces étirements, ne les faites pas. Remplacez-les par les exercices d'assouplissement indiqués pages 74-75.

Étirement du quadriceps en position assise. Asseyez-vous, la jambe droite repliée, le talon droit près de la fesse droite. Votre jambe gauche est également pliée, la plante du pied gauche contre la cuisse droite. Vous pouvez aussi faire cet exercice en gardant votre jambe gauche tendue.

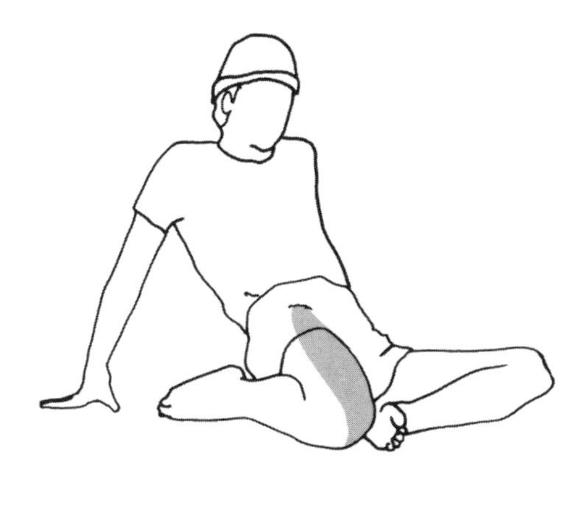

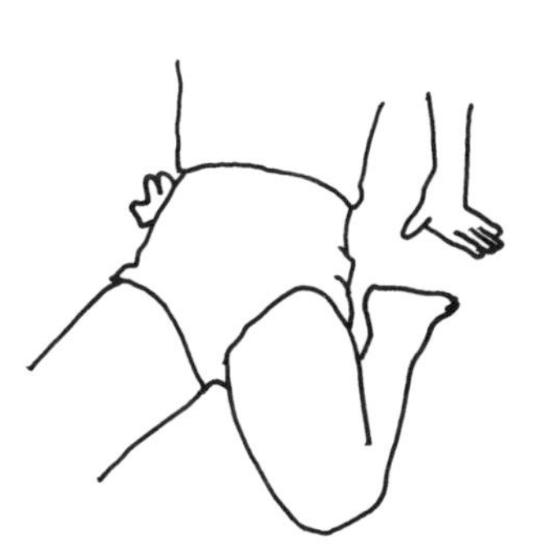

Dans cette position, votre cheville doit être pliée, le pied dans le prolongement du mollet. Si elle n'est pas assez souple, écartez légèrement la jambe jusqu'à ce que vous puissiez prendre la position sans ressentir de contrainte.

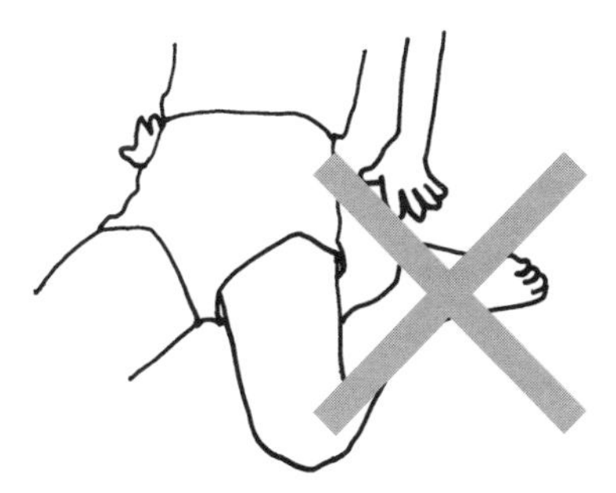

N'essayez pas de vous mettre à l'aise en écartant le pied. En faisant cela, vous reporteriez la tension sur l'intérieur du genou.

Laissez-vous aller maintenant vers l'arrière, jusqu'à ce que vous sentiez un étirement agréable. Utilisez les mains pour garder l'équilibre. Gardez cette position pendant 10 à 15 secondes.

Certaines personnes sont obligées de se pencher très en arrière pour sentir l'étirement, d'autres le sentent sans même avoir besoin de se pencher. Adaptez l'exercice à vos propres sensations, sans vous préoccuper des performances des autres.

Laissez votre genou plié en contact avec le sol. S'il se relève, cela signifie que vous vous penchez trop. Redressez-vous.

Restez toujours dans la limite de l'étirement agréable. Ne forcez jamais.

Lorsque vous maîtrisez bien cette position, accentuez votre étirement. Demeurez ainsi pendant 25 secondes, puis dépliez la jambe droite et recommencez l'exercice avec l'autre jambe.

Après avoir étiré le quadriceps, contractez les muscles fessiers du côté de la jambe qui est repliée vers l'arrière et faites basculer la hanche vers l'avant. Après une contraction de 5 à 8 secondes, relâchez vos muscles, ramenez la hanche à sa position de départ, puis procédez à un nouvel étirement du quadriceps pendant 10 à 15 secondes, en essayant de maintenir tous vos muscles fessiers en contact avec le sol. Changez de côté.

Note. Après le basculement de la hanche et le raidissement des muscles fessiers, le second étirement sera plus facile que le premier et vous procurera une sensation différente.

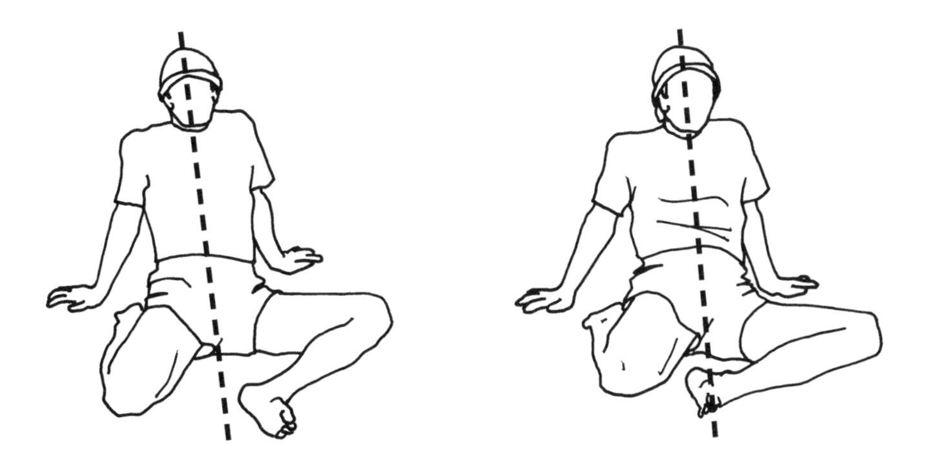

Si votre genou vous fait souffrir pendant l'exercice, essayez de le rapprocher de la ligne médiane du corps, afin de trouver une position où vous serez parfaitement à l'aise. Déplacer la jambe pliée doit soulager le genou. Si la douleur ou le malaise persistent, quelle que soit la position que vous prenez, n'insistez pas et abandonnez cet exercice.

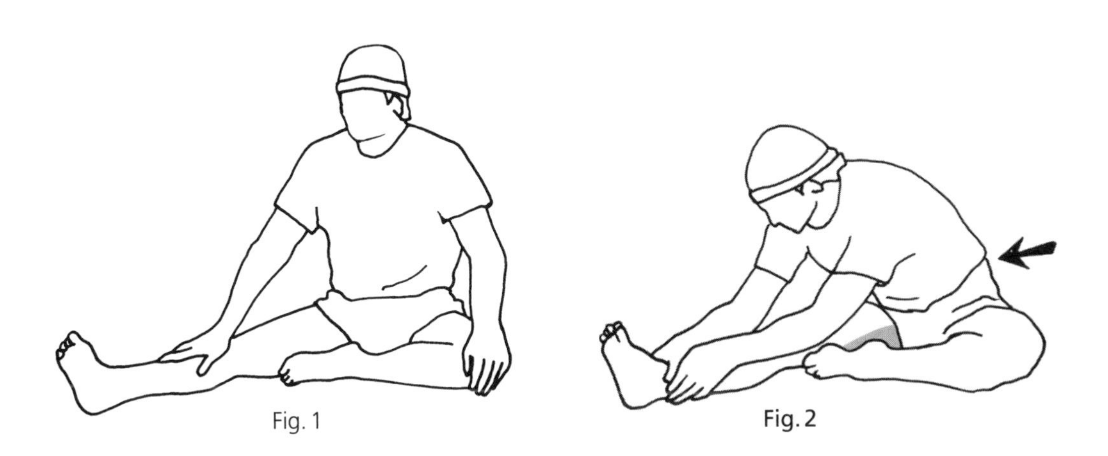

Fig. 1 Fig. 2

Pour détendre les muscles tendineux de la jambe qui était repliée (voir page précédente), dépliez-la vers l'avant en plaçant la plante de l'autre pied contre la face interne de la cuisse. Vous êtes en position jambe étendue/genou plié *(fig. 1)*. Courbez-vous vers l'avant, les deux mains sur la cheville, en vous arrêtant dès que vous sentez un léger étirement des hanches *(fig. 2)*. Gardez cette position pendant 10 à 15 secondes. Lorsque la sensation d'étirement a disparu, accentuez le mouvement en ployant un peu plus les hanches. Demeurez ainsi pendant 10 secondes, puis procédez de la même manière avec l'autre jambe.

Pendant cet exercice, le pied de votre jambe tendue doit demeurer vertical, la cheville et les orteils souples. Assurez-vous que le quadriceps est détendu (souple au toucher). Laissez la tête dans le prolongement du dos.

Il est préférable d'étirer d'abord le quadriceps puis les muscles tendineux d'une même jambe. L'étirement de ces muscles est plus facile lorsque le quadriceps a déjà été étiré.

Ajoutez des variantes aux exercices de base. Chaque variante vous permet d'utiliser votre corps d'une manière différente. En modifiant une position, même très légèrement, vous prendrez conscience d'une nouvelle possibilité, peut-être mieux adaptée à vos besoins.

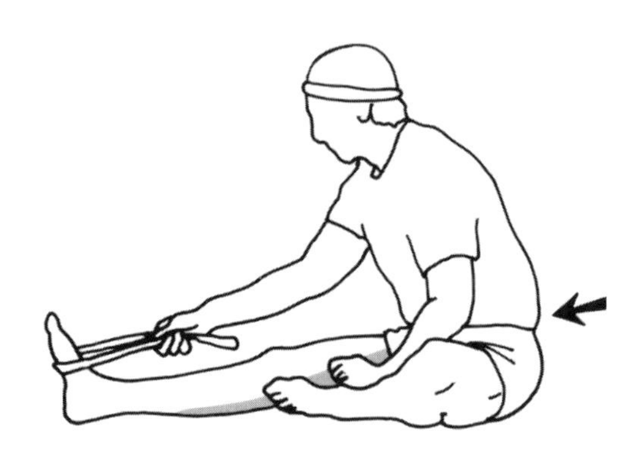

Utilisez une serviette si vous ne pouvez pas atteindre facilement votre cheville.

Variantes de la position jambe étendue/genou plié. Posez la main gauche sur la partie externe de la jambe droite. Écartez le bras droit pour garder l'équilibre. Cette position étire les muscles du dos, du flanc gauche et de la face interne des cuisses. Pour accentuer le mouvement, regardez par-dessus votre épaule droite en faisant légèrement pivoter la hanche gauche vers l'intérieur. Vous étirez ainsi les muscles situés entre les omoplates et ceux du bas du dos. Gardez la position 10 à 15 secondes en respirant régulièrement.

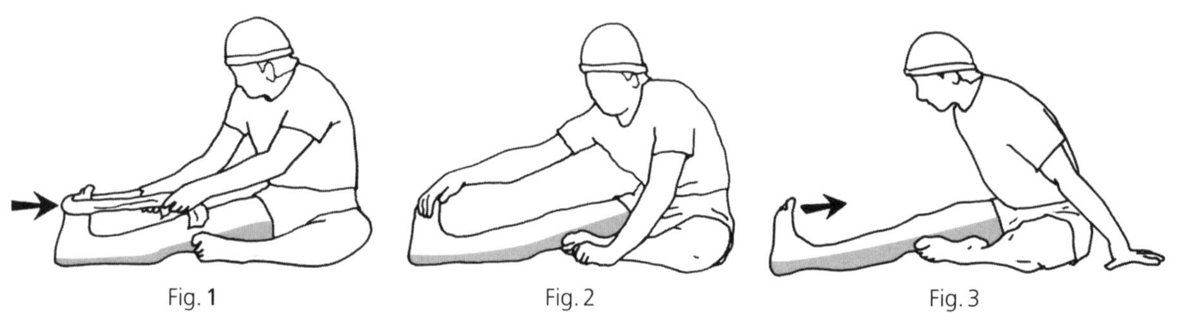

Fig. 1 Fig. 2 Fig. 3

Pour étirer l'arrière de la jambe (mollet et muscle soléaire), tirez vos doigts de pied vers vous, soit en utilisant une serviette *(fig. 1)*, soit, si vous êtes souple, en vous servant de la main droite *(fig. 2)*. Vous pouvez aussi accentuer le mouvement d'étirement en vous penchant vers l'avant au niveau de la taille *(fig. 3)*. Trouvez une position confortable et gardez-la pendant 10 à 20 secondes.

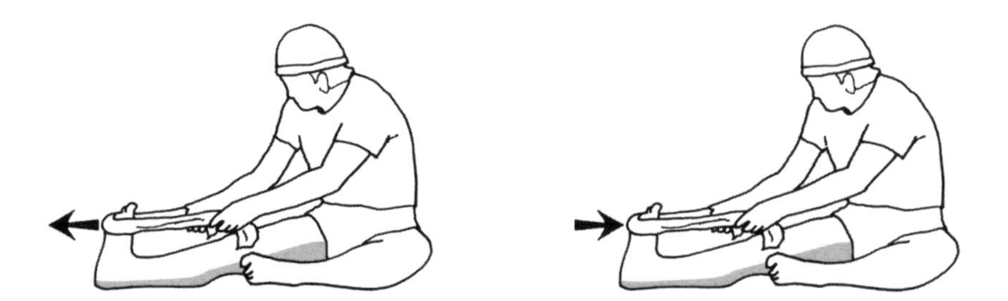

Technique PNF. Toujours pour étirer l'arrière de la jambe, opposez-vous au mouvement de traction du pied vers vous. Maintenez la contraction durant 4 à 5 secondes et détendez-vous. Procédez maintenant à l'étirement et gardez la position pendant 10 à 20 secondes.

Pour étirer l'extérieur de la jambe, placez la main opposée sur la face externe du pied, puis tournez doucement cette face vers l'intérieur, jusqu'à ce que vous sentiez la tension des muscles latéraux. Vous pouvez faire cet exercice en gardant la jambe tendue, mais vous pouvez aussi la plier légèrement si vous devez faire un trop grand effort pour atteindre votre pied. Dans cette position, le quadriceps doit être décontracté. Gardez-la pendant 10 secondes avant de vous redresser.

Ne bloquez jamais les genoux quand vous faites des exercices en position assise. Veillez à ce que l'avant de la cuisse (le quadriceps) soit toujours relaxé quand votre jambe est étendue, sinon les muscles tendineux ne pourront pas être étirés.

RAPPEL DES ENCHAÎNEMENTS

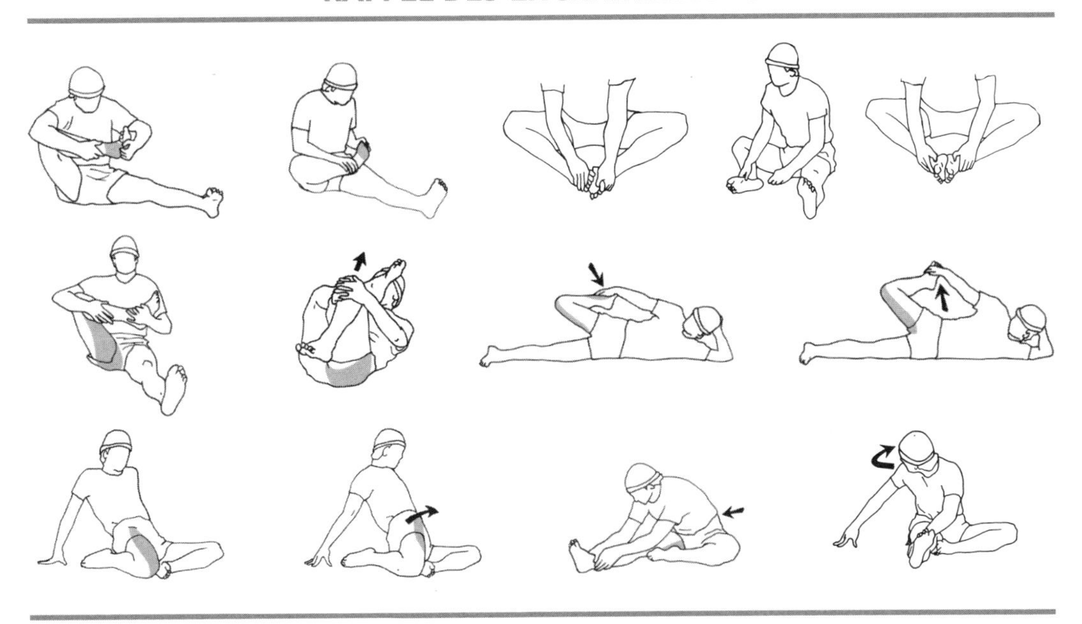

Pour détendre vos jambes, vos pieds et vos chevilles, faites les exercices dans cet ordre.

Dans le stretching, tous les mouvements brusques sont déconseillés. Chaque geste brutal entraîne la contraction des muscles que vous cherchez à détendre.

Exercices pour le dos, les épaules et les bras

De nombreux exercices permettent d'accroître la souplesse de la partie supérieure du corps et de soulager la tension du dos, des bras ou des épaules.

Le rythme de la vie moderne fait que de nombreuses personnes souffrent d'une trop grande tension dans la partie supérieure du corps. C'est aussi le cas de certains sportifs, qui s'entraînent ou pratiquent leur discipline d'une manière incorrecte.

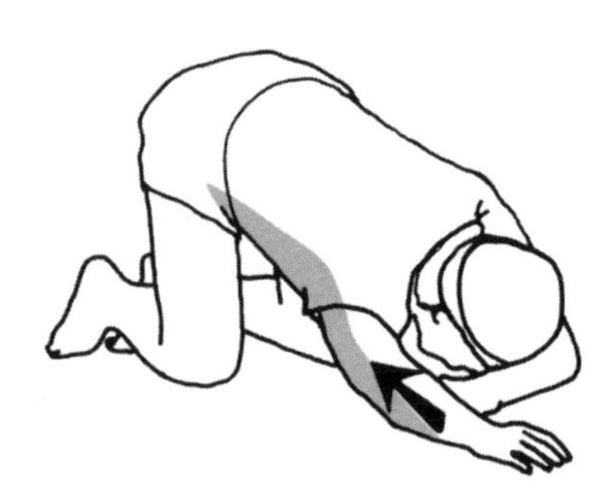

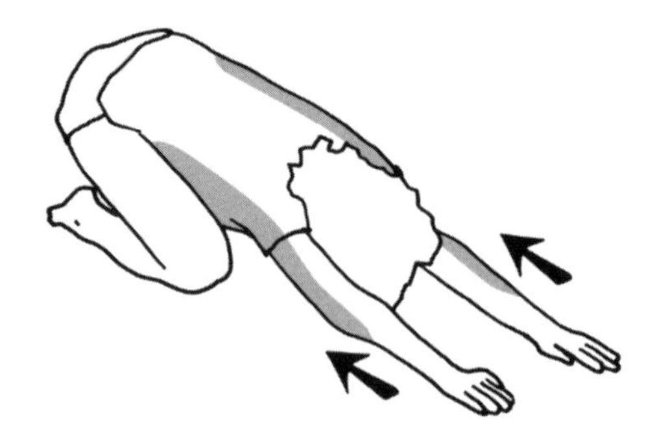

Mettez-vous à genoux, le visage près du sol, tendez les bras en avant et tirez vers vous la natte ou le tapis. Si vous n'avez rien à tirer, reculez de la même manière en pressant légèrement vos paumes sur le sol.

Vous pouvez effectuer cet exercice avec les deux bras, ou un bras après l'autre. Avec un seul bras, le mouvement est mieux contrôlé. Les premières fois, vous ne le sentirez que dans les épaules et dans les bras. En persévérant, vous apprendrez à faire jouer les muscles du flanc et tous vos muscles dorsaux, des épaules à la région lombaire. Une légère flexion des hanches peut vous permettre de réduire ou d'accentuer le mouvement. Découvrez vous-même vos limites, l'essentiel étant que vous restiez détendu. Gardez la position pendant 15 secondes.

Exercice pour les avant-bras et les poignets. Mettez-vous à quatre pattes. Vos mains sont retournées, les doigts pointés vers les genoux, les pouces à l'extérieur. Tirez sur les bras en maintenant vos paumes sur le sol. Procédez à un étirement léger pendant 10 à 20 secondes, détendez-vous, puis recommencez. Vous découvrirez peut-être que vous êtes très tendu dans cette partie du corps.

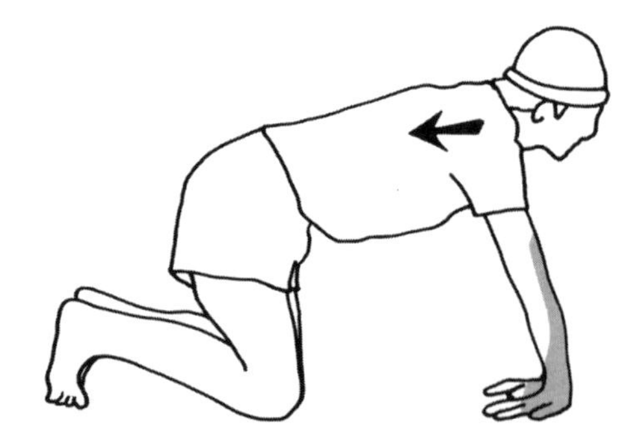

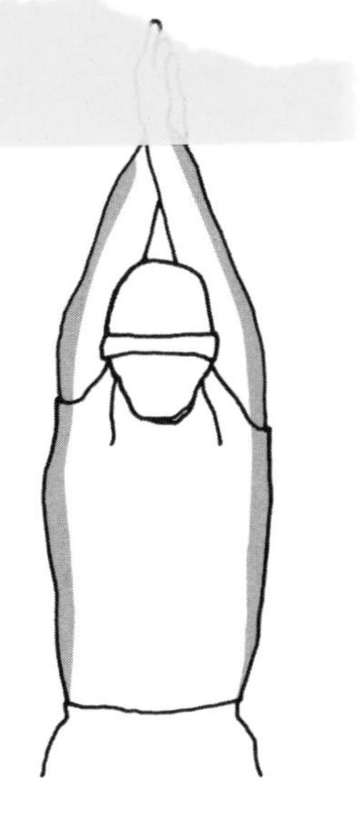

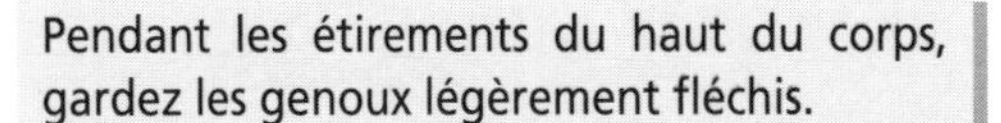

Pendant les étirements du haut du corps, gardez les genoux légèrement fléchis.

Les bras étendus et croisés au-dessus de la tête, les paumes l'une contre l'autre, tendez vos bras vers le haut et légèrement en arrière, en inspirant profondément. Restez ainsi 5 à 8 secondes en respirant régulièrement.

Cet exercice est excellent pour tous les muscles qui vont des poignets à la taille. Il peut être effectué à tout moment, en tout endroit, pour réduire une trop grande tension et créer une sensation de bien-être.

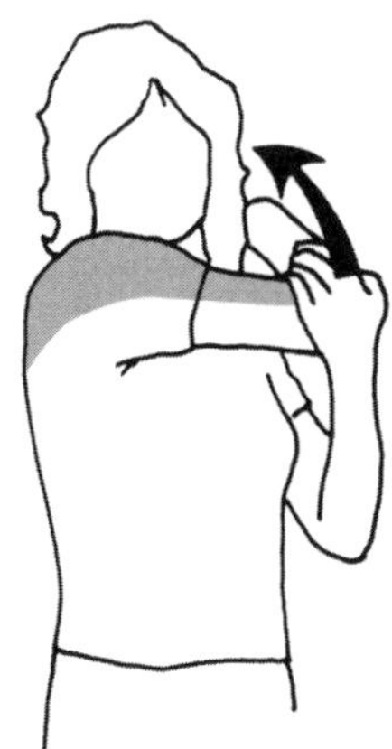

Ne contractez jamais la mâchoire et respirez profondément pendant les exercices.

Exercice pour les épaules. Pour les muscles de l'épaule et du milieu du dos, rapprochez votre coude de l'épaule opposée en le poussant avec la main. Gardez cette position pendant 10 secondes.

Fig. 1

Fig. 2

Technique PNF. Debout, les genoux légèrement fléchis, placez votre main gauche sur l'extérieur de votre avant-bras, juste au-dessus du coude. Poussez votre coude vers l'extérieur en retenant le mouvement avec votre main gauche. Maintenez cette contraction pendant 3 à 4 secondes *(fig. 1)*. Détendez-vous puis, à l'aide de votre main gauche, poussez lentement le haut de votre avant-bras droit jusqu'à sentir un étirement agréable dans votre épaule *(fig. 2)*. Maintenez la position 10 secondes et changez de bras.

Voici un exercice simple pour les triceps et le haut des épaules. Les bras pliés au-dessus de la tête, placez votre main gauche sur votre coude droit, puis tirez le coude en arrière, derrière la tête, pendant 15 secondes. Évitez de forcer. Ne retenez pas votre respiration

Répétez l'exercice avec l'autre bras. Comparez les résultats. Ce mouvement est conseillé à tous ceux qui veulent commencer à assouplir bras et épaules. Il peut être effectué en marchant.

Fig. 1

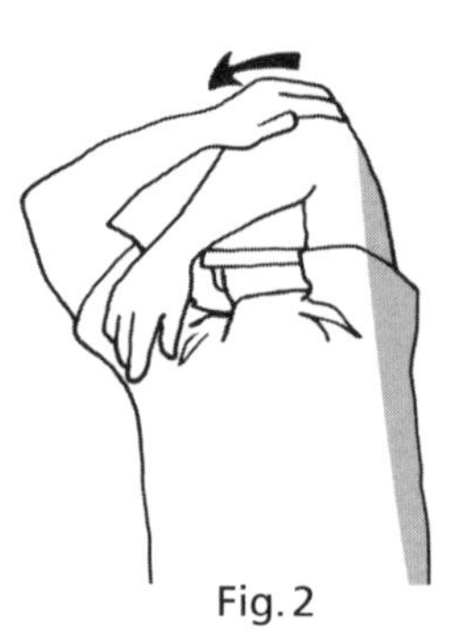

Fig. 2

Technique PNF. Debout, genoux à peine fléchis et pieds légèrement écartés, passez votre bras droit derrière la tête. Prenez votre coude droit dans votre main gauche et essayez de le tirer vers la gauche tout en résistant *(fig. 1)*. Maintenez la contraction pendant 3 à 4 secondes. Détendez-vous et recommencez le mouvement sans résister jusqu'à sentir un étirement agréable à l'arrière de votre avant-bras *(fig. 2)*. Gardez la position pendant 10 à 15 secondes et changez de bras.

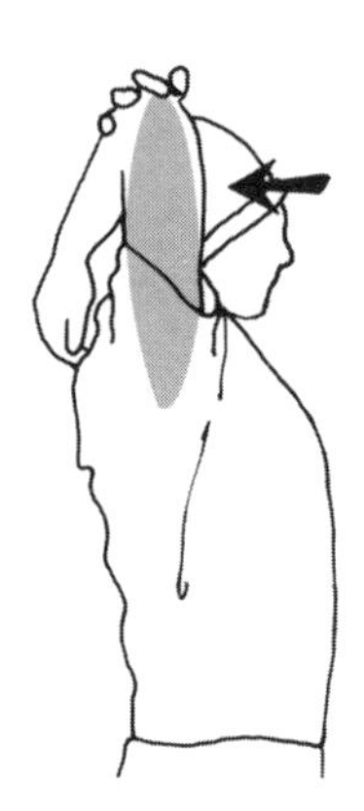

Debout, genoux légèrement fléchis, passez votre bras droit derrière la tête. Prenez votre coude droit dans votre main gauche. Poussez la tête en arrière jusqu'à sentir un étirement agréable dans l'épaule. Gardez la position pendant 10 à 15 secondes et changez de bras.

Variante. En position debout, les genoux légèrement fléchis, passez doucement votre coude derrière la tête en vous penchant sur le côté. Gardez la position, sans forcer, pendant 10 secondes. Recommencez avec l'autre bras. Le fait de fléchir légèrement les genoux vous permet d'avoir un meilleur équilibre. Ne bloquez pas votre respiration.

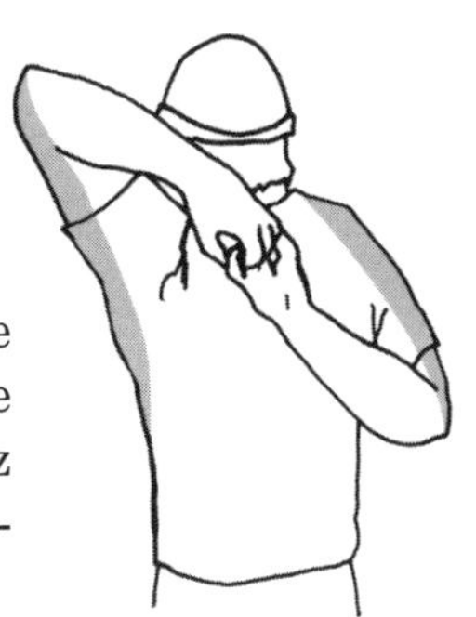

Autre exercice pour les épaules. Passez votre main gauche derrière votre épaule et abaissez-la le plus loin possible jusqu'à ce qu'elle rejoigne votre main droite, comme indiqué dans le dessin ci-contre. Accrochez vos doigts et gardez la position 5 à 10 secondes. Si vos mains ne se rejoignent pas, essayez les deux méthodes suivantes.

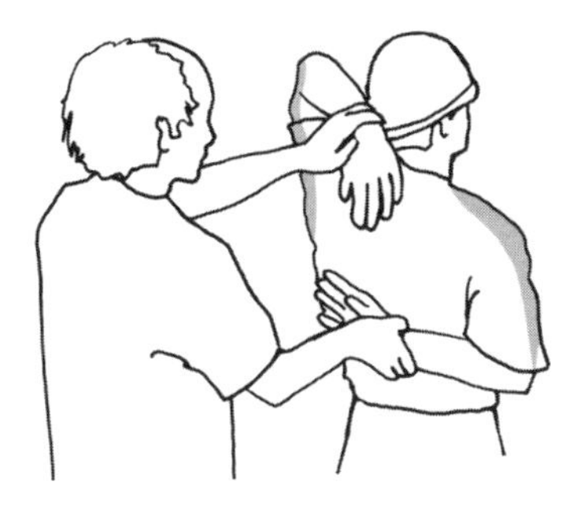

Variante 1. Faites-vous aider par quelqu'un qui rapprochera vos deux mains. Il n'est pas indispensable qu'elles se touchent ; vous sentirez vous-même à quel moment vous atteignez votre limite.

Variante 2. Laissez pendre une serviette derrière votre tête. Tirez dessus avec la main droite pour faire descendre la main gauche et remontez peu à peu votre prise jusqu'à ce que vous sentiez que vous ne pouvez pas aller plus loin.

En travaillant cet exercice tous les jours, vous ferez de rapides progrès et serez bientôt capable de l'accomplir sans aucune aide. Il réduit la tension, accroît votre souplesse et peut également agir comme un stimulant lorsque vous êtes fatigué.

Les bras tendus devant vous à la hauteur des épaules, les paumes tournées vers l'extérieur, les doigts entrecroisés, tendez-vous légèrement pendant 15 secondes, de manière à étirer les doigts, les poignets, les avant-bras, les bras, les épaules et le haut du dos. Détendez-vous et recommencez une deuxième fois.

Haussement d'épaule. Commencez par décontracter vos épaules. Remontez votre épaule gauche sous l'oreille pendant 3 à 5 secondes. Détendez-vous et recommencez avec l'autre épaule. Cet étirement est excellent pour les épaules tendues.

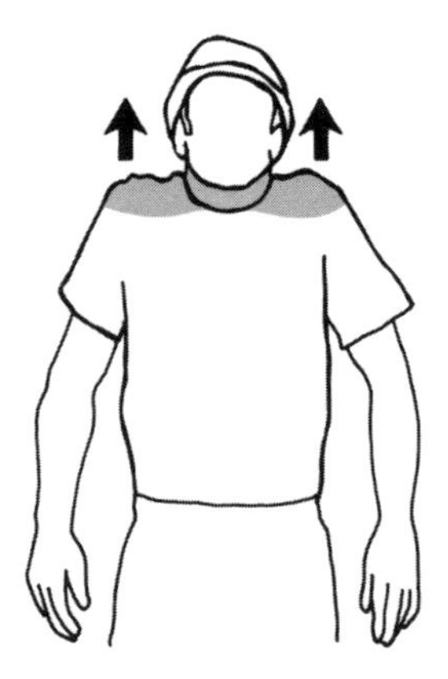

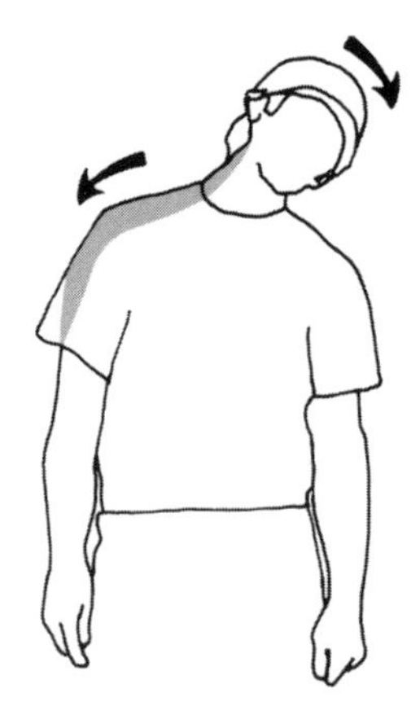

Technique PNF. Dans un premier temps, relevez vos épaules le plus haut possible jusqu'à sentir une légère tension dans votre cou et vos épaules. Maintenez la position 5 secondes puis détendez-vous.

Abaissez ensuite doucement votre épaule droite tout en inclinant la tête vers la gauche. Maintenez la position pendant 5 secondes et recommencez de l'autre côté.

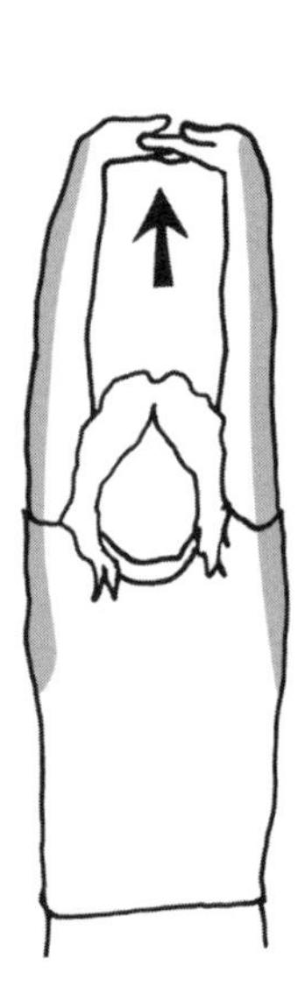

Croisez vos doigts au-dessus de la tête, bras tendus, paumes tournées vers le haut. Tirez légèrement sur les bras en vous courbant un peu en arrière, sans retenir votre respiration. Restez ainsi pendant 15 secondes. Cet exercice, qui peut être pratiqué n'importe où est excellent pour les personnes qui ont les épaules tombantes. Respirez profondément.

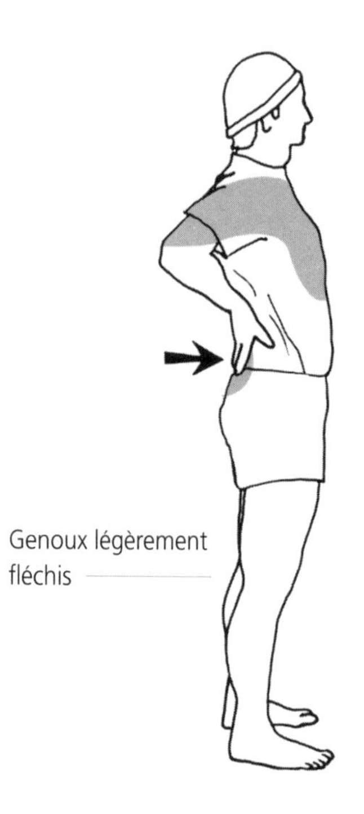

Debout, genoux légèrement fléchis, placez vos mains au niveau de la ceinture, les paumes à plats et les doigts pointés vers le sol. Avec les mains, exercez une pression sur le bas du dos pour le mettre en extension. Maintenez la position 10 secondes et recommencez deux fois. Ne retenez pas votre respiration. Faites cet exercice chaque fois que vous vous relevez d'une longue position assise.

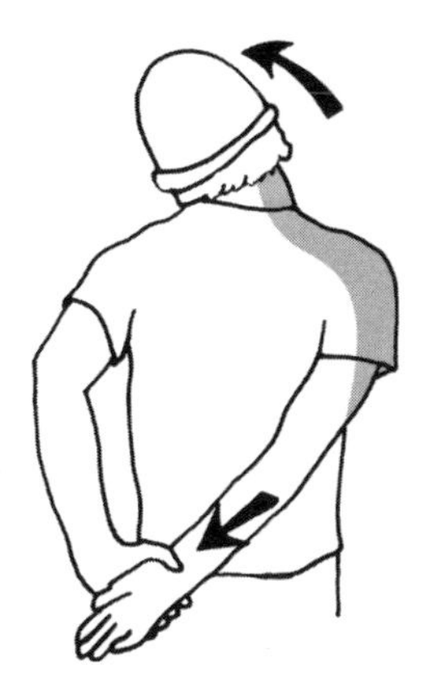

Pour étirer le côté du cou et le haut de l'épaule, mettez les bras derrière le dos. Prenez votre poignet droit dans la main gauche et tirez doucement en inclinant la tête vers la gauche. Gardez la position pendant 10 à 15 secondes puis changez de côté. Cet exercice peut être pratiqué assis ou debout.

Placez-vous face à un chambranle de porte, genoux légèrement fléchis, les mains sur les montants, au niveau des épaules. Avancez le haut du corps jusqu'à ressentir un étirement agréable dans les bras et la poitrine. Maintenez la tête et la poitrine haute pendant l'exercice. Gardez la position 15 secondes

Les deux exercices suivants se font les bras derrière le dos et les doigts croisés.

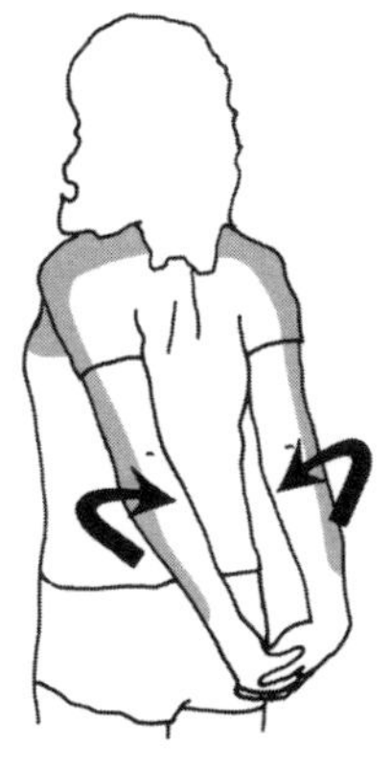

Pour commencer, rapprochez lentement les omoplates en tirant sur vos bras, les coudes légèrement tournés vers l'intérieur. Cet exercice étire les épaules, les bras et la poitrine. Gardez la position 5 à 10 secondes.

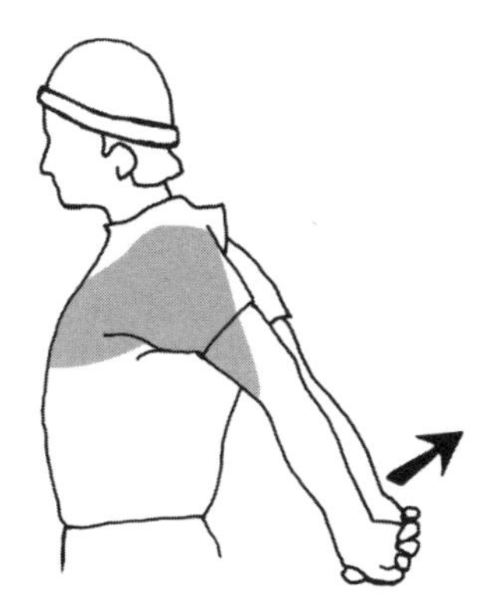

Dans cette position, relevez les bras en sortant la poitrine et en rentrant le menton. Restez ainsi pendant 5 à 10 secondes, selon vos possibilités. Cet exercice est conseillé aux personnes voûtées et à celles qui ont les épaules tombantes.

RAPPEL DES ENCHAÎNEMENTS

Faites les exercices dans cet ordre pour détendre votre dos, vos épaules et vos bras.

> Dans le stretching, le mieux est souvent l'ennemi du bien. N'allez jamais trop loin dans vos mouvements. Arrêtez-vous toujours avant d'avoir atteint le point limite au-delà duquel vous ressentiriez une douleur.

Exercices pour les jambes

Assis sur les talons. On peut effectuer un certain nombre d'exercices pour les jambes, les pieds, l'aine, en partant de la position assise sur les talons.

Cette position permet d'étirer les quadriceps, les genoux et les chevilles. Elle facilite la décontraction des mollets, qui peuvent ensuite être étirés plus aisément.

Il est important que vous soyez réellement assis sur les talons. Si vous écartez les pieds, les ligaments internes des genoux seront trop tendus et vous ne serez pas en position d'étirement.

Attention: si vous avez ou avez eu des problèmes aux genoux, soyez prudent en vous asseyant. Prenez votre temps, gardez le contrôle de vos mouvements.

Une fois assis sur vos talons, laissez reposer les mains sur les cuisses. Si vos chevilles vous font souffrir, penchez-vous vers l'avant, en appui sur les bras, les mains posées de part et d'autre des jambes, jusqu'à ce que vous trouviez une position que vous pouvez tenir sans peine pendant 20 à 30 secondes. Si au contraire vous ne sentez aucun étirement, ce qui est souvent le cas chez les femmes, penchez-vous vers l'arrière, les bras écartés.

Si vous avez du mal, n'insistez pas mais recommencez régulièrement. Après plusieurs semaines d'exercices quotidiens, la raideur des chevilles aura complètement disparu.

Variante. Pour les orteils et la plante des pieds, asseyez-vous en posant les genoux et les orteils sur le sol et en prenant appui sur les mains pour garder l'équilibre et contrôler le mouvement. Pour accentuer l'étirement, redressez-vous lentement jusqu'à ce que vous sentiez bien votre position. Gardez-la pendant 5 à 10 secondes. Ne forcez pas. Vous risquez de ressentir une grande tension dans les pieds. Soyez patient. L'exercice terminé, reprenez la position assis sur les talons.

Pour étirer les tendons d'Achille et les chevilles

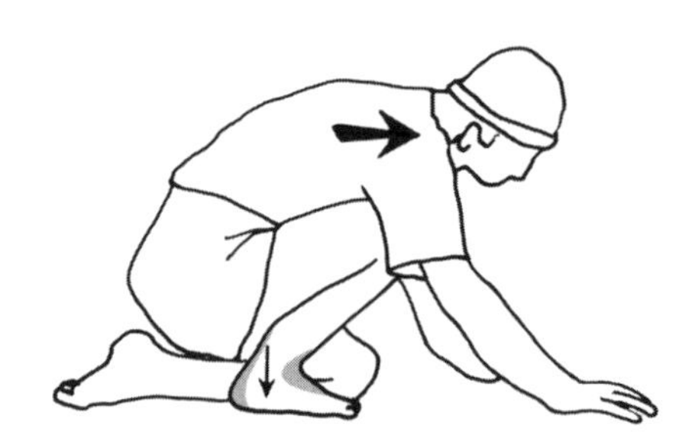

Une fois assis sur vos talons, remontez votre jambe droite et amenez votre pied droit, talon légèrement soulevé, à la hauteur du genou gauche. Abaissez le talon au maximum tout en avançant les épaules et la poitrine. L'objectif de l'exercice n'est pas de poser votre pied à plat, mais d'étirer le tendon d'Achille en exerçant sur lui une double pression. Pour être efficace, cet étirement doit être très léger. Maintenez-le pendant 5 à 10 secondes.

Ce mouvement est excellent pour les chevilles et le cou-de-pied. Lorsque vous le ferez avec l'autre jambe, vous sentirez probablement une différence.

> Avec l'âge, ou après une longue inactivité, cette partie du corps a tendance à s'ankyloser. Quand nous redevenons actifs, sa raideur et sa tension peuvent devenir un handicap. Le meilleur moyen d'y remédier est d'effectuer cet exercice avant et après chaque effort.

Soyez extrêmement prudent si vous avez des problèmes aux genoux. N'insistez pas si vous sentez une douleur, même si elle est supportable. Apprenez à distinguer ce qui est bon pour vous et ce qui ne l'est pas – ou pas encore.

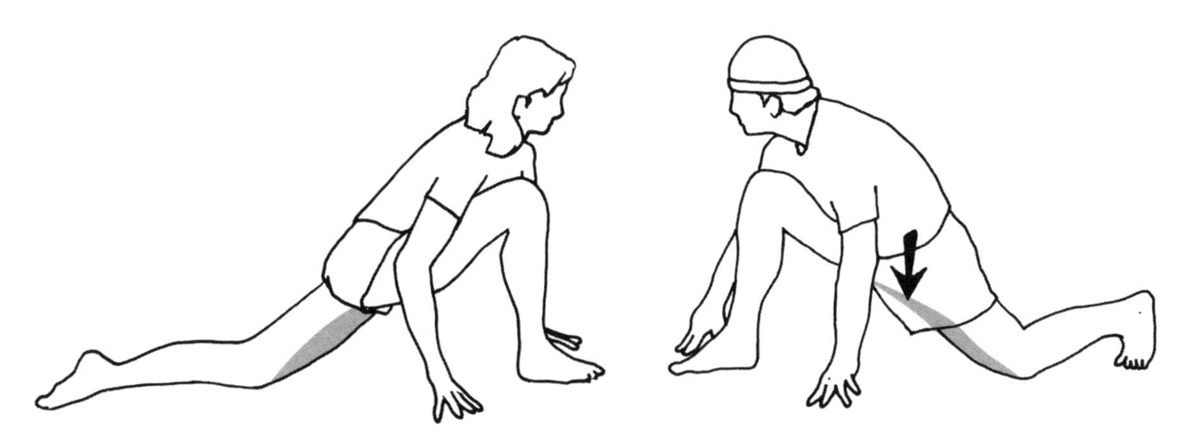

Pour étirer les muscles de la hanche, tendez une jambe derrière vous, le genou et le cou-de-pied reposant sur le sol. Avancez l'autre jambe en ramenant la cuisse contre la poitrine, le genou à la verticale du pied. Sans modifier la position de vos jambes, abaissez la hanche opposée à votre jambe pliée, comme si l'on vous appuyait sur les reins, et maintenez la position pendant 15 à 20 secondes. Si vous n'êtes pas assez souple, vous pouvez plier légèrement la jambe reposant sur le sol. Vous sentirez l'étirement dans la hanche, mais aussi dans le mollet et dans l'aine.

En pratiquant le stretching chaque soir, pendant 10 à 20 minutes, vous maintiendrez vos muscles en bonne condition. Si certaines parties du corps vous font souffrir, effectuez les exercices appropriés. Vous sentirez la différence le lendemain matin.

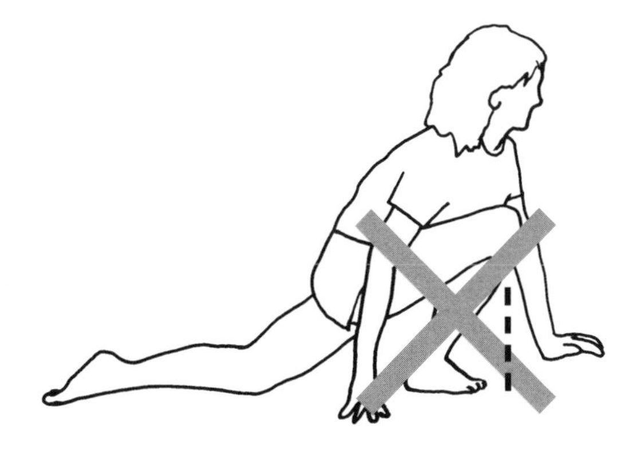

Attention : gardez bien la cheville à la verticale de votre genou et de votre cou. Ne vous projetez pas vers l'avant : plus la distance entre votre talon posé sur le sol et le genou opposé est grande, plus l'exercice est efficace.

Variantes. Faites tourner votre hanche gauche vers l'intérieur. En modifiant légèrement la position du bassin, le reste du corps demeurant immobile, vous pouvez sentir différents étirements des muscles de la hanche, de l'aine et du bas du dos. Gardez cette position pendant 10 à 20 secondes. Pour compléter le mouvement, tournez la tête du côté de votre jambe pliée et regardez derrière vous.

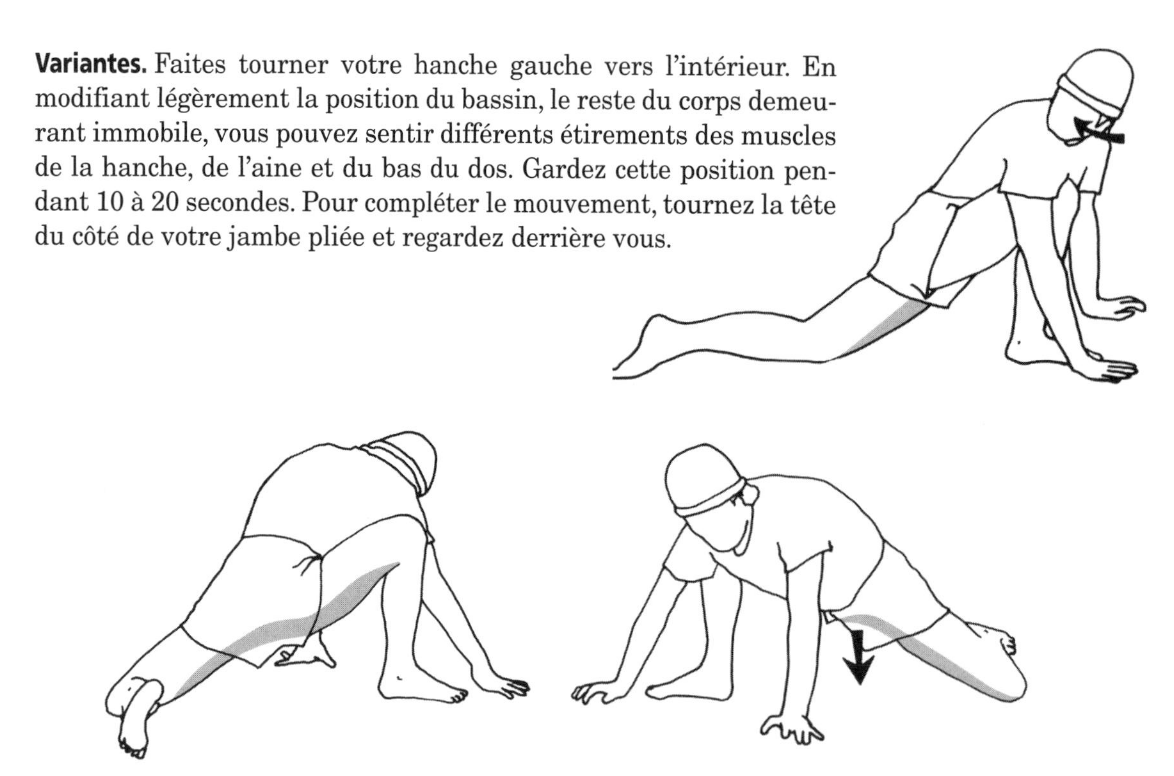

Partez des positions précédentes, ramenez votre pied gauche vers vous en pliant la jambe gauche à 90°, tournez légèrement le pied droit vers l'extérieur en dégageant le genou. Vos mains sont appuyées sur le sol, devant vous. Abaissez le bassin, comme si l'on pesait sur vos reins, pour étirer les muscles internes des cuisses (aine). Le genou droit et le pied gauche ne doivent pas bouger. Veillez à ce que votre genou droit reste à la verticale de la cheville. Faites l'exercice sans forcer pendant 10 à 15 secondes. Refaites l'exercice en changeant de côté.

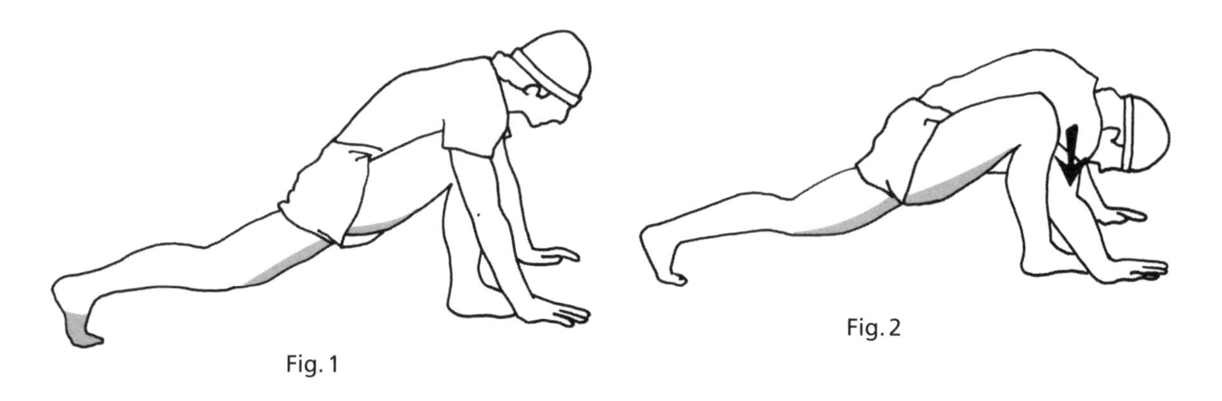

Fig. 1

Fig. 2

Exercice de flexibilité de la hanche. Le genou droit sous l'aisselle, toujours bien à la verticale de la cheville, redressez-vous légèrement, la jambe gauche tendue, en vous appuyant sur votre pied gauche *(fig. 1)*. Restez ainsi pendant 15 à 20 secondes. Puis faites jouer votre hanche, comme dans les exercices précédents, en prenant appui sur les mains pour assurer votre équilibre. Étirez-vous pendant 15 secondes. Ce mouvement est recommandé si vous désirez acquérir plus de souplesse dans les hanches.

Variante. Faites passer votre bras à l'intérieur du genou et inclinez la tête et le haut du buste en pliant les bras *(fig. 2)*. Trouvez une position confortable. Gardez-la pendant 20 secondes.

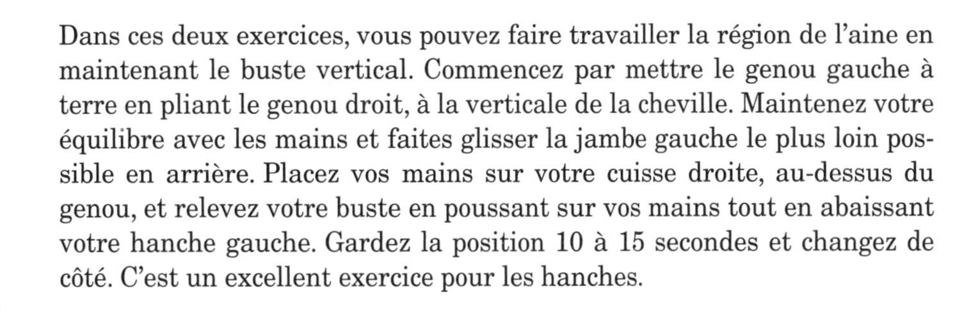

Dans ces deux exercices, vous pouvez faire travailler la région de l'aine en maintenant le buste vertical. Commencez par mettre le genou gauche à terre en pliant le genou droit, à la verticale de la cheville. Maintenez votre équilibre avec les mains et faites glisser la jambe gauche le plus loin possible en arrière. Placez vos mains sur votre cuisse droite, au-dessus du genou, et relevez votre buste en poussant sur vos mains tout en abaissant votre hanche gauche. Gardez la position 10 à 15 secondes et changez de côté. C'est un excellent exercice pour les hanches.

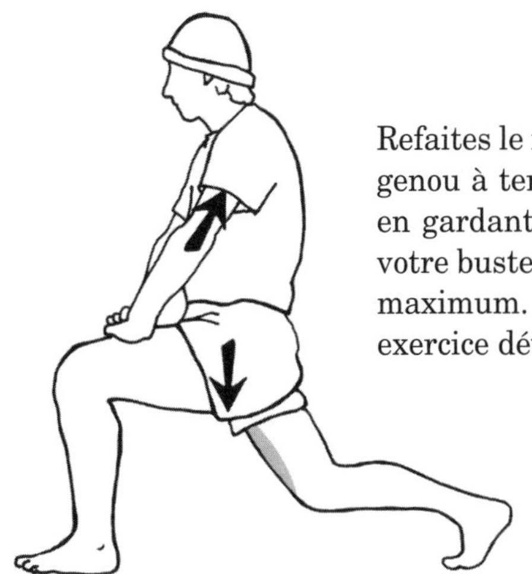

Refaites le même étirement mais démarrez l'exercice debout, sans placer le genou à terre. Reculez votre jambe arrière comme sur la figure ci-contre, en gardant le genou avant fléchi, à la verticale de la cheville. Redressez votre buste en vous aidant de vos mains tout en abaissant votre hanche au maximum. Gardez la position 10 à 15 secondes et changez de côté. Cet exercice développe la souplesse au niveau des hanches.

RAPPEL DES ENCHAÎNEMENTS

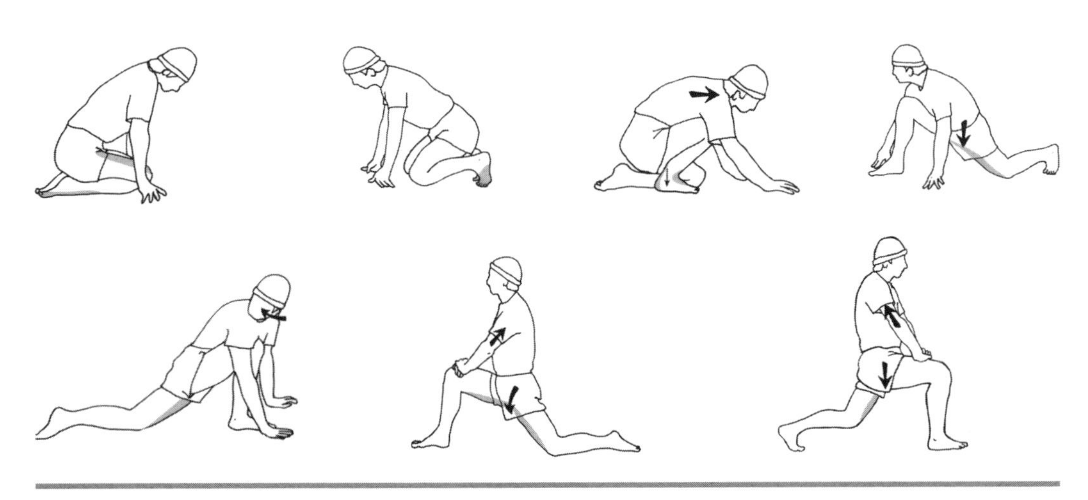

Faites les exercices dans cet ordre pour détendre vos jambes.

Exercices pour le bas du dos, les hanches, l'aine et les muscles tendineux

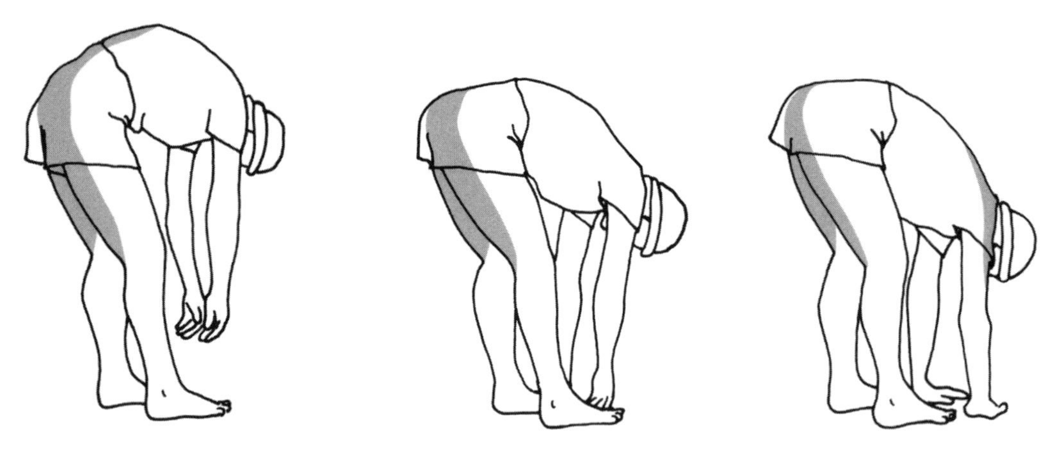

Partez de la position debout, les pieds parallèles et légèrement écartés. Penchez-vous lentement vers l'avant en faisant partir le mouvement de vos hanches. Gardez les genoux légèrement fléchis pendant tout l'exercice, afin de ne pas faire supporter tout l'effort au bas de votre dos. Laissez pendre la tête et les bras. Arrêtez-vous quand vous sentez un léger étirement à l'arrière des jambes et restez ainsi pendant 10 à 15 secondes, jusqu'à ce que vous éprouviez une sensation de bien-être. Ne faites aucun mouvement forcé, ne raidissez pas les genoux. Pendant cet exercice, vous devez ressentir l'étirement à l'arrière des cuisses et à la saignée des genoux. Le dos peut également être étiré.

Vous pouvez toucher vos doigts de pieds ou poser les paumes sur le sol. Le résultat obtenu dépend de votre souplesse et n'a strictement aucune importance. La seule chose qui compte est que vous étiriez correctement les muscles des jambes.

Tenez compte de ce que vous ressentez et ne cherchez pas à aller trop loin.

Retour à la position verticale

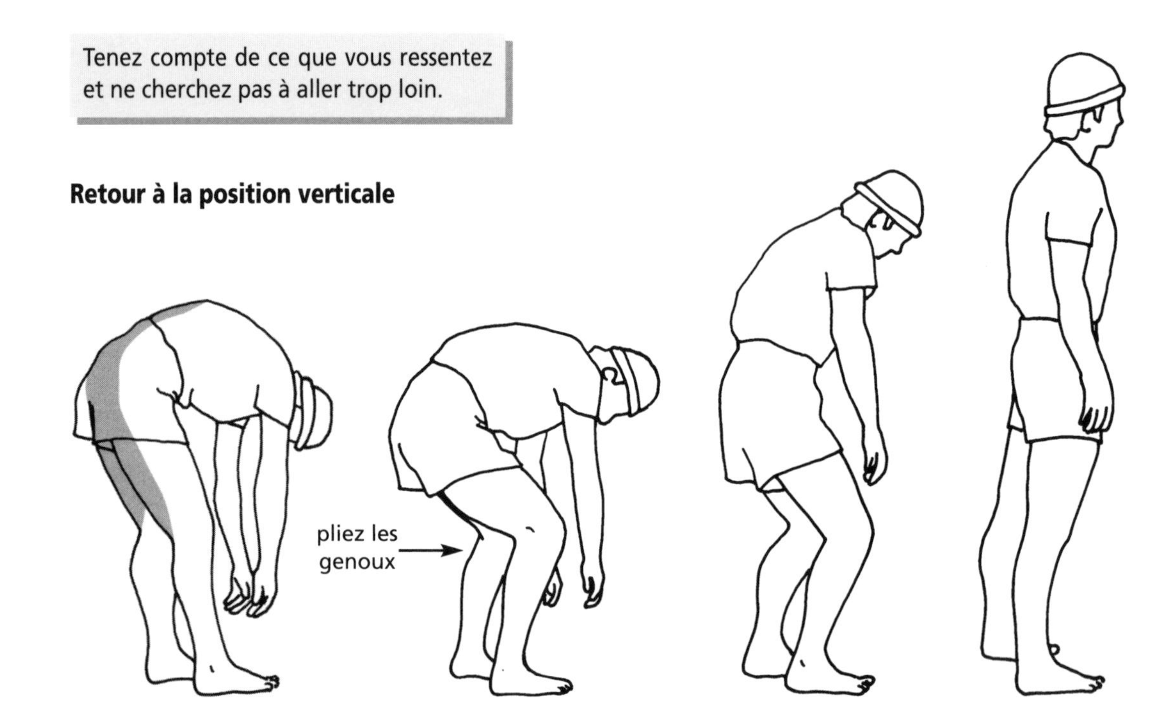

Important. Dans tous les mouvements où vous pliez la taille, n'oubliez jamais de fléchir légèrement les genoux. Pour vous redresser, utilisez les muscles longs de vos cuisses plutôt que les petits muscles du bas du dos. Ne vous remettez jamais en position verticale avec les jambes raidies.

Ce principe est capital pour soulever des objets pesants (voir en annexe *Prenez soin de votre dos,* pages 210 à 214).

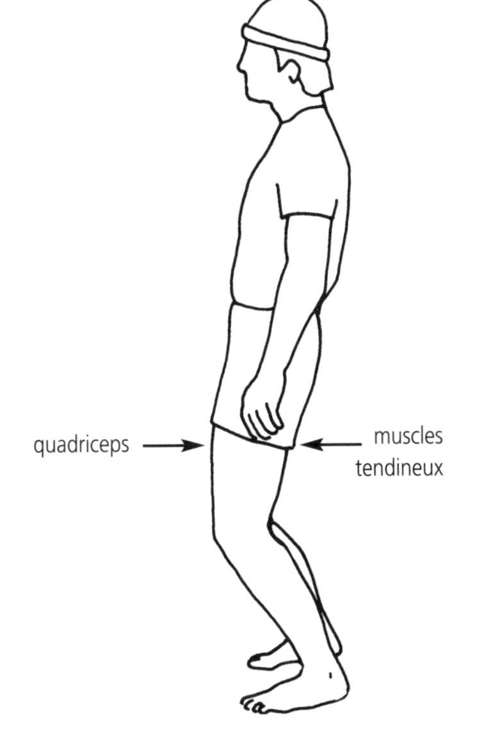

> Le stretching n'est pas un sport de compétition. Peu importe que vous ne parveniez pas à toucher vos orteils. L'important est d'acquérir plus de souplesse, pas d'aller plus loin que les autres.

Technique PNF. Mettez-vous en position debout, genoux fléchis, les pieds légèrement écartés et bien à plat sur le sol. Demeurez ainsi pendant 30 secondes. Dans cette position, vous tendez vos quadriceps et détendez les muscles tendineux. La fonction essentielle des quadriceps est de tendre la jambe, celle des tendineux de la plier. Comme les actions de ces muscles sont opposées, contracter les uns signifie obligatoirement relaxer les autres – et vice-versa.

Touchez vos cuisses. Sentez la différence entre la face antérieure et la face postérieure. Les quadriceps sont contractés, durs ; les tendineux sont au contraire décontractés, mous. Il est plus facile d'étirer ces derniers s'ils ont d'abord été relaxés.

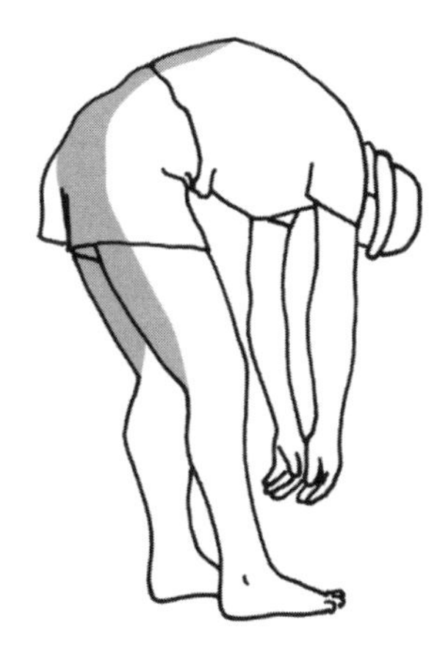

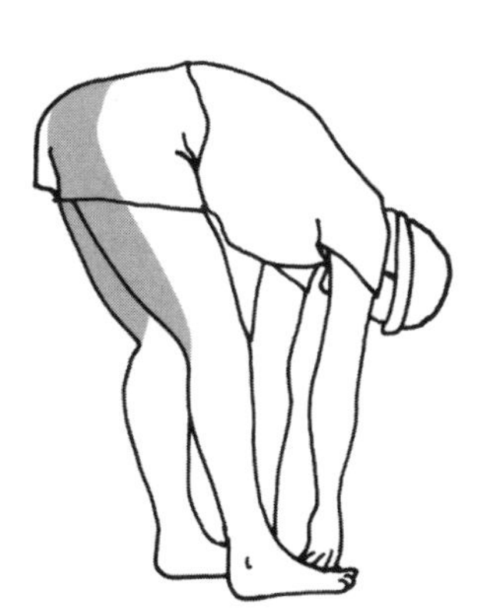

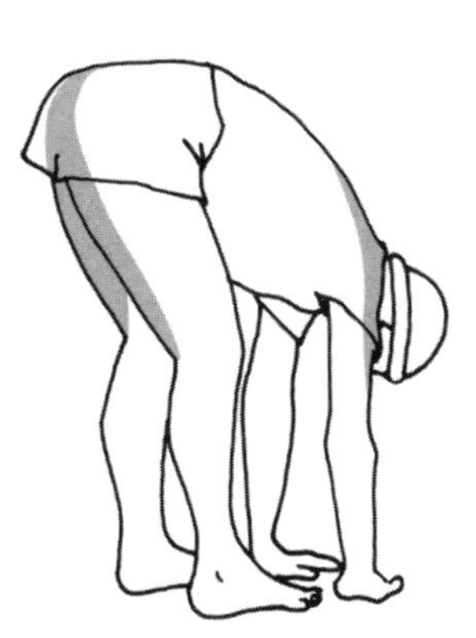

Après être demeuré en position genoux fléchis, recommencez le premier exercice de la page précédente, sans raidir les genoux. Ne vous imposez aucun effort violent. Vous êtes sans doute déjà capable de faire mieux que la première fois. Restez courbé 10 à 15 secondes.

> N'oubliez jamais de fléchir les genoux lorsque vous vous redressez. Cela diminue la tension dans le bas du dos.

Votre posture doit être stable et confortable lorsque vous vous étirez.

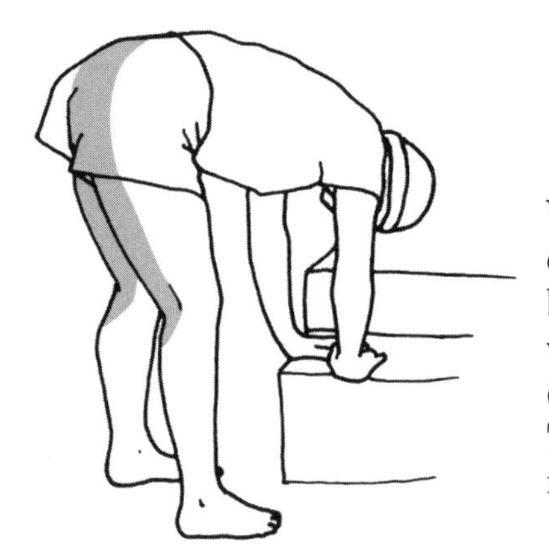

Vous aurez sans doute moins de mal à effectuer cet exercice si vous pouvez répartir votre poids entre les bras et les jambes. Si vous ne parvenez pas à poser vos paumes sur le sol, appuyez-vous sur une marche d'escalier, le rebord d'un meuble ou une pile de livres. Trouvez vous-même la hauteur qui vous convient le mieux.

Variante. Vous pouvez également effectuer cet exercice en tenant le bas de vos jambes à la hauteur du mollet ou des chevilles En vous servant des mains pour tirer sur votre corps, vous accroîtrez l'étirement des jambes et du dos tout en vous assurant une position très stable, qui vous permettra de vous relaxer. N'essayez pas de forcer. Cherchez la détente, non la performance. N'oubliez pas de fléchir les genoux.

Asseyez-vous, les jambes tendues devant vous, les talons sur le sol, à une dizaine de centimètres l'un de l'autre. Penchez-vous, en partant des hanches, pour toucher les mollets, les chevilles ou les pieds, selon vos possibilités. Demeurez ainsi 10 à 15 secondes. Vous devez sentir un étirement derrière les genoux et les cuisses, ainsi que dans le bas du dos si cette partie du corps est anormalement tendue.

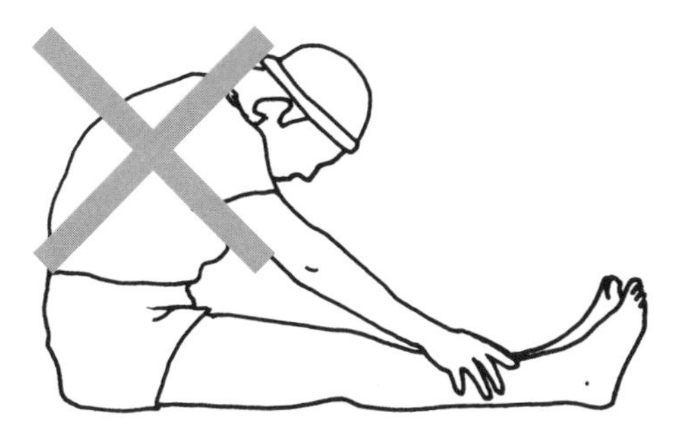

N'arrondissez pas le dos pendant cet exercice. Vos hanches ne doivent pas basculer vers l'arrière.

Faites partir le mouvement de vos hanches, en maintenant le dos et le cou dans le même axe.

Pour éviter de plier le bas de votre dos, vous pouvez vous appuyer contre un mur et poser vos mains sur vos genoux. C'est une bonne position de départ si vous manquez totalement de souplesse.

Si vous ne trouvez pas de point d'appui, utilisez une serviette. Faites-la passer sous vos pieds, à la hauteur des orteils, et tirez doucement sur ses deux extrémités en vous pliant à la taille, les bras légèrement fléchis. Déplacez vos mains le long de la serviette, en les rapprochant des pieds, jusqu'à ce que vous trouviez la meilleure position d'étirement.

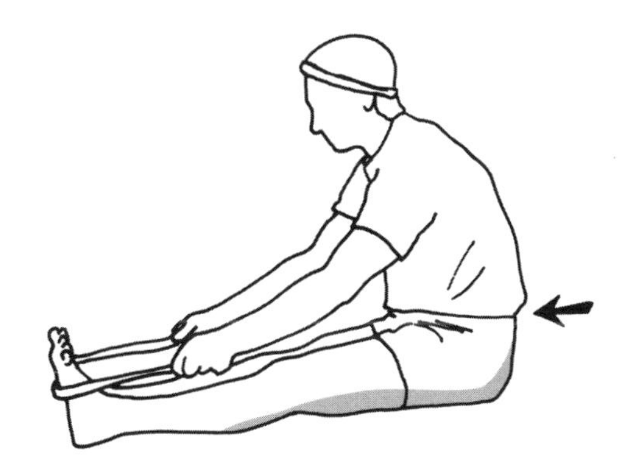

Si cet exercice vous est pénible, ou si vous avez eu des problèmes avec le bas de votre dos, remplacez-le par les exercices de la page 39 et de la page 58. Vous aurez moins de mal à les accomplir et, dans un premier temps, ils vous seront plus profitables.

Soyez toujours prudent lorsque vous avez les jambes tendues devant vous ou lorsque vous vous penchez vers l'avant en position debout. Comme il est fort possible que vos deux jambes n'aient pas la même souplesse, évitez ces exercices si vous sentez une trop grande tension dans le bas du dos. Si l'une de vos jambes est nettement plus souple que l'autre, ou si elles sont toutes les deux très raides, vous obtiendrez de meilleurs résultats en les faisant d'abord travailler séparément.

Couchez-vous sur le dos et levez une jambe à 90° en maintenant le dos bien à plat. Tirez votre jambe vers l'avant en vous aidant éventuellement de vos mains, et maintenez la position 15 à 20 secondes. Vous pouvez également vous aider d'une serviette passée sur la plante des pieds pour tirer doucement votre jambe vers l'avant. Pour plus de confort, placez un coussin sous votre tête.

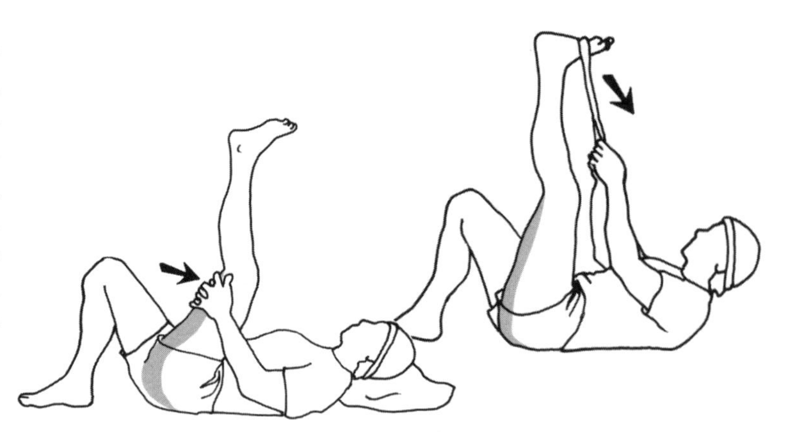

Exercices pour assouplir l'aine

En position assise, les plantes des pieds jointes, saisissez vos orteils et penchez-vous lentement vers l'avant, en pliant la taille, jusqu'à ce que vous sentiez un bon étirement des muscles de l'aine. Vous pouvez également le ressentir dans le bas du dos. Demeurez dans cette position pendant 20 secondes. Gardez les épaules et le cou droits. Le mouvement doit partir des hanches (voir page 16, *Quelques exercices d'initiation*). Laissez reposer vos coudes sur la face externe des jambes, afin de bien assurer votre équilibre. Contractez votre ceinture abdominale en vous penchant pour améliorer votre souplesse.

Souvenez-vous : un bon exercice ne doit pas vous fatiguer. Choisissez un emplacement confortable et trouvez une position qui vous permette simultanément de vous étirer et de vous détendre.

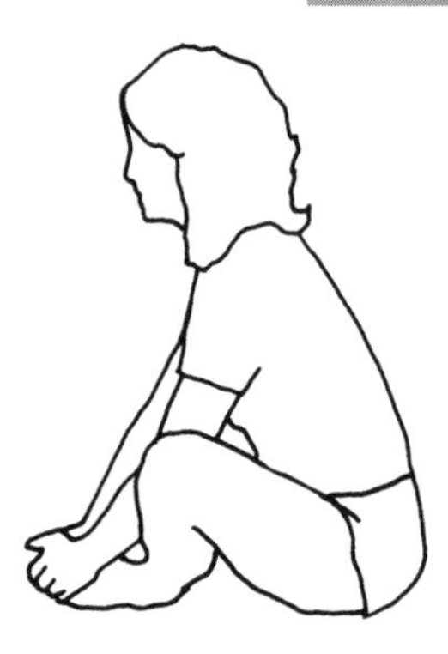

Si vous avez du mal à vous pencher vers l'avant, vos talons sont peut-être trop près de l'aine.

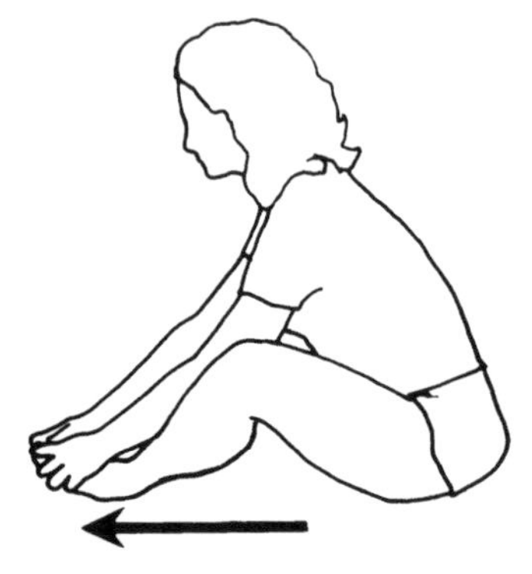

Dans ce cas, avancez vos jambes jusqu'à ce que vous n'ayez plus aucune peine à accomplir le mouvement.

Variante. Prenez votre pied droit dans la main gauche, le coude reposant au creux de la jambe pour bien la stabiliser. Posez votre main droite sur le haut de la jambe droite (pas sur le genou) et appuyez légèrement, de manière à étirer seulement le côté droit de l'aine. Maintenez la position 10 à 15 secondes, mais ne forcez pas. Cet exercice est excellent pour corriger un déséquilibre dans cette partie du corps et vous rendre aussi souple d'un côté que de l'autre.

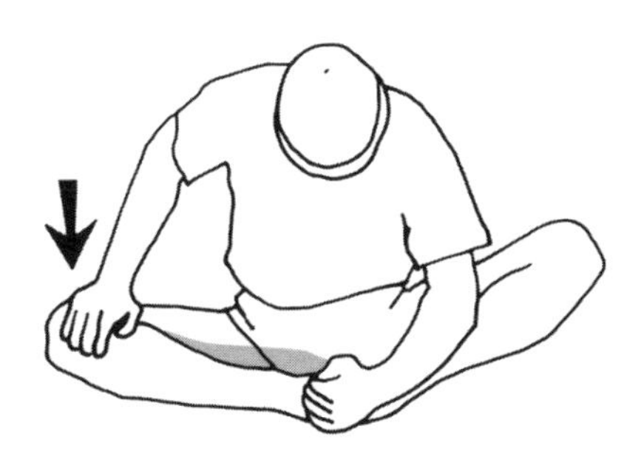

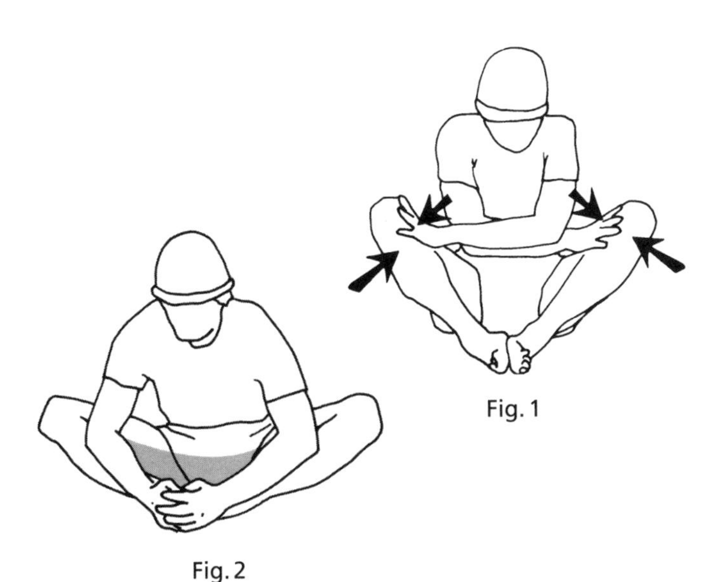

Fig. 1

Fig. 2

Technique PNF. En position assise, les plantes des pieds jointes, posez les mains sur l'intérieur des genoux en croisant les bras. Essayez de rapprocher les genoux, tout en les repoussant avec vos mains, de manière à contracter les muscles de l'aine *(fig. 1)*. Maintenez l'effort pendant 4 à 5 secondes, puis détendez-vous et reprenez l'étirement de la page précédente *(fig. 2)*. Cet enchaînement simple, excellent pour le haut des cuisses, est pratiqué par les athlètes qui se sentent trop raides.

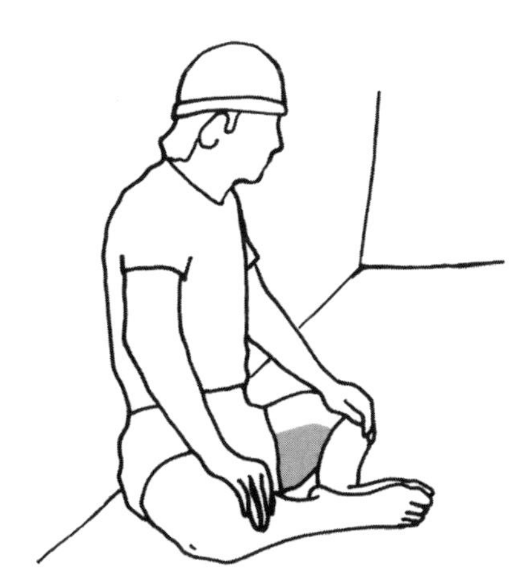

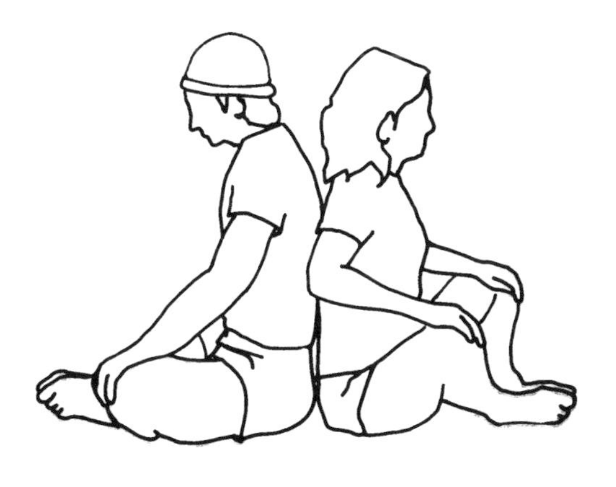

Vous pouvez également soulager les muscles trop tendus de l'aine en vous adossant à un support (un mur ou une autre personne). Le dos bien droit, les plantes des pieds jointes, posez les mains un peu au-dessus des genoux et poussez doucement, jusqu'à ce que vous ressentiez un étirement agréable, identique des deux côtés. Relâchez la pression après 20 à 30 secondes.

Si vous avez des difficultés à vous asseoir en croisant les jambes, les exercices précédents vous permettront de prendre plus facilement cette position.

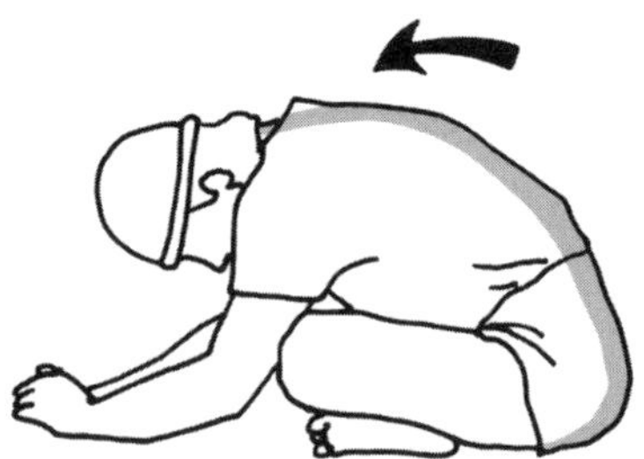

Pour étirer l'aine et le bas de votre dos, asseyez-vous jambes croisées et penchez-vous le plus loin possible vers l'avant jusqu'à sentir un étirement agréable. Essayez de poser les coudes sur le sol, devant vous, mais ne forcez pas. Lorsque vous avez trouvé la bonne position, la plus agréable pour vos reins, maintenez-la 15 à 20 secondes et décontractez-vous. Ne retenez pas votre respiration.

Variante. Au lieu de vous pencher au-dessus de l'aplomb des pieds, penchez-vous sur un genou, puis sur l'autre, sans les relever, en veillant à bien faire partir le mouvement des hanches.

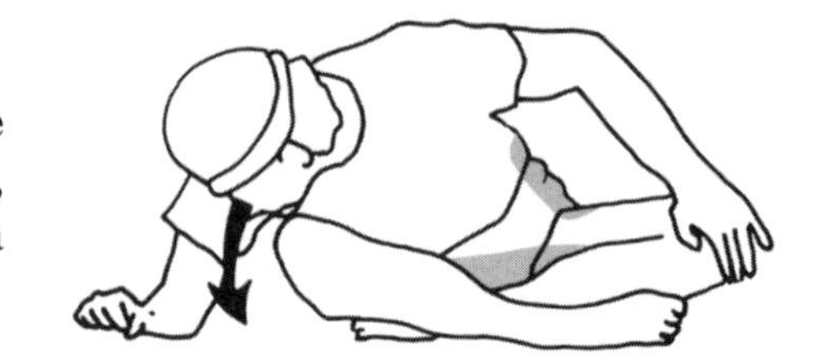

La torsion du dos

La torsion représente un excellent exercice pour le haut et le bas du dos, les flancs et la cage thoracique. Elle est également bonne pour la taille et accroît votre souplesse.

Asseyez-vous en tendant la jambe droite. Pliez la jambe gauche et faites passer votre pied au-dessus de la jambe tendue. Pliez le coude droit et appuyez votre avant-bras contre la face externe de la cuisse gauche, juste au-dessus du genou. Pendant l'exercice, servez-vous de l'avant-bras pour maintenir votre jambe immobile.

Posez la main gauche sur le sol, derrière vous. Tournez lentement la tête pour regarder derrière votre épaule gauche, en faisant pivoter tout le buste vers la gauche. Essayez également de faire pivoter les hanches (mais vous n'y parviendrez pas, puisque la jambe gauche est maintenue en place par le bras droit). En faisant cela, vous étirez le flanc gauche et le bas du dos. Gardez la position pendant 10 à 15 secondes. Changez de côté.

Pendant l'exercice, ne retenez pas votre souffle. Respirez profondément et régulièrement.

Variante. Avec vos mains jointes, ramenez le genou vers le corps en direction de l'épaule opposée. Restez 20 à 30 secondes. Changez de côté.

Commencez toujours par le membre ou le côté le plus tendu. La plupart des gens qui font du stretching choisissent d'instinct de commencer par celui qui leur paraît le plus souple. Cette habitude est néfaste, puisqu'elle accroît le déséquilibre au lieu de l'atténuer.

RAPPEL DES ENCHAÎNEMENTS

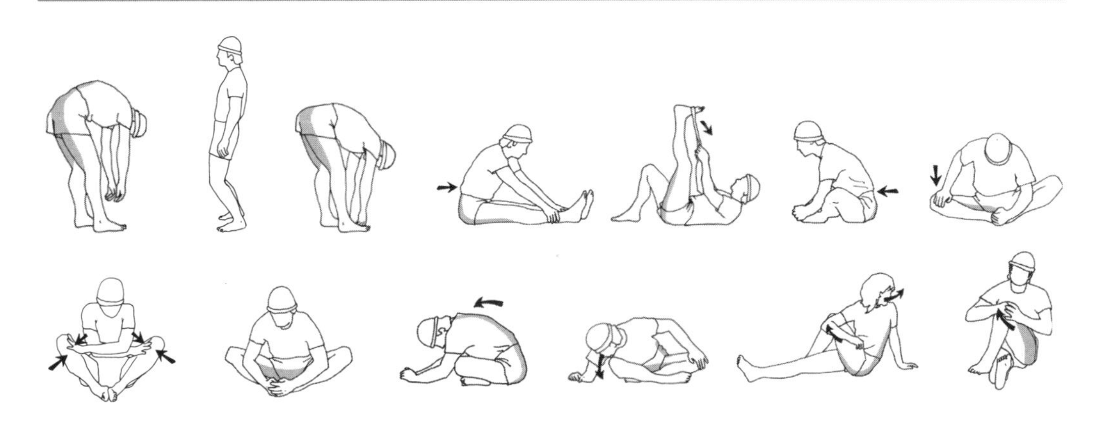

Pour détendre vos hanches et le bas de votre corps, faites les exercices dans cet ordre.

RAPPEL DES PRINCIPES DE BASE DU STRETCHING

- Ne vous étirez pas trop, particulièrement au début. Faites-le modérément, détendez-vous, puis accentuez votre mouvement.
- Assurez-vous une position confortable, dans laquelle la tension initiale disparaîtra rapidement.
- Respirez lentement, profondément et naturellement. N'allez jamais jusqu'au point où vous pourriez être gêné pour respirer.
- Ne faites pas de mouvements brusques. Ils contracteraient les muscles que vous désirez étirer.
- Soyez à l'écoute de votre corps et sentez votre étirement. Si la tension initiale s'accroît au lieu de disparaître, votre position est incorrecte. Rectifiez-la.
- Ne recherchez pas la souplesse à tout prix. Elle viendra avec le temps. La souplesse n'est qu'un des nombreux bienfaits du stretching.

N'OUBLIEZ PAS NON PLUS

- Votre condition physique change tous les jours.
- Buvez beaucoup d'eau. L'étirement des muscles est beaucoup plus facile lorsque le corps est bien hydraté.
- Ce que vous ressentez est toujours le résultat de ce que vous faites.
- La régularité et la relaxation sont les principes les plus importants du stretching. Seule la régularité vous permettra de réaliser des progrès.
- Il ne sert à rien de vous comparer aux autres. Ne cherchez pas à les égaler, mais à vous améliorer.
- Vous ne devez pas vous plier aux exercices, mais adapter les exercices à vos possibilités.
- La pratique du stretching vous maintient en bonne condition physique.
- Vous pouvez pratiquer le stretching à toute heure de la journée. Vous vous sentirez toujours mieux après.

Exercices pour le dos, les hanches et les jambes

Pour les exercices d'étirement du dos, il est préférable d'utiliser une surface d'appui rigide mais pas trop dure, sinon vous aurez du mal à vous relaxer correctement.

Allongez-vous sur le dos, ramenez le genou gauche vers la poitrine en vous aidant des mains. Gardez la jambe droite tendue, sans forcer. Essayez de ne pas soulever la nuque et ne vous inquiétez pas si vous n'y parvenez pas la première fois. Gardez la position 30 secondes, puis changez de jambe. Cet exercice détend les muscles du dos et les muscles tendineux, à l'arrière des cuisses.

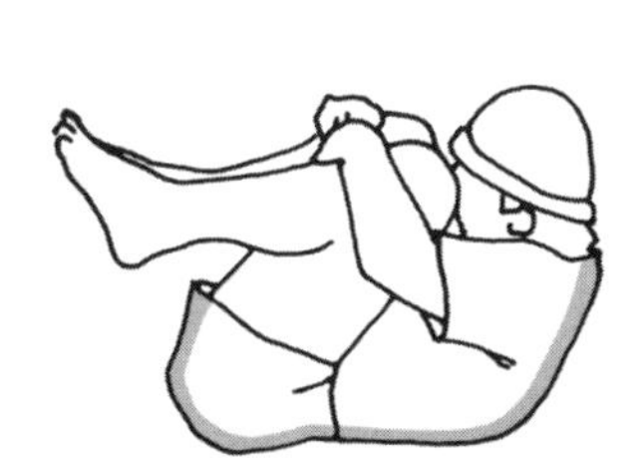
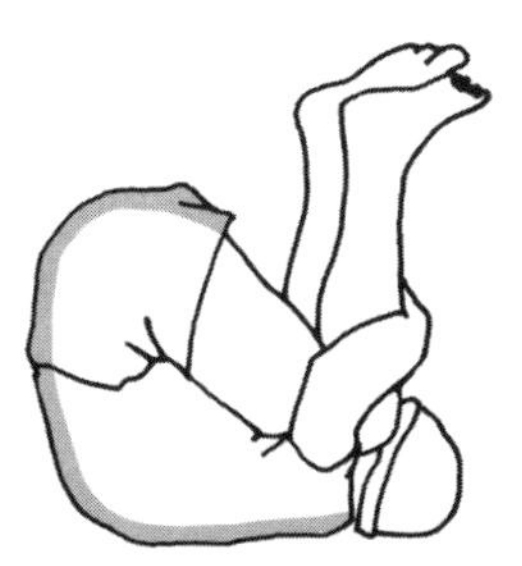

Roulade. Faites cet exercice sur une natte ou un tapis. Ramenez les genoux contre la poitrine et roulez-vous en boule, comme indiqué ci-dessus, puis roulez sur la colonne vertébrale, d'avant en arrière, d'arrière en avant, en gardant le menton collé contre la poitrine.

Essayez de rouler sans à-coups, en contrôlant votre mouvement. Effectuez quatre à huit allers et retours, sans forcer, en essayant d'accroître graduellement la sensation de bien-être que vous éprouvez.

Roulade jambes croisées. Partez de la même position que dans l'étirement précédent mais, lorsque vous vous trouvez sur le milieu du dos, croisez les jambes, prenez vos deux pieds (par la plante) et pressez-les contre la poitrine. Pendant le mouvement de retour, lâchez les pieds et décroisez les jambes, de manière à vous retrouver assis, les jambes jointes, dans la même position qu'au départ.

Pour la roulade suivante, croisez les jambes dans l'autre sens, celle qui était dessus passant dessous, pour faire jouer également tous les muscles du dos. Effectuez six à huit allers et retours.

> **PRENEZ GARDE À VOTRE DOS**
>
> Prenez toujours votre temps pour vous étirer le dos. N'essayez pas de faire tous les exercices. Choisissez-en un et travaillez-le bien.
>
> - Attention : si vous avez le dos très raide, soyez prudent. Ne vous imposez pas de faire l'exercice jusqu'au bout. Améliorez graduellement votre technique, assurez votre équilibre lorsque les jambes sont pressées contre la poitrine. Progressez lentement, avec patience, en n'oubliant pas que vous devez demeurer détendu.
> - De même, si vous avez des problèmes de cervicales, soyez extrêmement prudents avec ces exercices. Pour beaucoup, ce sont des étirements difficiles. S'ils ne vous procurent aucun agrément, ne les faites pas.

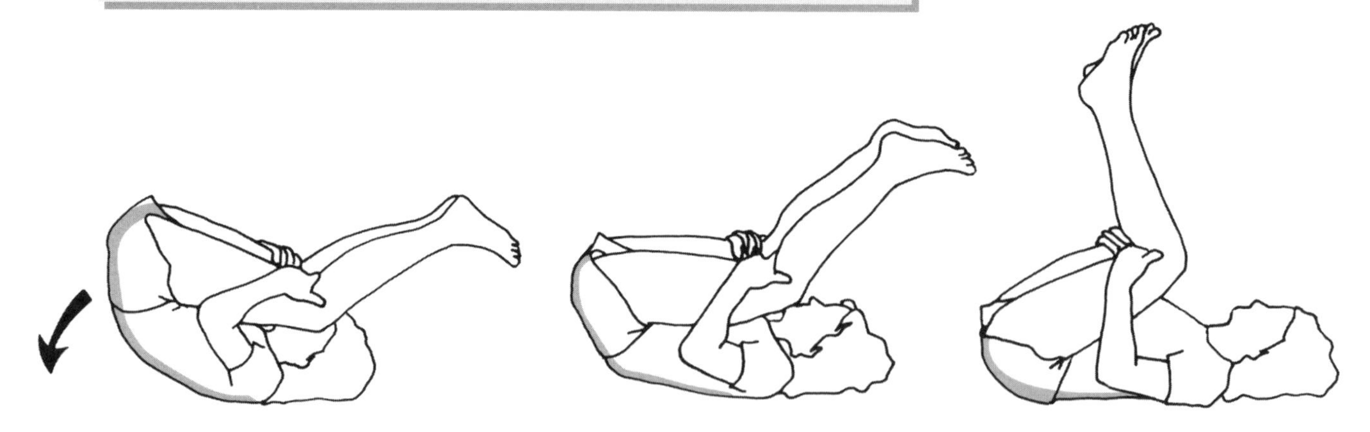

Les jambes par-dessus la tête, roulez lentement sur le dos, en essayant de sentir chacune de vos vertèbres. Vous serez probablement trop rapide au début, mais avec l'expérience vous apprendrez à ralentir votre mouvement, de manière à sentir l'une après l'autre toutes vos vertèbres.

Placez les mains sur la saignée des genoux pour maintenir vos jambes contre la poitrine pendant que vous dépliez lentement le dos. Ceci vous permettra de mieux contrôler votre vitesse. Essayez de garder la nuque droite, la tête sur le sol.

Une roulade effectuée en contrôlant votre vitesse permet de découvrir quelles sont les parties de votre dos qui sont les plus tendues. Ce sont celles que vous avez le plus de mal à dérouler lentement. Mais vous pouvez assouplir et détendre les muscles rattachés à la colonne vertébrale en pratiquant des exercices quotidiens, qui vous paraîtront chaque jour un peu plus faciles.

Pour accentuer l'étirement du dos dans la position jambes par-dessus tête, tendez le bras et saisissez le rebord d'un meuble suffisamment lourd. Pliez légèrement les bras et les genoux pour assurer votre équilibre et déroulez-vous lentement, vertèbre après vertèbre. Vos mains étant fixes, vous pouvez parfaitement maîtriser cette descente. Essayez d'aller le plus lentement possible.

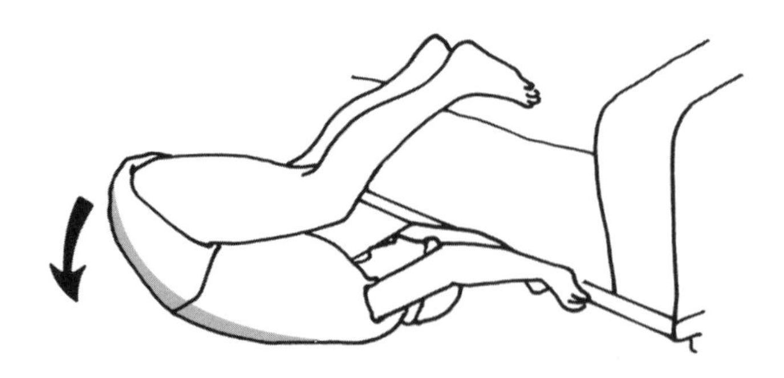

Les exercices effectués jambes par-dessus tête sont recommandés pour l'assouplissement du dos, le renforcement de la ceinture abdominale et la circulation du sang dans les membres inférieurs.

> Ne forcez pas mais pensez à développer graduellement votre bien-être physique.

La position accroupie

Les personnes astreintes à de longues heures en position debout ou assise souffrent souvent des reins. Pour soulager la tension dans cette partie du corps, la position accroupie est excellente.

Partant de la position debout, accroupissez-vous, les pieds bien à plat sur le sol, les orteils légèrement tournés vers l'extérieur (15°). Selon votre souplesse, votre entraînement et les parties du corps que vous désirez étirer, la distance entre vos talons peut varier de 10 à 30 cm. Les genoux doivent être à la verticale des gros orteils, à l'extérieur des épaules. Gardez cette position pendant 10 à 15 secondes. Cet exercice, très facile pour certaines personnes, très difficile pour d'autres, permet d'étirer les chevilles, les genoux, les tendons d'Achille, l'aine et le bas du dos.

> Soyez prudent. Il est certain que la position accroupie est l'une des plus naturelles qui soient. Cependant, les personnes qui souffrent des genoux ont de grandes difficultés à se mettre dans cette position. Si c'est votre cas, prenez un avis médical.

Variantes. Les premières fois, vous aurez peut-être du mal à conserver votre équilibre, parce que vos chevilles et les tendons d'Achille ne sont pas assez souples. Vous pouvez résoudre cette difficulté de trois manières :

- en vous accroupissant sur un plan incliné ;

- en appuyant votre dos contre un mur ;

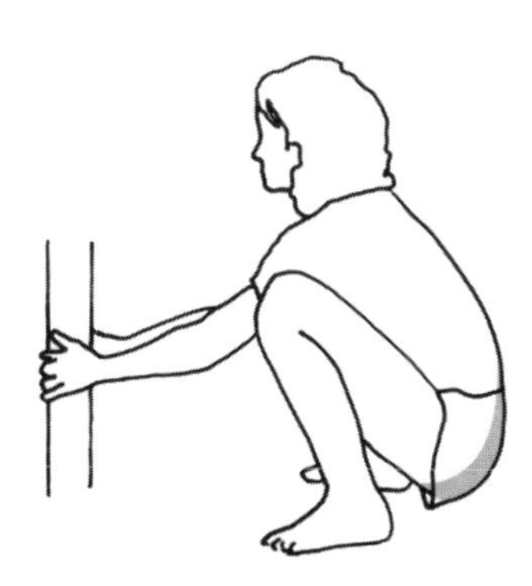

- en vous accrochant à un poteau ou à un piquet.

Plus vous le pratiquerez, plus vous découvrirez que l'accroupissement est une position très confortable, qui permet de soulager toutes les tensions du bas du corps. Revenez à la position debout en suivant les indications de la page ci-contre.

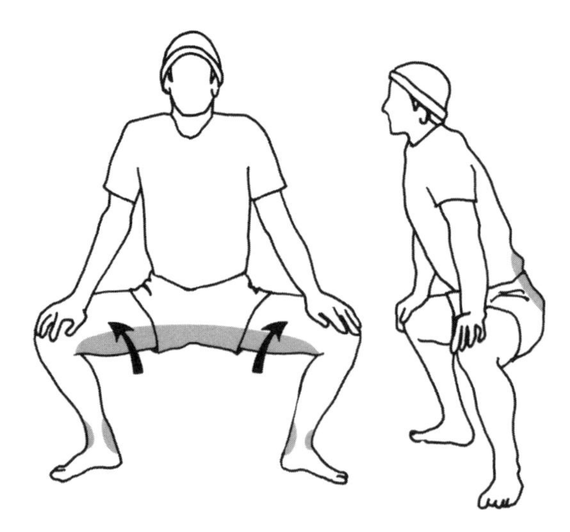

Variante. Démarrez en position debout, les pieds écartés d'une distance au moins égale à l'écartement des épaules. Placez vos mains sur les cuisses, juste au-dessus des genoux, et descendez doucement votre bassin tout en repoussant les genoux à l'extérieur. Lorsque vous sentez un étirement au niveau de l'aine, maintenez la position 15 secondes. Cet exercice fait également travailler les chevilles et les tendons d'Achille. Ne descendez pas les hanches plus bas que les genoux.

Soyez très prudent si vous avez eu des problèmes de genoux. En cas de douleur, arrêtez immédiatement.

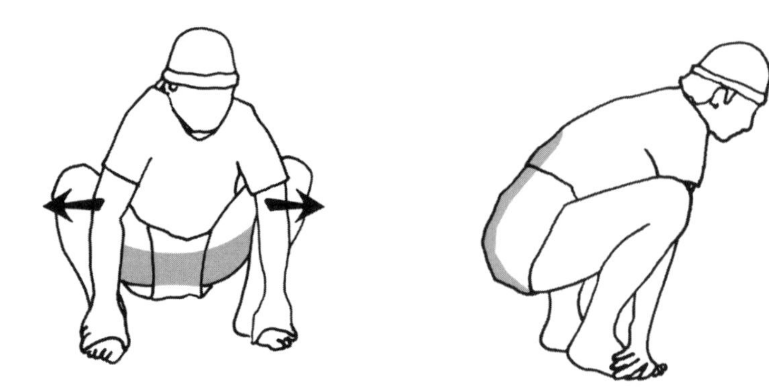

Pour accentuer l'étirement de l'aine, placez vos mains sur les pieds, les coudes contre la face interne des cuisses, et écartez lentement les bras en vous penchant légèrement vers l'avant, sans courber le dos (faites partir le mouvement des hanches). Gardez cette position pendant 15 secondes. Ne forcez pas. Si vous craignez de perdre l'équilibre, soulevez les talons de quelques centimètres.

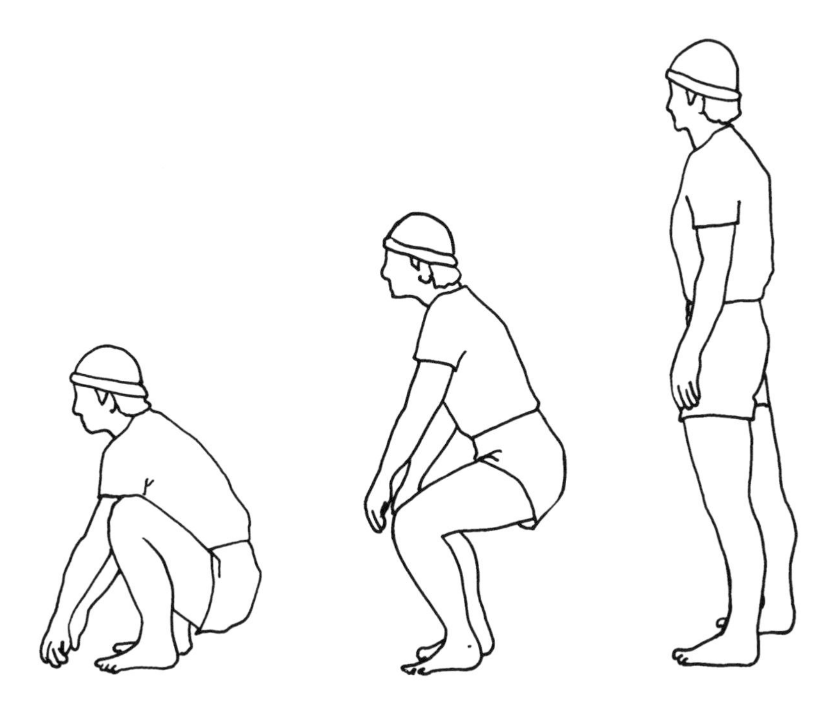

Pour vous redresser en partant de la position accroupie, rentrez légèrement le menton et relevez-vous en gardant le dos droit, les bras ballants. Tout l'effort doit être accompli par les quadriceps. Gardez la tête relevée, afin de ne pas contracter inutilement le bas du dos et le cou.

RAPPEL DES ENCHAÎNEMENTS

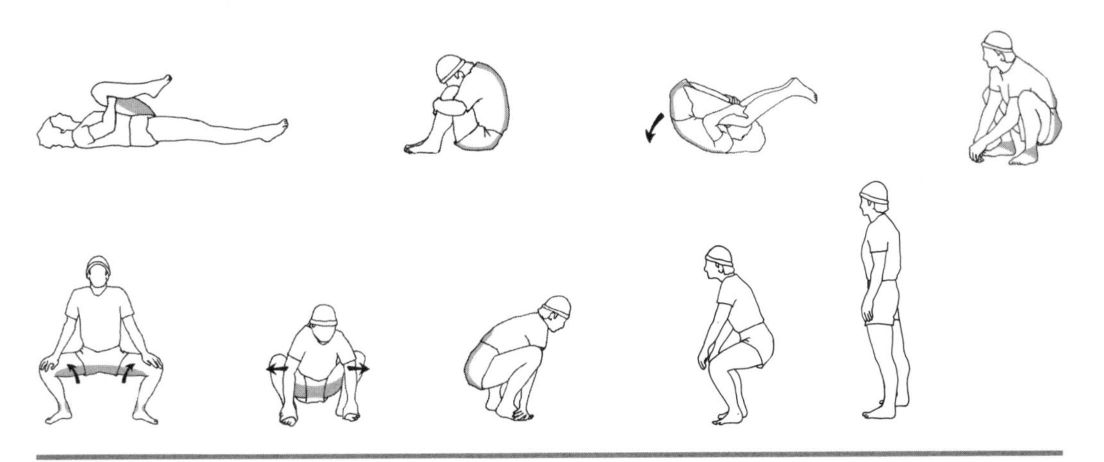

Faites ces exercices dans cet ordre pour détendre votre dos et vos jambes.

> Maintenir pendant quelques secondes une légère tension permet à votre corps de la reconnaître et de s'y habituer. Rapidement, les muscles qui sont étirés acceptent cette tension, et votre corps se familiarise graduellement avec de nouvelles positions, qu'il finit par prendre sans la moindre raideur.

Élévation des pieds

Élever vos pieds avant ou après un effort est un excellent moyen de vous maintenir en forme. Il vous permet de garder en toute situation des jambes légères, de reposer et de relaxer vos pieds lorsqu'ils sont fatigués, de faire éprouver à tout votre corps une merveilleuse sensation de bien-être. Il est également très efficace contre les varices. Pour vous détendre et retrouver votre énergie, élevez les pieds pendant 2 à 3 minutes, au moins deux fois par jour.

Allongez-vous sur le sol, les fesses à une dizaine de centimètres d'un mur. Levez les jambes et posez vos pieds sur le mur, en gardant le dos bien plat. Voilà une position de relaxation simple et efficace. S'il n'y a pas de mur à proximité, quelques coussins feront l'affaire pour maintenir le niveau de vos pieds au-dessus de celui de votre cœur. Au début, ne restez dans cette position qu'une minute et augmentez graduellement la durée. Si vos pieds commencent à s'endormir, roulez sur le côté avant de vous relever *(voir* page 20). Ne vous relevez jamais brusquement après une élévation des pieds pour ne pas avoir de vertige.

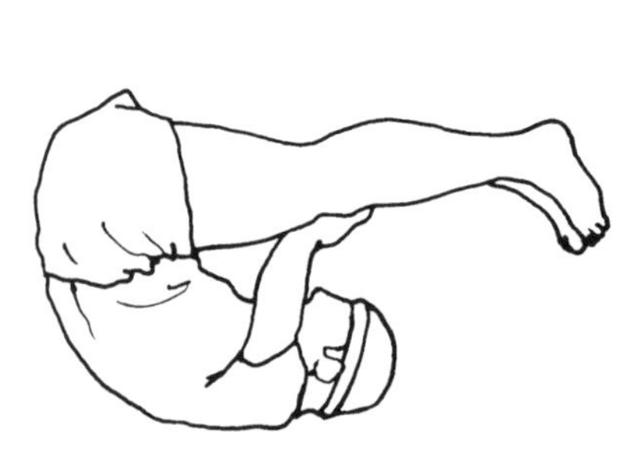

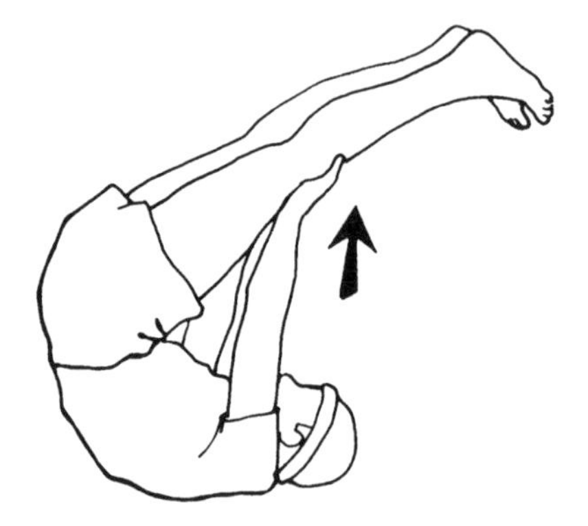

Placez les mains sur vos genoux, paumes à plat, doigts dirigés vers l'avant. Tendez et bloquez les bras. Détendez les muscles de vos hanches afin que le poids des jambes soit supporté uniquement par les bras. Cette position très reposante est appelée « pose de la tranquillité » dans le *Hatha Yoga*. Pour la tenir, vous devez trouver le point d'équilibre situé sur le haut de la colonne vertébrale, à l'arrière du crâne. Cet exercice n'est difficile qu'en apparence. Ne renoncez pas parce que vous avez échoué une dizaine de fois. La suivante sera peut-être la bonne.

Bien entendu, soyez très prudent si vous souffrez du dos ou de la nuque.

Nous savons maintenant que le stretching est une bonne chose, mais *savoir* ne suffit pas. C'est *faire* qui est important. En effet, à quoi peut nous servir un savoir s'il ne nous conduit pas à améliorer notre vie de tous les jours ?

Plan incliné

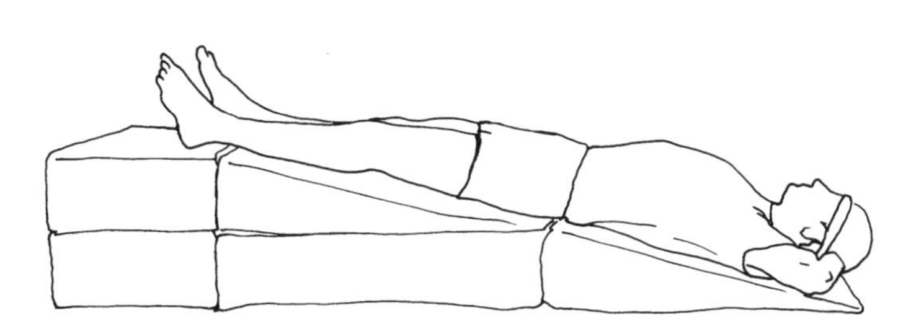

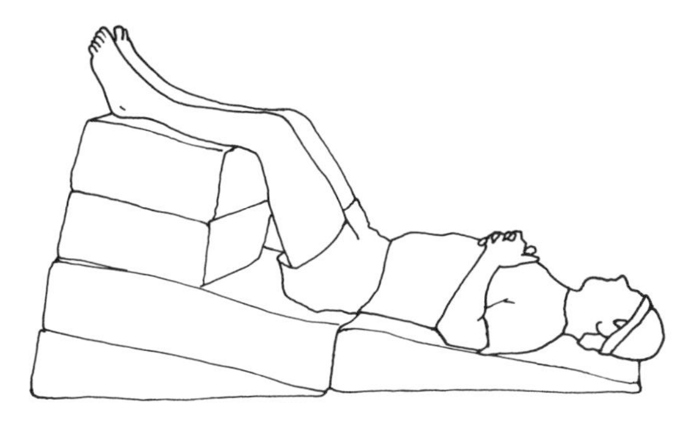

Pour élever les pieds, vous pouvez aussi vous coucher sur un plan incliné (naturel ou conçu à cet effet). Ne faites aucun exercice, allongez-vous la tête vers le bas et détendez-vous pendant 5 minutes. Augmentez progressivement la durée de cette relaxation jusqu'à 15 à 20 minutes. Pour éviter de trop vous cambrer, placez vos mains sur la poitrine.

Pendant que vous êtes dans cette position, rentrez l'estomac. Cette technique peu contraignante, dont vous prendrez rapidement l'habitude, aidera à remettre en place les viscères. Le repos sur plan incliné est excellent pour les personnes qui veulent paraître ou se sentir minces.

Avant de retrouver la station debout, restez assis pendant 2 ou 3 minutes. Il faut toujours se relever lentement après un exercice d'élévation des pieds, quel qu'il soit, afin d'éviter les étourdissements.

Autres exercices sur plan incliné

Faites ici sur plan incliné les exercices pour le dos préconisés page 29, jambes pliées ou jambes tendues.

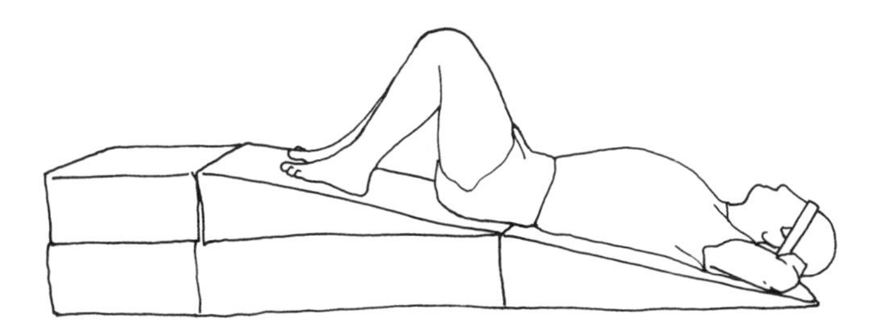

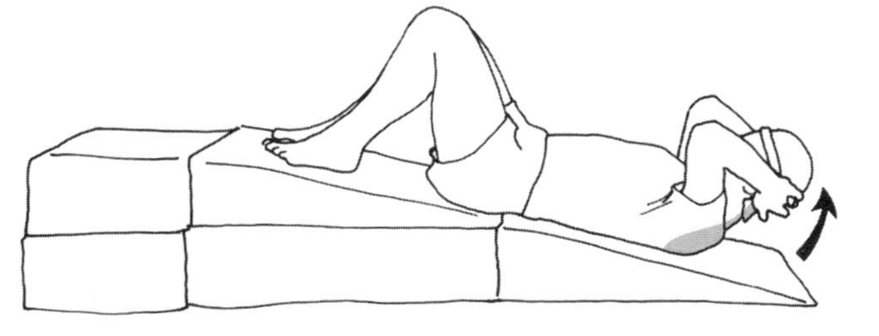

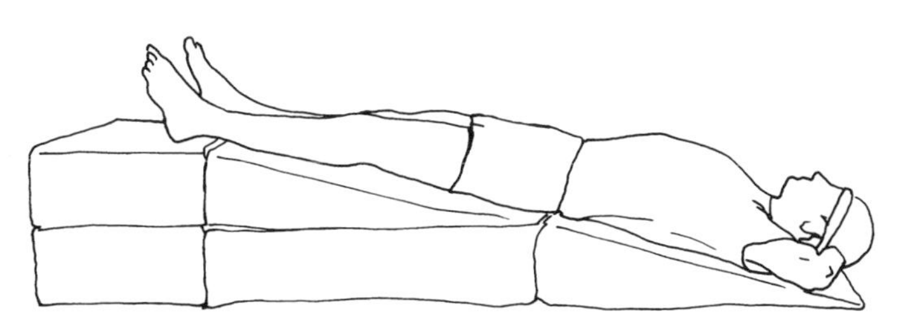

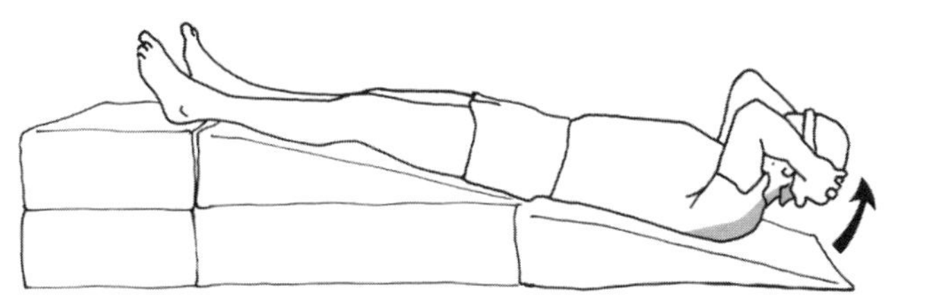

Faites sur plan incliné les exercices pour le dos préconisés page 26, page 31 et page 58.

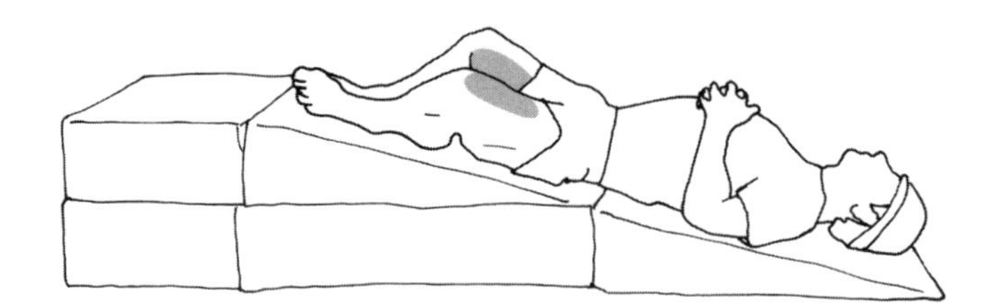

Exercice page 26.

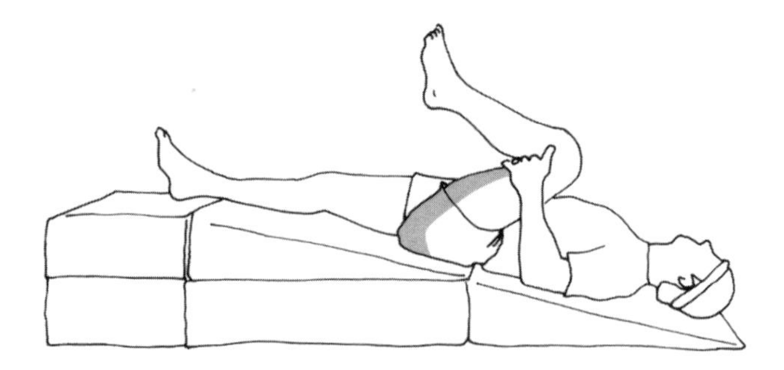

Exercice page 31.

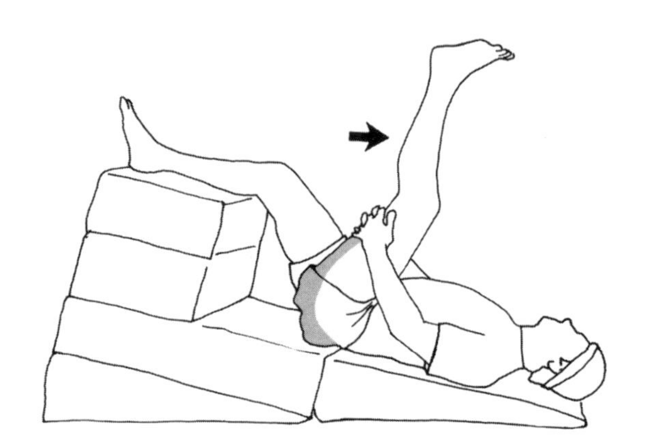

Exercice page 58.

RAPPEL DES EXERCICES D'ÉLÉVATION DES PIEDS

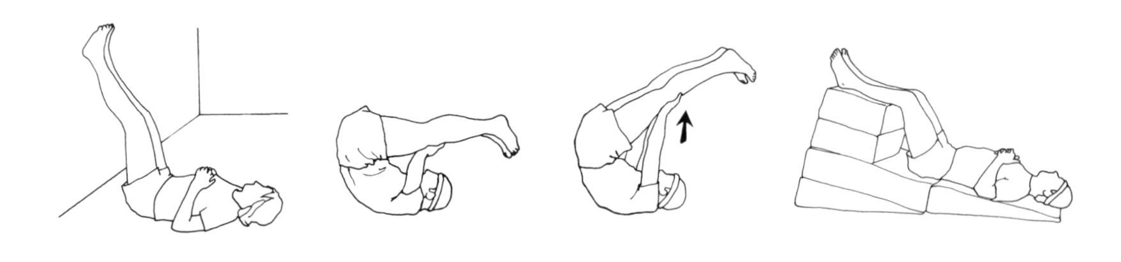

Exercices en position debout pour les jambes et les hanches

Ces exercices, utiles pour la marche et la course, assouplissent et fortifient les membres inférieurs. Ils peuvent tous être effectués en position debout.

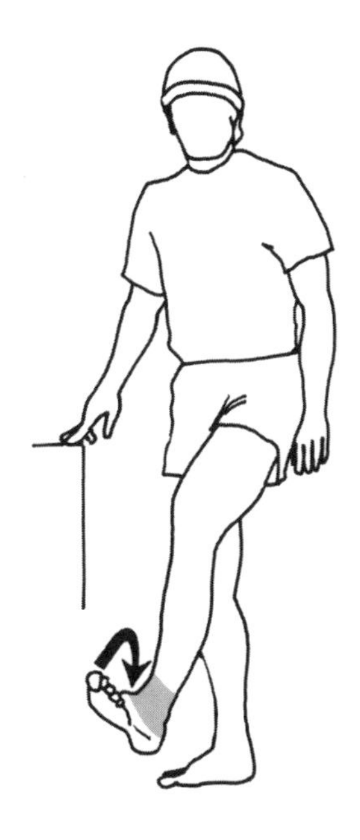

Appuyez-vous d'une main sur un support pour gardez votre équilibre. Soulevez votre jambe gauche et faites tourner dix à douze fois votre pied autour de la cheville puis autant de fois dans l'autre sens. Répétez l'exercice avec votre pied droit. Ces étirements des mollets activent la circulation dans les jambes.

Technique PNF. Avant de faire l'étirement des mollets préconisé ci-dessus, dressez-vous sur la pointe des pieds pendant 3 à 4 secondes pour contracter vos mollets. Relaxez-vous et passez à la rotation des pieds. Cette contraction préalable vous facilitera l'exercice.

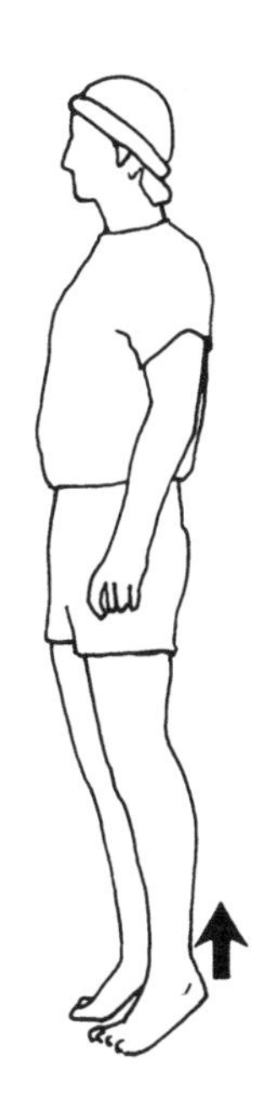

Pour étirer le mollet, placez-vous devant un mur sur lequel vous appuyez vos avant-bras, la tête posée sur vos mains jointes. Pliez une jambe et tendez l'autre vers l'arrière, la plante du pied bien à plat sur le sol, perpendiculaire au mur ou légèrement tournée vers l'intérieur. Avancez les hanches en gardant le dos droit. Ne forcez pas. Restez ainsi pendant 10 à 15 secondes, puis changez de jambe.

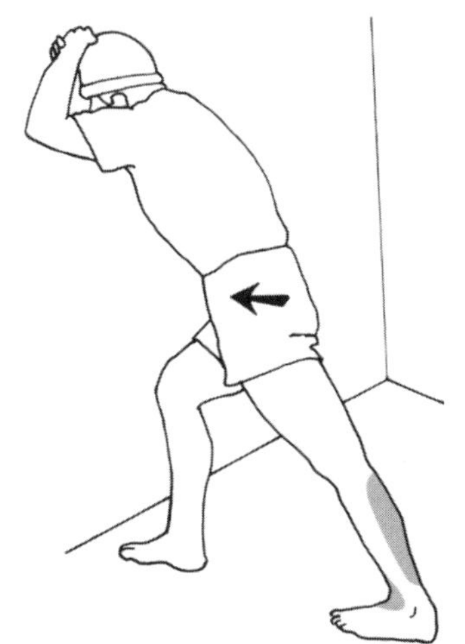

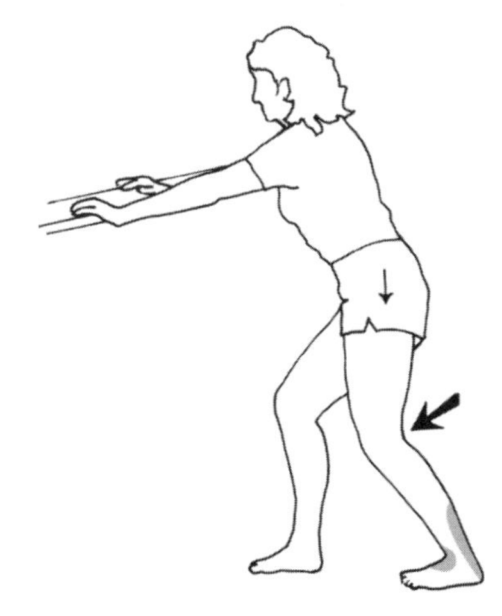

La jambe droite pliée vers l'avant, prenez appui sur une barre ou le rebord d'un meuble et baissez les hanches en fléchissant légèrement le genou gauche. Votre pied doit demeurer collé au sol, sans s'orienter vers l'extérieur. Cet exercice ne provoque qu'une légère sensation d'étirement au niveau du tendon d'Achille. Gardez la position pendant 10 secondes, puis détendez-vous et changez de jambe.

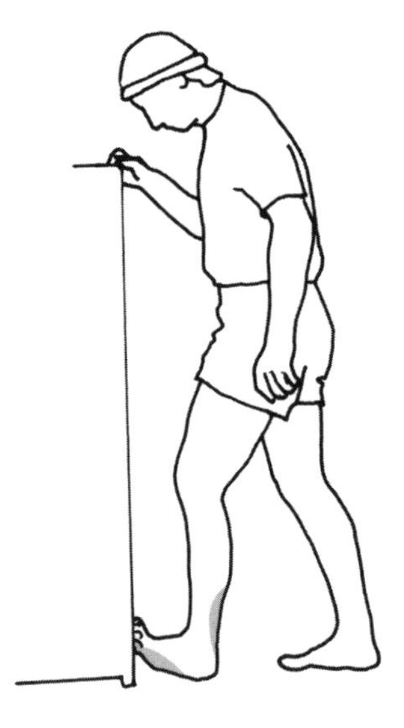

Voici un autre exercice pour étirer les tendons d'Achille et les chevilles. Placez la pointe du pied contre un mur, comme indiqué sur le dessin ci-contre, puis avancez votre buste jusqu'à ressentir un étirement agréable dans le tendon d'Achille. Gardez la position 8 à 10 secondes et relaxez-vous avant de changer de jambe. Cet exercice étire aussi la plante des pieds et les orteils.

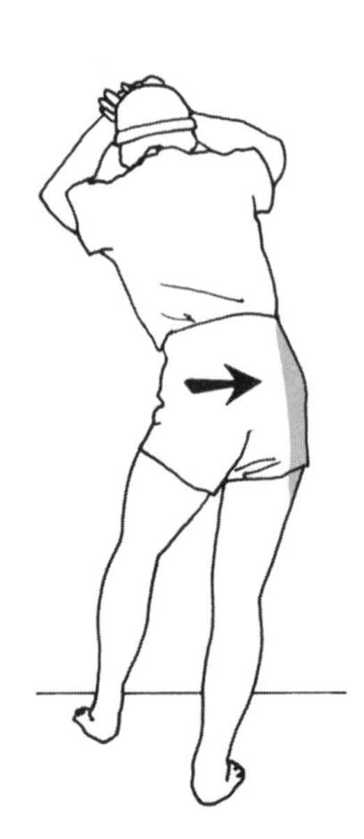

Reprenez la position indiquée dans l'exercice d'étirement du mollet, page 71. Tendez la jambe droite. Avancez uniquement votre hanche droite, en la faisant tourner vers l'intérieur. Dans le même temps, inclinez très légèrement les épaules vers la gauche. Surveillez votre pied gauche, qui doit demeurer à plat, perpendiculaire au mur. Étirez-vous sans forcer pendant 10 à 15 secondes, puis changez de côté.

POUR UN APPRENTISSAGE À L'ÉCOLE

Autrefois, les grands collèges des pays anglo-saxons consacraient de longues heures à la pratique des sports et des jeux. L'apprentissage ressortait plus du principe révolu « il faut souffrir pour s'améliorer ». Une nouvelle génération de professeurs a aujourd'hui pris le relais et enseigne aux élèves à prendre soin de leur corps : en mangeant sainement, en s'étirant correctement, en faisant de ces exercices simples une composante naturelle de leur mode de vie. Ce serait merveilleux si les enfants pouvaient acquérir à l'école une hygiène de vie qu'ils conserveraient pour le restant de leurs jours.

Debout jambes écartées, pliez la jambe droite pour amener votre cuisse gauche au niveau du genou droit. Vous devez sentir un étirement dans le muscle interne de la cuisse gauche et dans l'aine. Maintenez la position 10 à 15 secondes et recommencez de l'autre côté.

En position debout, pliez la jambe gauche et posez le mollet juste au-dessus du genou droit. Posez la main droite sur la cheville gauche et la main gauche sur la cuisse gauche. Pliez votre genou droit tout en avançant votre buste pour maintenir votre équilibre. Vous devez sentir un étirement le long des muscles fessiers qui se poursuit à l'extérieur de la cuisse. Gardez la position 10 secondes et changez de côté. Ne retenez pas votre respiration.

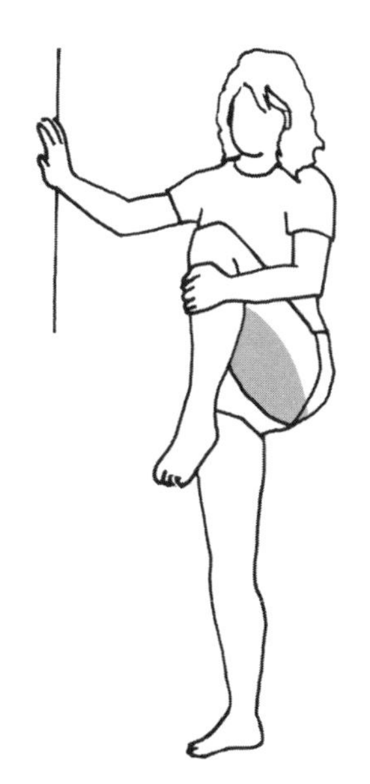

Appuyez-vous à un mur ou un pilier, levez la jambe et ramenez le genou contre la poitrine. Ne vous pliez pas, demeurez aussi droit que possible. Le genou qui vous supporte est légèrement fléchi, le pied bien droit. Faites un étirement simple pendant 10 à 15 secondes. Changez de jambe.

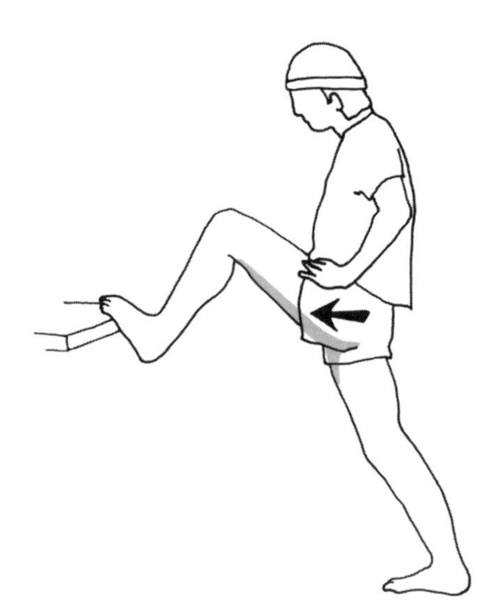

Posez l'avant du pied droit sur un support stable. Tendez la jambe gauche vers l'arrière, le pied bien à plat sur le sol. En gardant le buste droit, faites avancer vos hanches, ce qui doit avoir pour effet de plier la jambe droite. Assurez votre équilibre en posant vos mains sur les hanches. Pliez-vous pendant 10 à 15 secondes, puis changez de côté. Cet étirement vous permet d'acquérir une plus grande souplesse du genou.

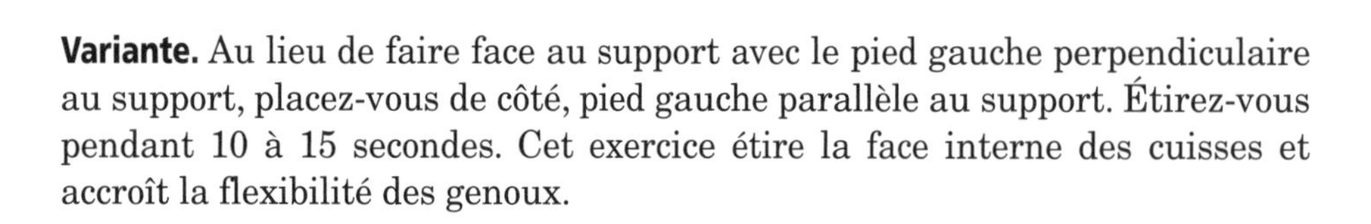

Variante. Au lieu de faire face au support avec le pied gauche perpendiculaire au support, placez-vous de côté, pied gauche parallèle au support. Étirez-vous pendant 10 à 15 secondes. Cet exercice étire la face interne des cuisses et accroît la flexibilité des genoux.

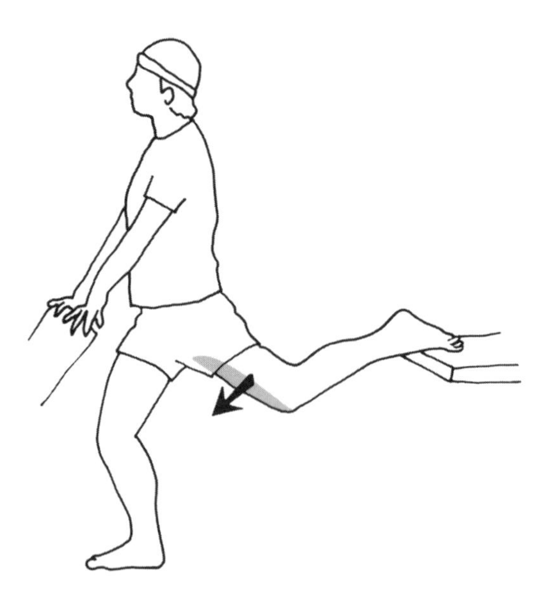

Tendez la jambe gauche derrière vous, le pied posé sur un support (table, barre, barrière), à la hauteur qui vous convient le mieux. Gardez la jambe gauche tendue, les mains sur les hanches, ou fléchissez-la légèrement en posant vos mains sur un second support, et faites basculer la hanche gauche comme si vous vouliez ramener votre jambe vers l'avant. Relâchez les muscles fessiers. Votre pied gauche doit être perpendiculaire au support. Gardez le dos et la tête droits. Cet exercice est excellent pour les muscles de la hanche et les quadriceps. Faites-le pendant 10 à 15 secondes. En le pratiquant souvent, vous trouverez rapidement une position confortable, qui vous permettra d'être à l'aise et en parfait équilibre. N'oubliez pas de respirer régulièrement.

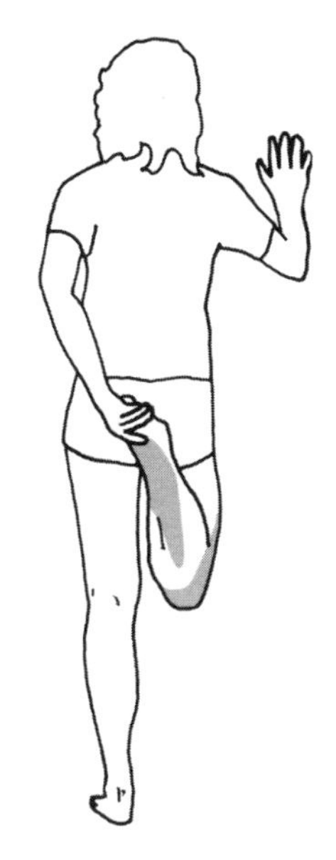

Pour étirer les genoux et les quadriceps, appuyez-vous à un mur, prenez votre pied droit dans la main gauche et pressez le talon contre vos fesses. Cet exercice est excellent pour les personnes qui veulent assouplir leurs genoux après avoir eu des problèmes. Faites-le pendant 10 à 20 secondes, puis changez de jambe.

Variante. Allongez-vous sur le ventre, saisissez votre cou-de-pied avec la main opposée et tirez votre talon vers les fesses. N'insistez pas si vous ressentez une quelconque douleur. Faites cet exercice pendant 10 à 15 secondes pour chaque jambe.

Un étirement doit être contrôlé. Partez toujours d'une position confortable. Maîtrisez les étirements simples avant d'essayer les étirements complets : vous progresserez plus rapidement. Rythmez vos exercices. N'oubliez pas qu'en forçant vous obtiendrez l'effet inverse de celui que vous recherchez.

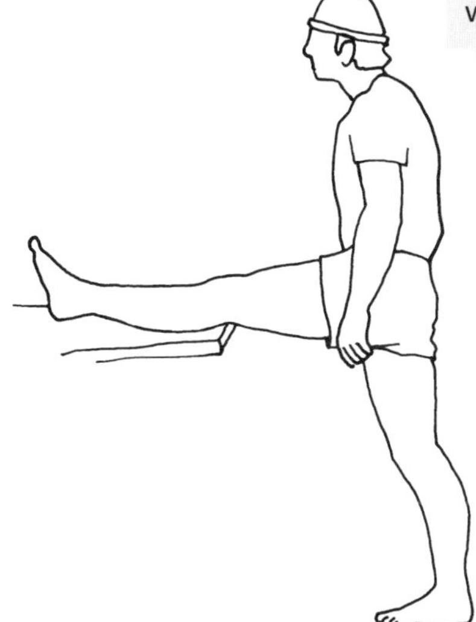

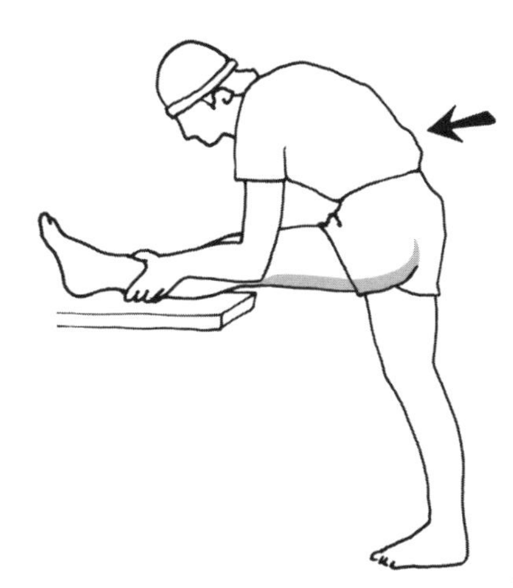

Placez le talon sur un support modérément élevé : la hauteur et la distance doivent permettre à la jambe que vous levez de demeurer tendue, approximativement à l'horizontale. Celle qui vous supporte est légèrement fléchie. Le pied est dirigé vers l'avant, comme en position de marche ou de course.

Sans courber la tête ni faire le dos rond, penchez-vous vers l'avant en pliant la taille, jusqu'à ce que vous ressentiez un étirement agréable des muscles tendineux de votre jambe dressée. Gardez la position 10 à 15 secondes. Décontractez-vous, puis accentuez le mouvement. Cet exercice est une excellente préparation à la marche et à la course.

Gardez toujours les genoux fléchis pendant les exercices en position debout.

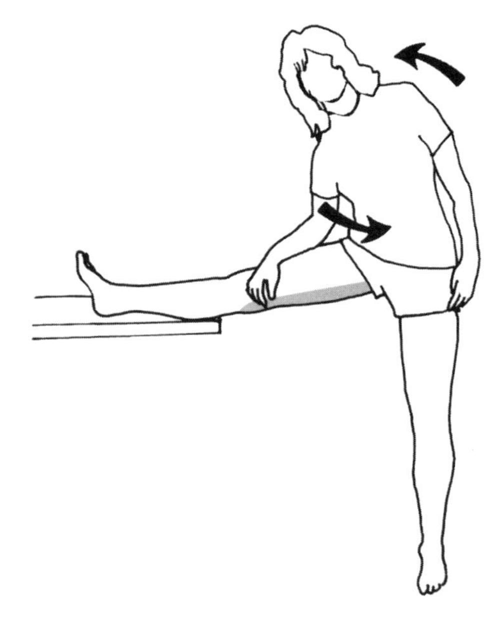

Pour étirer la face interne de la cuisse, tournez-vous sur le côté, le pied reposant sur le sol parallèle au support. Tendez bien votre jambe droite. Tournez lentement la hanche droite vers l'intérieur, sans accentuer la rotation du buste, et penchez-vous vers la droite de façon que votre épaule se rapproche de votre genou. Faites un premier étirement de 10 à 15 secondes. Pendant l'exercice, assurez-vous que votre jambe gauche reste légèrement fléchie.

Variante. Pour un étirement plus complet, joignez les bras au-dessus de la tête et tirez sur votre main gauche avec votre main droite. Gardez cette position pendant 10 à 15 secondes. Cet exercice, excellent pour l'assouplissement, soulage simultanément la cuisse gauche et le flanc droit, de la hanche au coude.

Soyez très prudent en faisant ces exercices, qui requièrent une certaine puissance, le sens de l'équilibre et une bonne dose de souplesse.

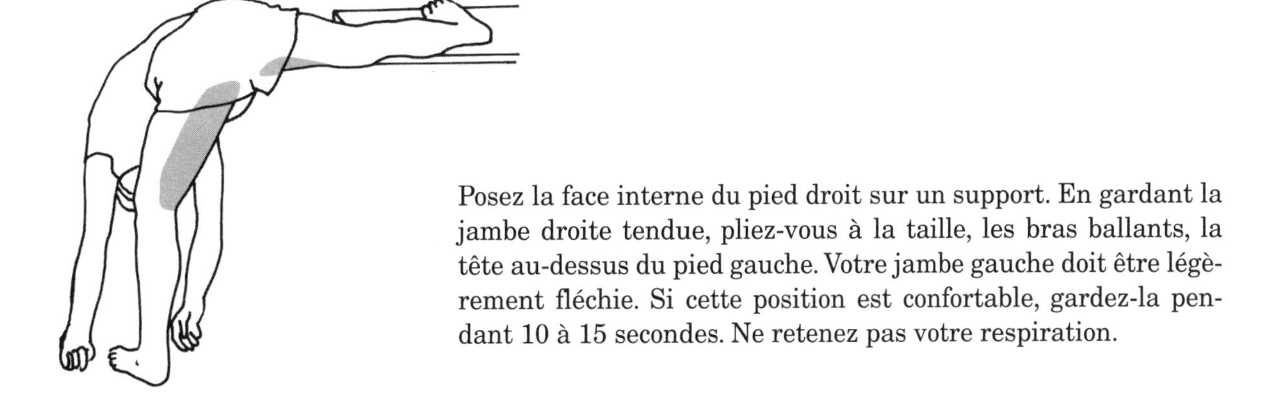

Posez la face interne du pied droit sur un support. En gardant la jambe droite tendue, pliez-vous à la taille, les bras ballants, la tête au-dessus du pied gauche. Votre jambe gauche doit être légèrement fléchie. Si cette position est confortable, gardez-la pendant 10 à 15 secondes. Ne retenez pas votre respiration.

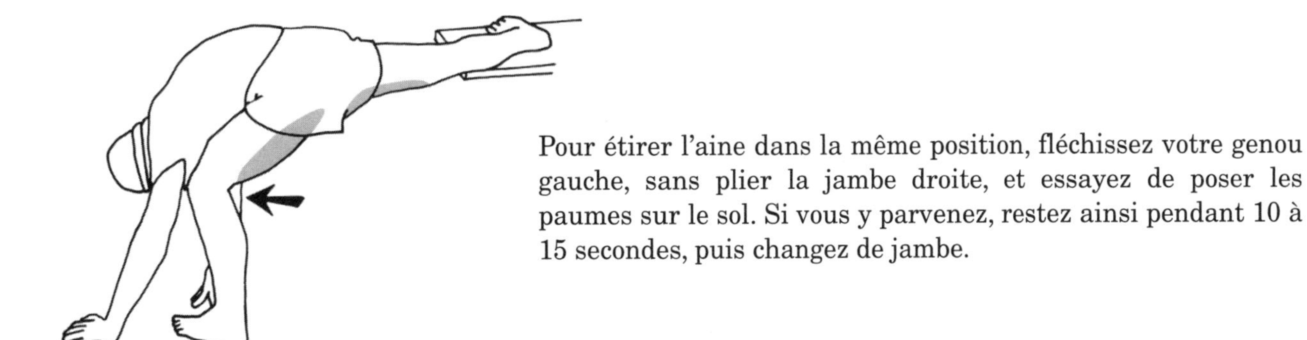

Pour étirer l'aine dans la même position, fléchissez votre genou gauche, sans plier la jambe droite, et essayez de poser les paumes sur le sol. Si vous y parvenez, restez ainsi pendant 10 à 15 secondes, puis changez de jambe.

RAPPEL DES ENCHAÎNEMENTS

Pour détendre vos jambes et vos hanches, faites les exercices dans cet ordre.

POUR ÉVITER LA RIGIDITÉ DUE AU VIEILLISSEMENT

Il est important d'entretenir la souplesse de notre corps, d'éviter les mauvaises positions, de faire travailler nos muscles et nos articulations. Une des conséquences du vieillissement est la perte ou la diminution de la mobilité. Régulièrement pratiqué, le stretching est le meilleur moyen de préserver cette mobilité.

Exercices en position debout pour le haut du corps

Ces exercices sont recommandés aux personnes qui désirent garder la taille fine. Vous pouvez les pratiquer quand vous voulez, où vous voulez. Pensez toujours à garder les genoux légèrement fléchis pour maintenir votre équilibre et protéger votre dos.

Écartez vos jambes à hauteur d'épaule, les pieds dirigés vers l'avant, les genoux légèrement fléchis. Placez votre main gauche sur la hanche et levez le bras droit, puis penchez-vous vers la gauche en vous pliant à la taille. Faites ce mouvement lentement. Lorsque vous ressentez une sensation agréable, gardez la position pendant 10 à 15 secondes, puis décontractez-vous. Accroissez progressivement la durée de l'étirement. Revenez à votre position de départ lentement, sans mouvement brusque. Respirez toujours régulièrement.

Au lieu de placer une main sur la hanche, joignez les mains au-dessus de votre tête. Pliez la taille pour vous pencher de côté, un bras tirant sur l'autre sans forcer, les pieds bien à plat sur le sol.

En tirant sur un bras, vous accentuez l'étirement des muscles du dos et du flanc, du haut de la cuisse au coude. Ne forcez pas. Conservez la position pendant 8 à 10 secondes.

Technique PNF. Placez-vous devant le chambranle d'une porte et posez vos mains sur les montants à hauteur des épaules. Effectuez une contraction en poussant votre buste vers l'avant et en retenant le mouvement avec vos bras. Recommencez trois à cinq fois avant de vous relaxer, puis laissez-vous aller vers l'avant jusqu'à sentir un étirement agréable des épaules et de la poitrine. Gardez la position 15 à 20 secondes.

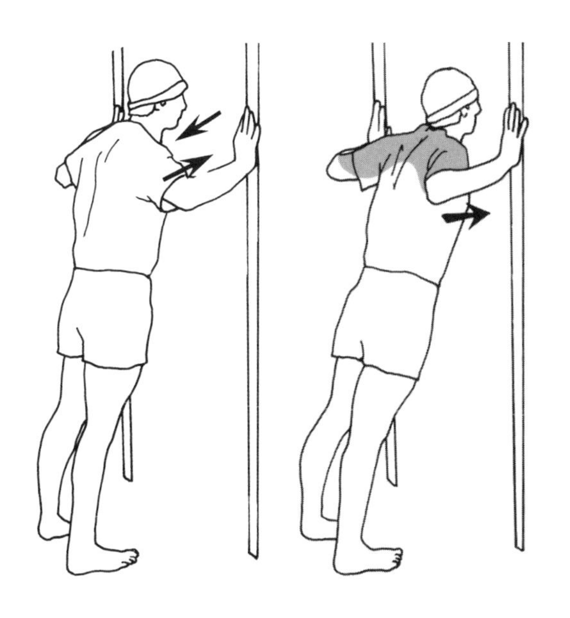

L'exercice suivant étire les muscles situés de part et d'autre de la colonne vertébrale.

Fig. 1

Fig. 2

Placez-vous à proximité (30 à 60 cm) d'une paroi à laquelle vous tournez le dos *(fig. 1)*, genoux à peine fléchis, pieds parallèles et légèrement écartés. Sans déplacer les jambes, tournez lentement le buste, de manière à pouvoir poser vos paumes sur la paroi *(fig. 2)*. Restez ainsi de 10 à 15 secondes, puis revenez à votre position de départ et tournez-vous de l'autre côté. Soyez très prudent si vous avez des problèmes de genoux. N'essayez pas de forcer si vous ne parvenez pas à poser vos mains comme indiqué sur le dessin ci-dessus. Augmentez progressivement la durée de l'exercice sans jamais retenir votre respiration.

Variante. Pour accentuer l'étirement, faites le même mouvement en essayant de regarder derrière votre épaule et en maintenant le bassin parallèle à la paroi. Gardez cette position pendant 10 secondes avant de changer de côté.

Tenez-vous debout, pieds légèrement écartés, genoux à peine fléchis. Mettez les mains sur les hanches et tournez le bassin vers la gauche tout en regardant au-dessus de votre épaule gauche. Maintenez l'étirement pendant 10 secondes et recommencez deux fois de chaque côté. Relaxez-vous et respirez régulièrement. C'est un excellent exercice pour les hanches et le buste.

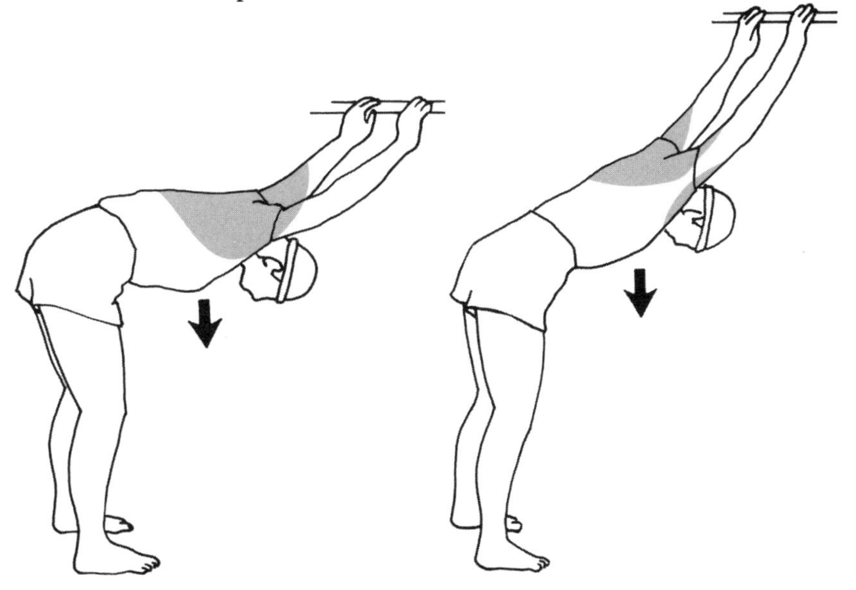

Accrochez vos mains à un support horizontal et laissez tomber le haut du corps. Vos pieds sont perpendiculaires au support, à écartement d'épaule, les genoux légèrement fléchis, les hanches à la verticale des pieds. Vous sentez un étirement dans les épaules et le haut du dos. Respirez toujours régulièrement. Cet exercice est très bon pour le buste et le dos.

Maintenant, fléchissez un peu plus les genoux, ou placez les mains sur un support plus élevé. L'étirement n'est pas le même. Avec un peu d'expérience, vous pouvez ainsi apprendre à choisir votre étirement selon vos besoins. Essayez de garder la position au moins 20 secondes. Ce mouvement est recommandé si vos activités ont tendance à créer une raideur dans les épaules et la région des omoplates. Il fait rapidement disparaître les tensions du haut du dos.

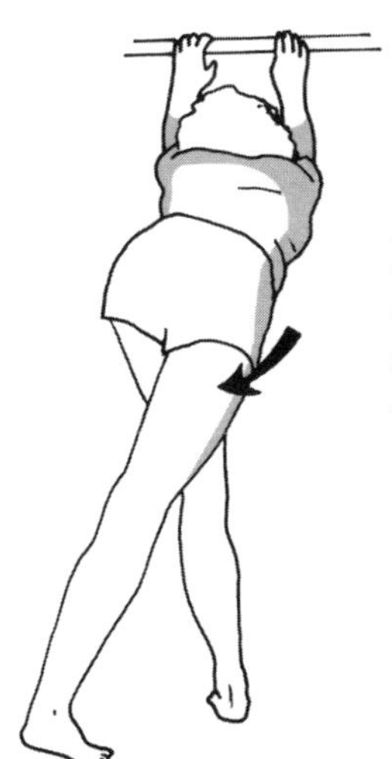

Pour étirer le côté du buste et la hanche, croisez les jambes comme indiqué ci-contre et laissez-vous pendre en vous penchant légèrement dans la direction opposée à la jambe que vous tendez derrière vous. Maintenez l'étirement pendant 10 secondes et changez de jambe.

Ces exercices pour les bras et les épaules sont efficaces avant et après une course. Ils détendent le haut du corps et accroissent la mobilité des bras. Ils sont également utiles lorsque vous avez à soulever des objets, ou comme exercices d'échauffement avant des activités sportives comme le tennis, le volley-ball, le handball.

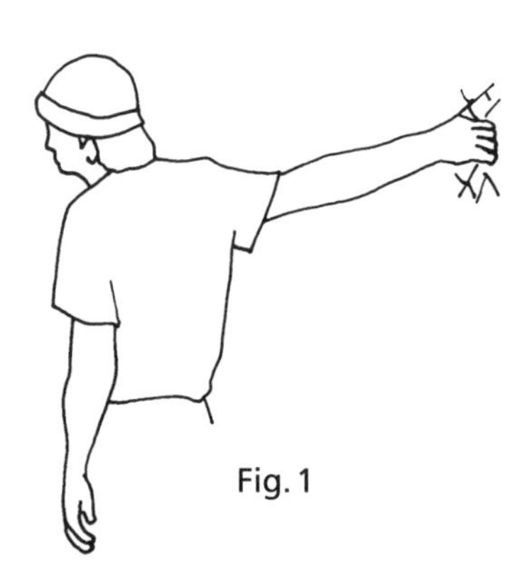
Fig. 1

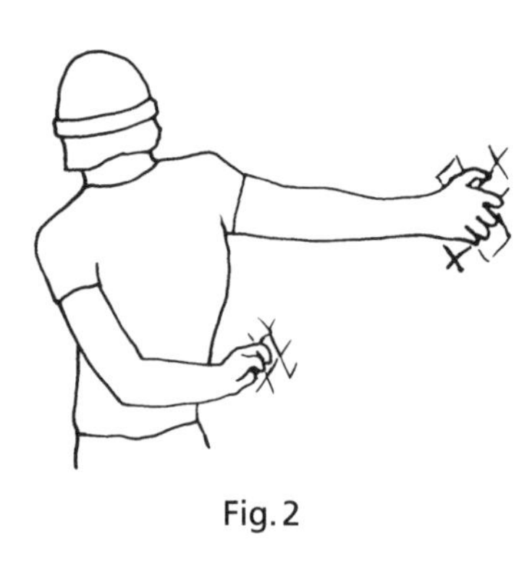
Fig. 2

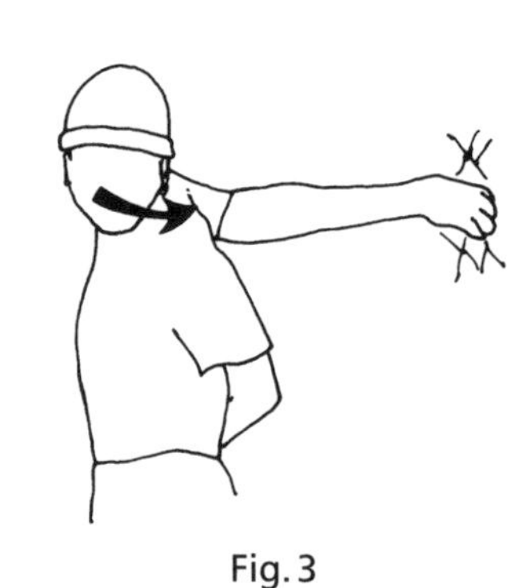
Fig. 3

L'exercice suivant concerne l'avant des épaules et les bras. Il nécessite un support auquel vous pouvez vous agripper, un grillage, par exemple. Placez-vous à côté du support et saisissez-le avec votre main droite à la hauteur de l'épaule, le bras tendu *(fig. 1)*. Passez ensuite le bras gauche derrière le dos et agrippez le support *(fig. 2)*. Tournez alors la tête vers la gauche en essayant de regarder votre main droite *(fig. 3)*. La taille étant maintenue par le bras gauche, le mouvement de votre tête étire les muscles de l'épaule.

vue de l'autre côté du grillage

Changez de côté. Tournez-vous lentement, sans essayer de forcer. L'important est de ressentir une agréable sensation d'étirement.

Variante. Vous pouvez également faire des étirements en agrippant le support avec une seule main que vous placerez à différentes hauteurs pour étirer successivement tous les muscles de l'épaule.

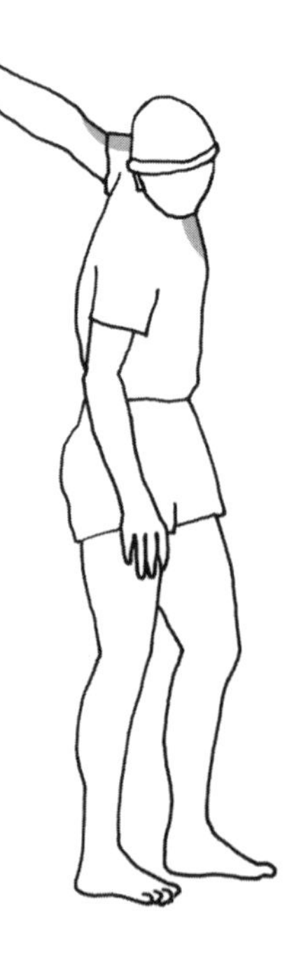

Pour cet exercice, vous avez encore besoin d'un support auquel vous puissiez vous agripper.

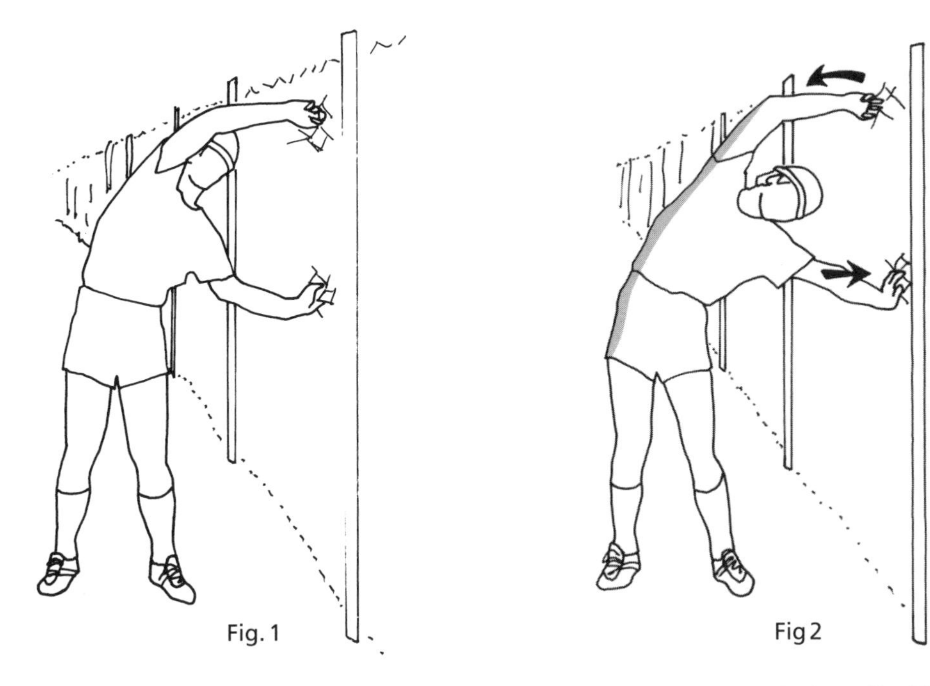

Saisissez le support avec votre main gauche, à peu près à la hauteur de la taille. Faites passer le bras droit par-dessus votre tête et saisissez le support avec la main droite. Votre bras droit est tendu, votre bras gauche légèrement fléchi *(fig. 1)* et vos genoux restent souples.

Pour étirer le flanc droit, exercez deux forces opposées, comme si vous vouliez repousser le support avec la main gauche et l'attirer à vous avec la main droite *(fig. 2)*. Maintenez votre effort pendant 10 secondes, détendez-vous et recommencez de l'autre côté

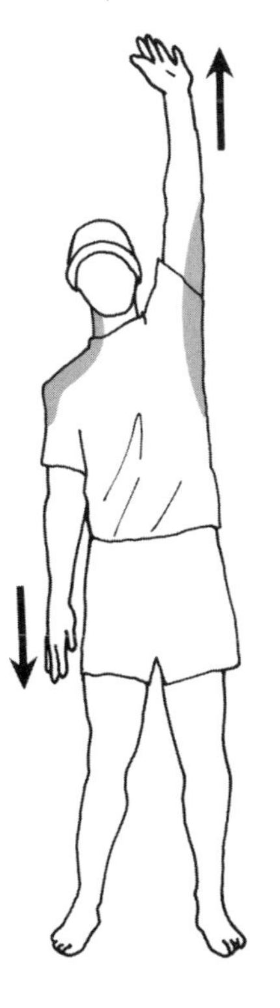

Effectuez chaque exercice posément avant de revenir lentement à votre position de départ. Ne soyez jamais brutal ou pressé. Ayez toujours des mouvements fluides et contrôlés.

Debout, jambes légèrement écartées, levez un bras aussi haut que possible en maintenant l'autre le long du corps. Gardez la position 10 secondes et changez de côté. Ne contractez pas vos mâchoires et respirez régulièrement. C'est un excellent exercice qui étire les côtés du buste, les épaules et les bras, tout en dissipant les tensions accumulées dans le buste.

RAPPEL DES ENCHAÎNEMENTS

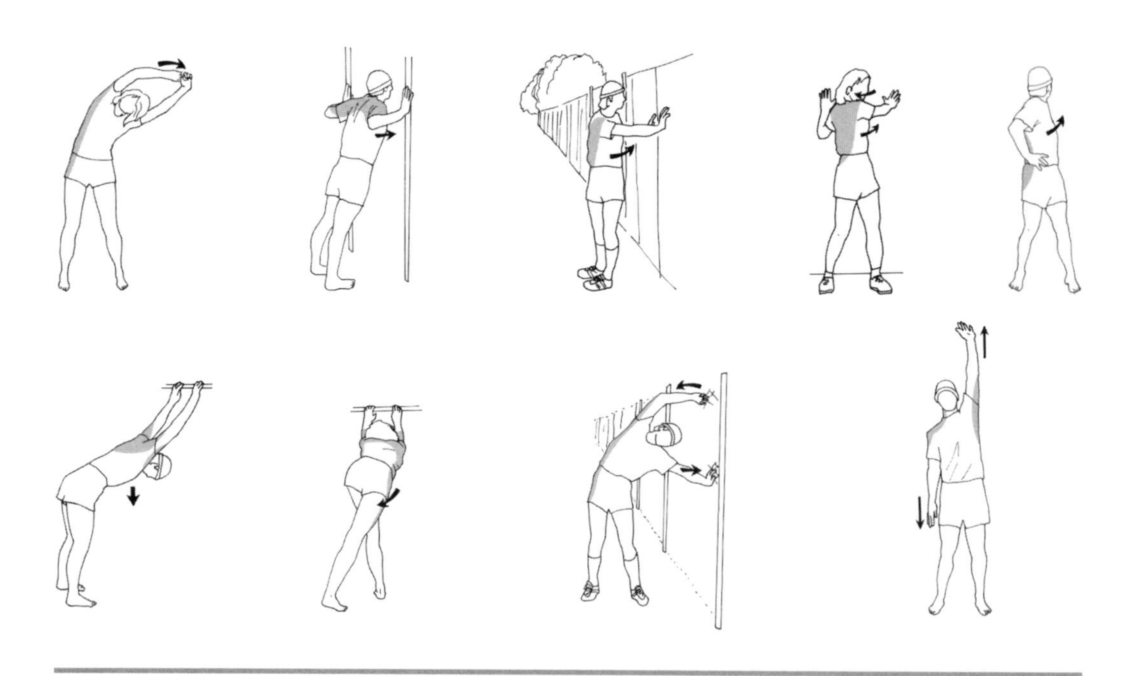

Pour détendre le haut de votre corps, faites les exercices dans cet ordre.

Exercice à la barre fixe

Sur une barre fixe, vous pouvez pratiquer des étirements intéressants en utilisant la pesanteur.

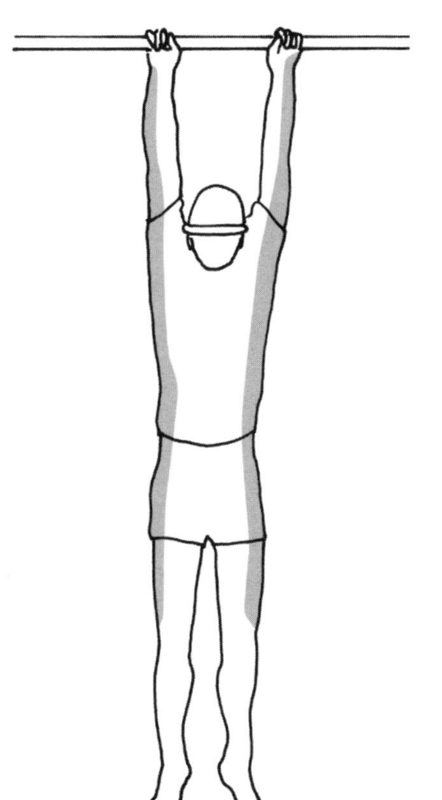

Prenez la barre à deux mains et laissez-vous pendre, le menton sur la poitrine, les pieds ne touchant pas le sol. Au début, restez ainsi pendant 5 secondes, puis augmentez progressivement la durée de l'exercice (au moins 30 secondes). Assurez solidement votre prise sur la barre. C'est un excellent exercice pour tout le haut du corps.

Évitez cet exercice si vous êtes ou avez été fragile des épaules, à la suite d'un accident ou d'une maladie.

Le stretching doit être agréable. Si vous vous imposez des efforts violents pour vous prouver que vous êtes capable de vous surpasser, vous vous privez de tout ce qu'il peut vous apporter. Si vous le pratiquez correctement, plus vous avancerez, plus il vous semblera facile et plus vous l'apprécierez.

Exercices pour le haut du corps avec une serviette

Nous avons tous une serviette entre les mains au moins une fois par jour. Bien utilisée, elle nous permet d'effectuer divers exercices d'étirement des bras, des épaules et de la poitrine.

Saisissez la serviette près de ses extrémités, les bras tendus, et faites passer les bras par-dessus la tête, puis derrière le dos. Pour effectuer ce mouvement, vos mains doivent être suffisamment écartées l'une de l'autre. Respirez lentement sans retenir votre souffle.

Accentuez l'étirement en rapprochant vos mains sur la serviette. Recommencez le mouvement lentement, sans chercher à forcer. Si vous ne parvenez pas à faire passer vos bras derrière le dos, c'est parce que vous avez trop rapproché vos mains. Écartez-les légèrement et essayez une nouvelle fois.

Vous pouvez arrêter le mouvement dans n'importe quelle position pour isoler et accentuer l'étirement de certains muscles. Par exemple, si vos muscles pectoraux sont particulièrement sensibles, il vous est possible de les soulager en demeurant les bras tendus derrière vous, la serviette à la hauteur des épaules, pendant 10 à 15 secondes, avant de terminer le mouvement.

> Le stretching n'est pas une compétition. Vous n'êtes pas tenu de vous comparer aux autres, puisque nous sommes tous différents. Nous sommes nous-mêmes différents d'un jour sur l'autre. Pratiquez-le en tenant compte de vos possibilités du moment. C'est le meilleur moyen de sentir le flux d'énergie que vous apporte ces exercices.

Voici un autre enchaînement possible, toujours avec une serviette.

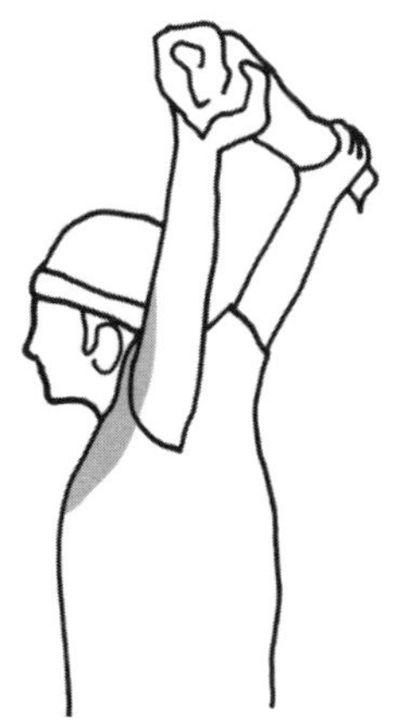

Après avoir trouvé le bon écartement des mains, tendez les bras au-dessus de la tête.

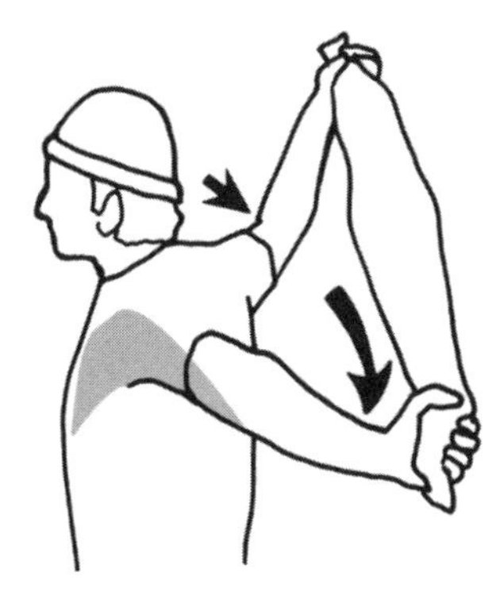

Puis baissez le bras gauche jusqu'à la hauteur de l'épaule. Votre bras droit se plie, approximativement à angle droit.

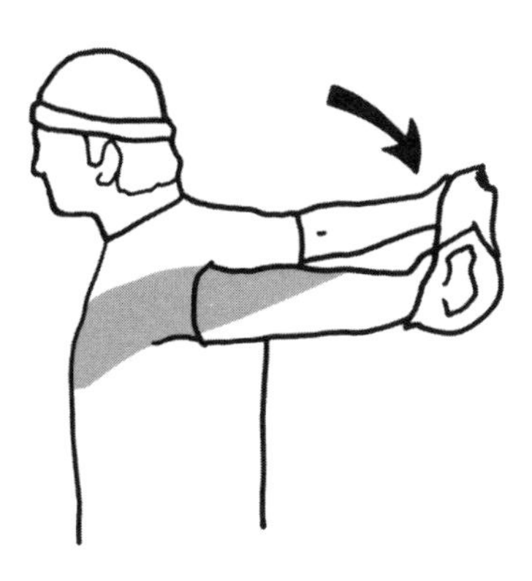

Abaissez maintenant le bras droit pour l'amener à hauteur du bras gauche.

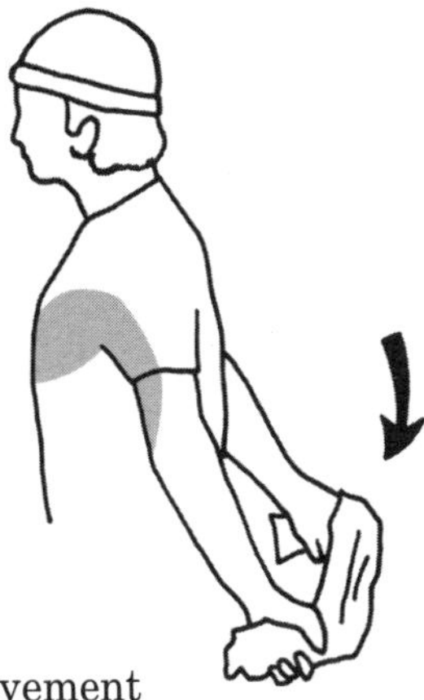

Terminez le mouvement en baissant simultanément les deux bras, comme dans l'exercice précédent.

Cet exercice doit être effectué lentement. Vous pouvez l'accomplir sans vous arrêter ou, au contraire, isoler un étirement particulier en gardant la même position pendant plusieurs secondes. Recommencez en changeant de côté. Avec de l'entraînement, vous deviendrez plus souple et pourrez rapprocher les mains, mais n'essayez pas d'aller trop vite.

La flexibilité des épaules et des bras est utile pour le tennis, la marche, la course, la natation, pour ne citer que quelques activités parmi d'autres. Étirer la poitrine réduit la tension musculaire et facilite la circulation du sang. Préserver la souplesse du buste et des membres antérieurs ne nécessite aucun effort exceptionnel si vous faites des exercices régulièrement.

Soyez très prudent si vous souffrez – ou avez souffert – des épaules. Allez-y doucement et arrêtez-vous si vous ressentez la moindre douleur.

Exercices pour les mains, les poignets et les avant-bras

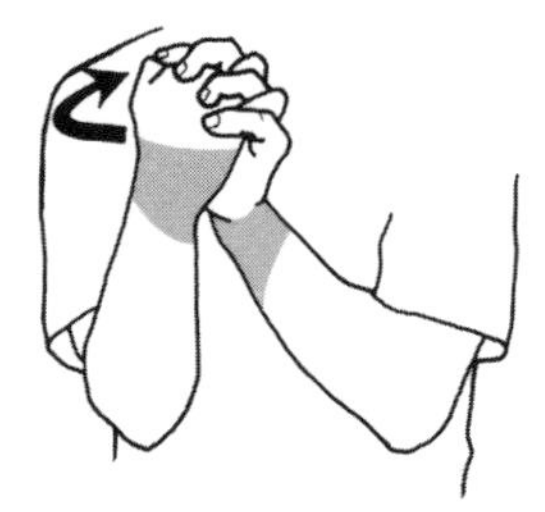

Croisez d'abord vos doigts devant vous et tournez vos mains et vos poignets dix fois de suite dans le même sens.

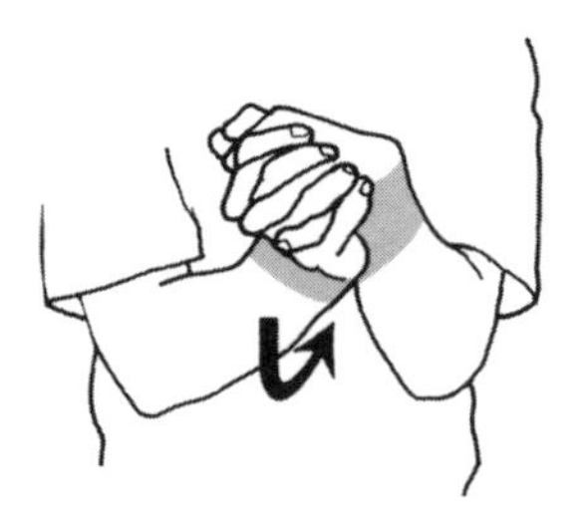

Recommencez dans l'autre sens dix fois de suite. Cet exercice constitue un échauffement et améliore la souplesse de vos mains et de vos poignets.

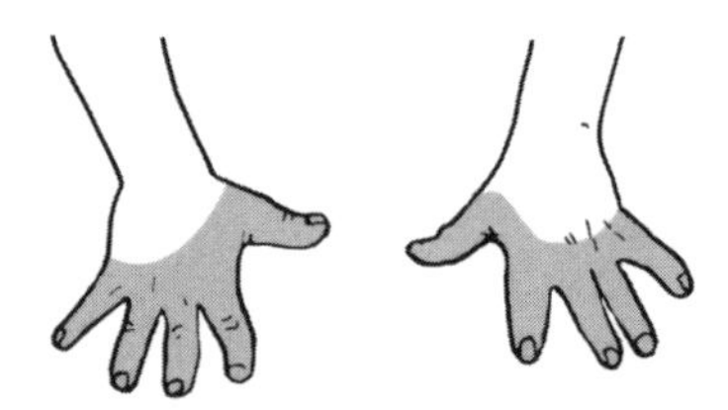

Ouvrez vos mains en écartant vos doigts et mettez-les en extension jusqu'à ressentir un étirement. Maintenez la position 10 secondes et détendez-vous.

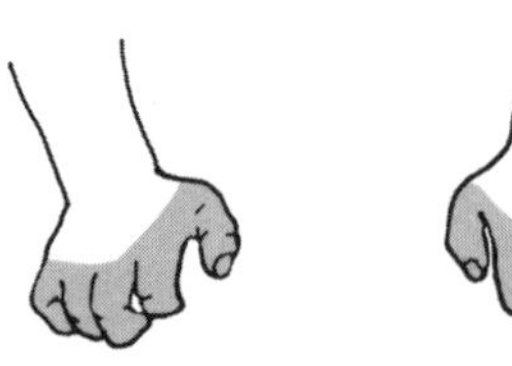

Contractez maintenant les articulations de vos doigts et maintenez l'étirement pendant 10 secondes, puis détendez-vous.

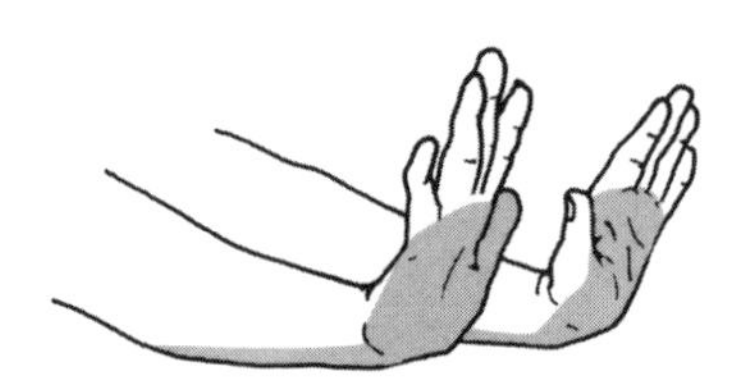

Tendez les bras vers l'avant, les paumes relevées et les doigts à la verticale. Cet exercice étire l'arrière de vos avant-bras. Gardez la position 10 à 12 secondes et détendez-vous. Recommencez une fois.

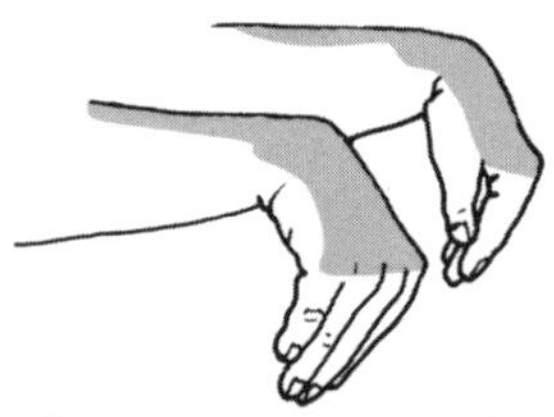

Toujours bras en avant, abaissez les paumes, doigts pointés vers le sol. Cet exercice étire le dessus de vos avant-bras. Gardez la position 10 à 12 secondes et détendez-vous. Recommencez une fois.

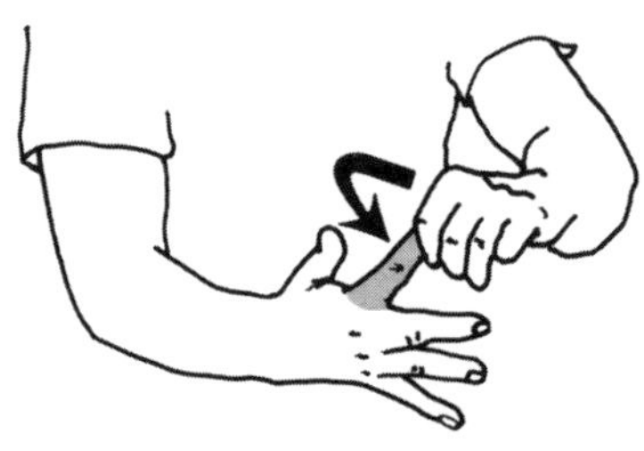

Avec le pouce et l'index d'une main, saisissez successivement chaque doigt de l'autre main, pouce compris, et faites-le tourner cinq fois dans un sens, puis cinq fois dans l'autre. Changez de main.

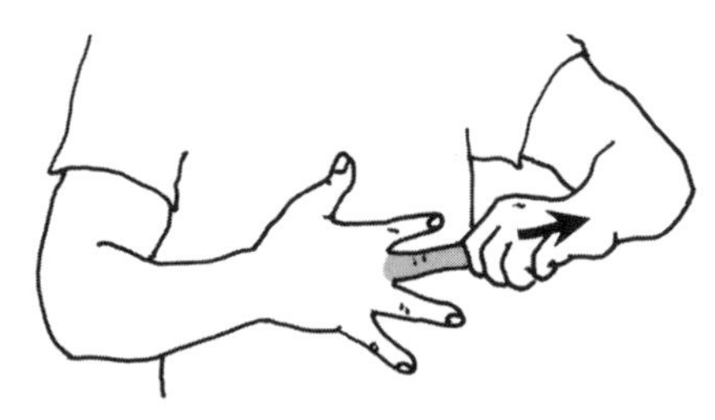

Avec le pouce et l'index d'une main saisissez successivement chaque doigt de l'autre main, pouce compris, et étirez-le pendant 2 à 3 secondes. Changez de main.

Laissez pendre vos bras le long du corps, en détendant complètement vos épaules et vos mâchoires, et agitez vos mains, toujours très souples, pendant 10 à 12 secondes.

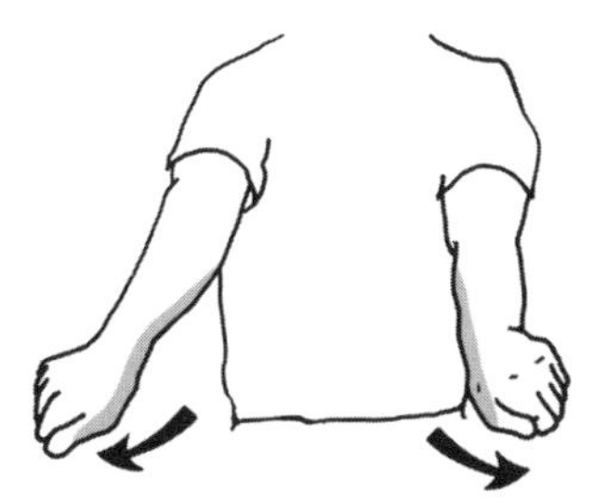

Tendez vos bras devant vous, poings fermés. Faites lentement tourner vos poignets vers l'extérieur jusqu'à sentir un étirement à l'intérieur de vos avant-bras et de vos poignets. Gardez la position pendant 5 à 10 secondes.

Placez vos mains paume contre paume devant vous, les doigts pointés vers le haut. Descendez les avant-bras sans bouger le niveau de vos épaules ni écarter les mains. Lorsque vous sentez l'étirement, maintenez-le 5 à 8 secondes.

Placez vos mains paume contre paume devant vous et, sans changer le niveau de vos épaules, faites tourner vos avant-bras de manière à ce que vos doigts pointent vers le sol. Maintenez l'étirement 5 à 8 secondes.

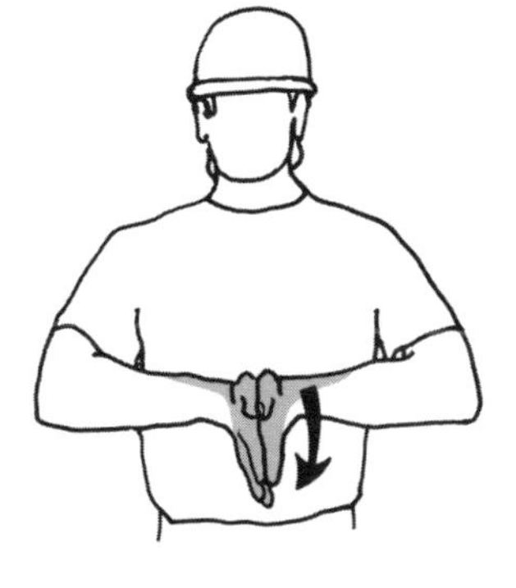

Placez vos mains paume contre paume devant vous, les doigts pointés vers le haut. Sans changer le niveau de vos épaules, rabattez de la main gauche les deux mains à l'horizontale. Lorsque vous sentez l'étirement dans la main et le poignet droits, maintenez-le 5 à 8 secondes puis changez de côté.

Ces exercices permettent de combattre les problèmes qui apparaissent lors de mouvements répétitifs, sur un ordinateur par exemple. Choisissez les exercices qui vous détendent le plus et faites-les régulièrement pendant votre travail.

Exercices en position assise

Les exercices suivants sont recommandés aux personnes qui travaillent dans des bureaux. Ils soulagent les tensions et les muscles ankylosés par la position assise.

Exercices pour le haut du corps. Entrecroisez vos doigts, puis tendez les bras devant vous, les paumes tournées vers l'extérieur. Sentez l'étirement dans les avant-bras, les bras et le haut de votre dos. Gardez la position pendant 20 secondes. Répétez l'exercice au moins deux fois.

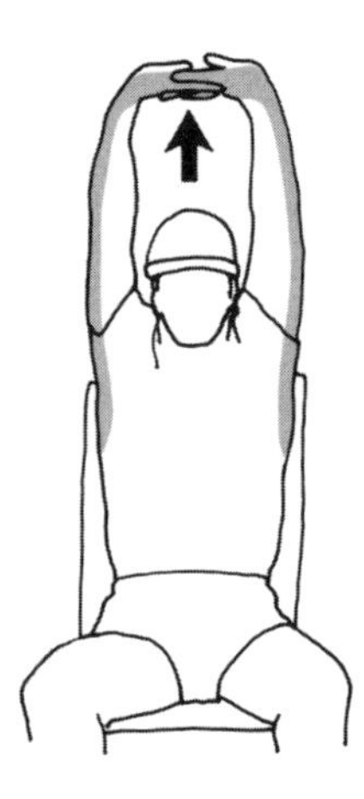

Les doigts toujours croisés, mettez les bras au-dessus de la tête, les paumes tournées vers le haut. Poussez vos mains vers le haut comme si vous vouliez allonger vos bras. Restez ainsi, sans forcer, pendant 10 secondes, puis détendez-vous. Recommencez trois fois.

Les bras au-dessus de la tête, prenez votre main gauche dans l'autre main et penchez-vous vers la droite en tirant sur le bras. Essayez de garder les deux bras tendus. Tirez pendant 10 secondes, puis revenez à la verticale et faites la même chose de l'autre côté.

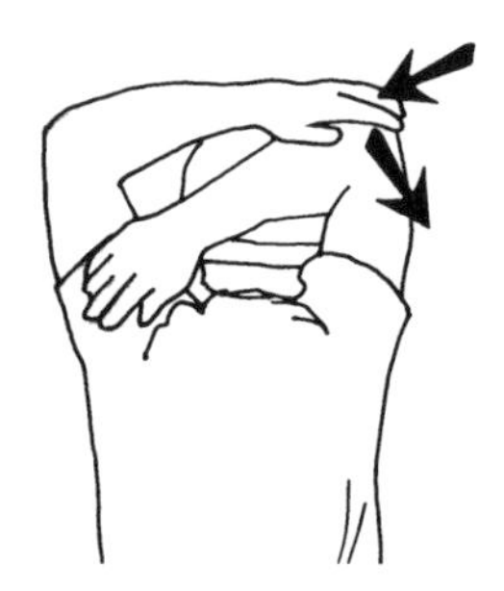

Technique PNF. Les bras levés et pliés, posez la main gauche sur le coude droit et tirez-le derrière la tête tout en contractant votre épaule pour vous opposer au mouvement. Maintenez la contraction 3 à 4 secondes puis détendez-vous.

Recommencez le mouvement sans contracter l'épaule, jusqu'à ce que vous sentiez un étirement agréable de l'épaule et de l'arrière du bras (triceps). Gardez la position sans forcer pendant 10 à 15 secondes. Recommencez l'exercice de l'autre côté.

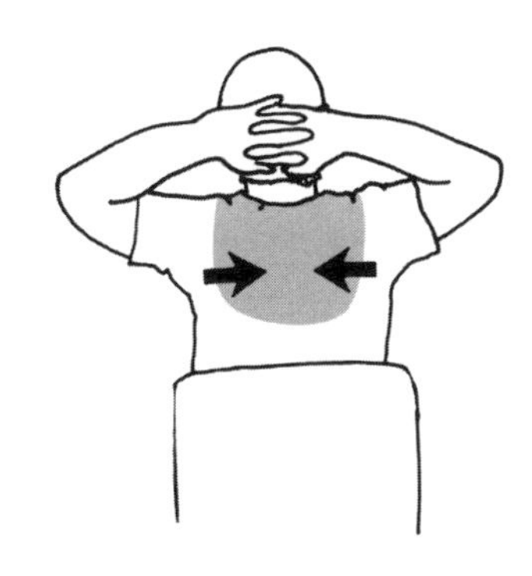

Les doigts croisés derrière la nuque, les bras pliés dans l'alignement du dos, rapprochez les omoplates pour créer une légère tension dans le haut du dos. Gardez la position jusqu'à ce que la tension disparaisse (4 à 5 secondes), puis détendez-vous. Recommencez plusieurs fois. Cet exercice est excellent si vous avez mal aux épaules ou dans la partie supérieure du dos. Vous pouvez aussi le faire en position debout.

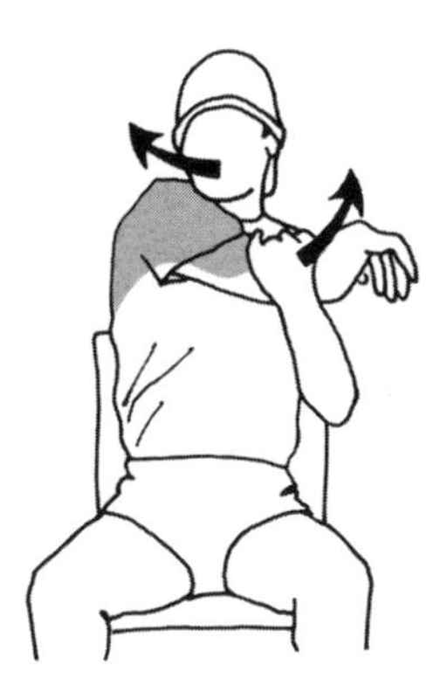

Posez la main gauche sur le bras droit, jusqu'au-dessus du coude, et ramenez-le vers l'épaule gauche en tournant la tête vers la droite. Poursuivez l'étirement pendant 10 secondes. Recommencez en changeant de bras.

Exercice pour les avant-bras. Posez la main droite sur votre siège, le pouce à l'extérieur, les doigts dirigés vers l'arrière, la paume bien à plat. Penchez-vous légèrement en arrière pour étirer l'avant-bras. Gardez la position 10 secondes et recommencez avec l'autre bras. Vous pouvez aussi faire les deux bras en même temps.

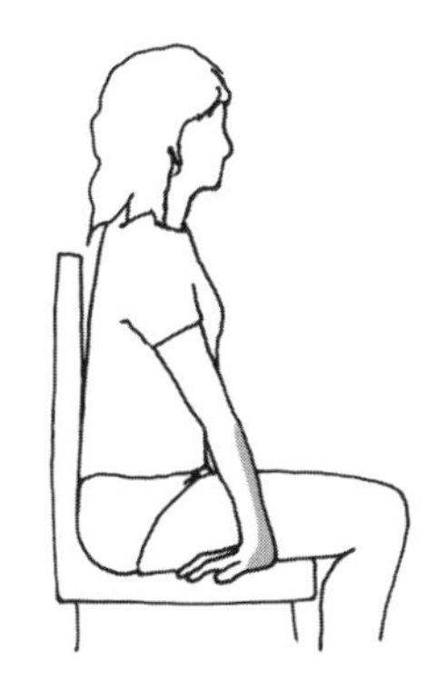

Exercices pour les chevilles, les hanches, le bas du dos. En position assise, pliez la jambe, ramenez-la vers vous et faites pivoter votre pied dans un sens, puis dans l'autre, vingt ou trente fois. Recommencez avec l'autre jambe.

Pliez la jambe gauche et croisez les mains juste en dessous du genou. Pressez-le sans forcer contre votre poitrine. Pour déplacer l'étirement sur la face arrière de la cuisse, poussez le genou en direction de votre épaule droite. Après 15 secondes, changez de jambe.

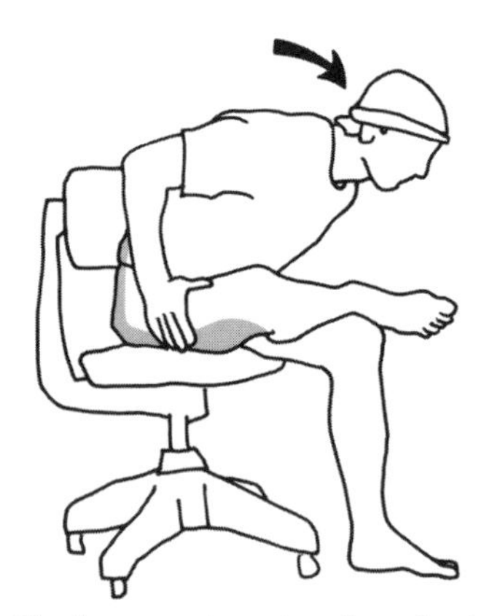

Croisez votre jambe droite et placez votre mollet sur le genou gauche, la cheville juste à l'extérieur du genou. Avancez lentement votre buste en vous pliant à partir des hanches jusqu'à sentir un étirement à l'extérieur de la fesse et de la cuisse droite. Gardez la position 10 à 15 secondes en respirant régulièrement. Détendez-vous et recommencez avec l'autre jambe.

Penchez-vous vers l'avant pour soulager le bas du dos. Même si vous ne ressentez aucun étirement, cet exercice est bon pour votre circulation. Restez ainsi pendant 15 à 20 secondes. Redressez-vous lentement, les mains posées sur les cuisses, en vous servant de vos bras.

Exercices pour le visage et le cou

Remontez vos épaules au niveau de vos oreilles jusqu'à sentir un léger étirement dans le cou et les épaules. Restez ainsi 5 secondes et redescendez les épaules. Faites cet exercice dès que vous ressentez une tension dans les épaules. C'est excellent.

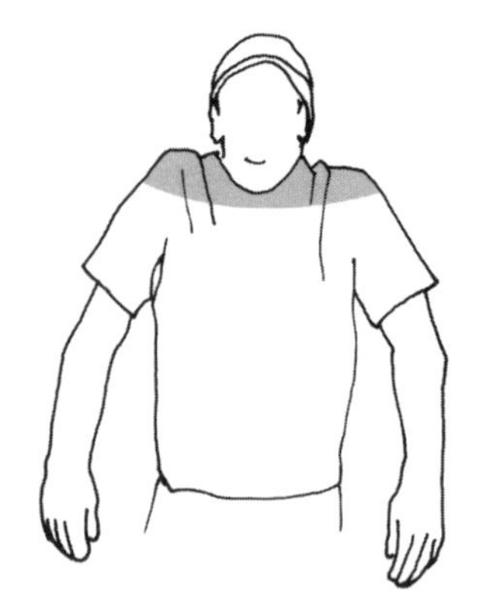

Tournez votre menton vers la gauche sans bouger les épaules et sans retenir votre respiration. Vous devez sentir un étirement dans la partie droite du cou et le maintenir 5 à 10 secondes. Tournez le menton vers la droite et recommencez deux fois de chaque côté.

Si cet exercice fait sourire votre entourage, il vous permettra néanmoins de détendre votre visage, le plus souvent crispé par une attention trop soutenue, qui vous contraint à froncer les sourcils et fatigue les muscles faciaux.

Relevez les sourcils et ouvrez grands vos yeux, comme si vous étiez frappé d'étonnement, puis ouvrez la bouche en tirant sur les mâchoires et sortez la langue. Restez ainsi de 5 à 10 secondes. La dissipation de la tension des muscles du visage, en particulier autour du nez et du menton, vous amènera tout naturellement à sourire.

> Si vous entendez des bruits secs en ouvrant la bouche, consultez votre dentiste.

RAPPEL DES ENCHAÎNEMENTS

Faites les exercices dans cet ordre lorsque vous êtes en position assise.

Exercices d'élévation des pieds pour l'aine et les jambes

Les exercices les plus efficaces pour l'aine et les muscles de la face interne des cuisses sont ceux que vous pouvez faire couché sur le dos, en utilisant un mur pour élever vos pieds. Ils ne présentent aucune difficulté si vous commencez toujours par un étirement simple, en l'accentuant ensuite pour obtenir un étirement complet.

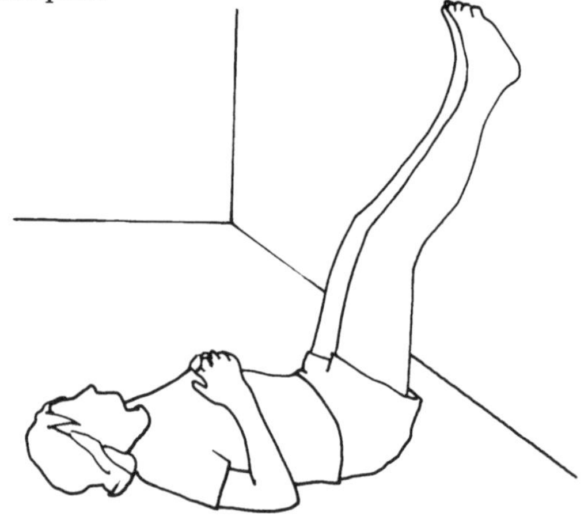

Mettez-vous d'abord en position de relaxation : couché sur le dos, les fesses à une dizaine de centimètres du mur, les jambes jointes et tendues, les talons appuyés au mur. Veillez à garder le dos bien plat.

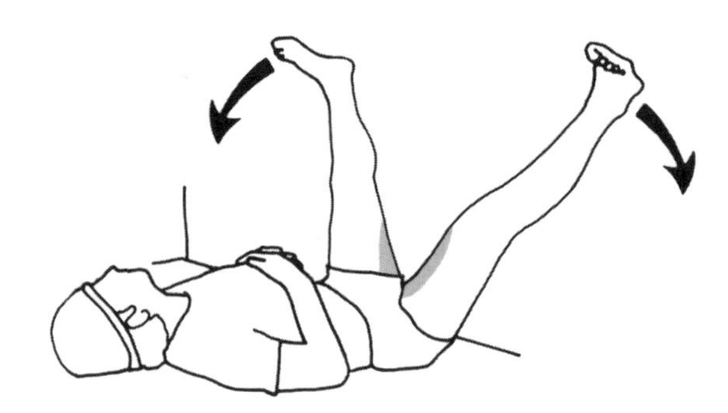

Dans cette position, étirez l'aine en écartant lentement les jambes, les talons toujours contre le mur, jusqu'à ce que vous ressentiez une légère tension au niveau de l'aine. Restez ainsi pendant 30 secondes en respirant régulièrement, puis détendez-vous.

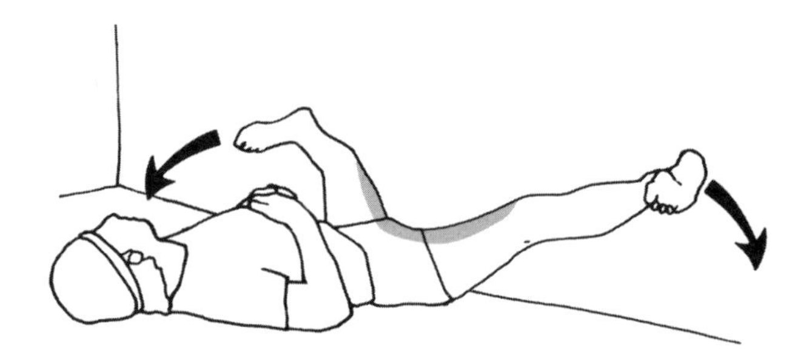

Avec de la pratique, ce mouvement vous deviendra plus facile, et vous pourrez écarter plus largement les jambes. Le dessin ci-dessus représente un étirement complet. N'essayez pas de l'imiter à tout prix, étirez-vous selon vos possibilités. Le mur vous permet de garder cette position pendant tout le temps que vous désirez, en vous relaxant totalement, sans gaspiller d'énergie pour vous maintenir en équilibre.

Souvenez-vous que vos fesses doivent être à une dizaine de centimètres du mur. Si vous vous placez trop près, vous créerez une tension inutile dans le bas du dos.

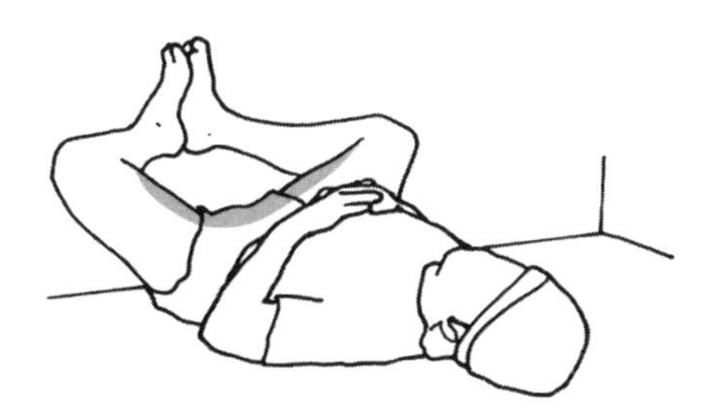

Variante. Joignez les plantes des pieds, sans les écarter du mur. Détendez-vous.

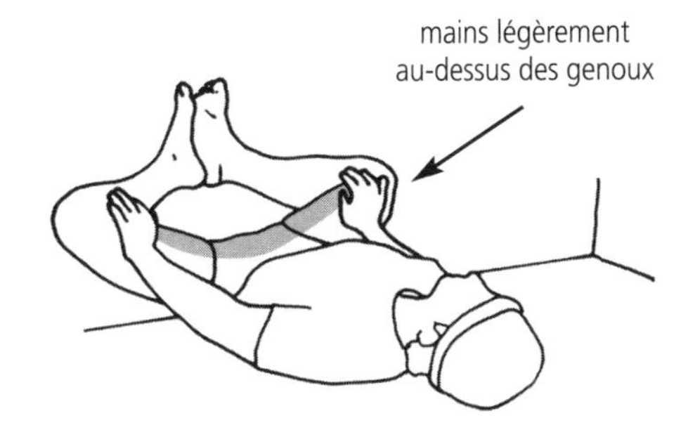

Pour accentuer l'étirement, posez vos mains sur les cuisses, au-dessus du genou, et appuyez légèrement, sans forcer, en détendant tout votre corps. Restez ainsi 10 à 15 secondes.

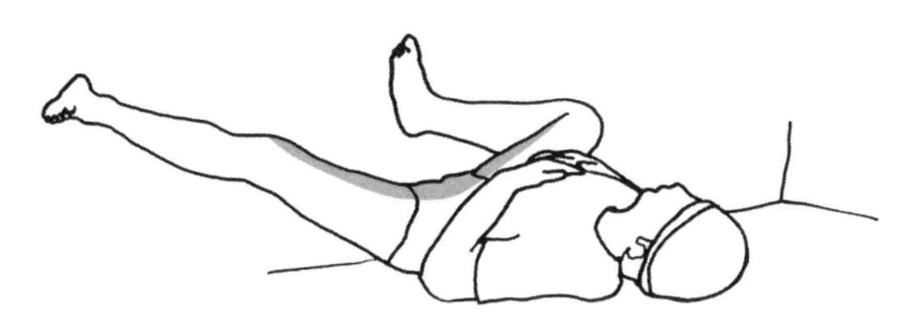

Pour vous étirer d'un côté, tendez une jambe en gardant l'autre fléchie. Étirez chaque jambe pendant 10 à 15 secondes.

Reprenez la position de relaxation. Croisez les mains derrière la tête, à hauteur des oreilles, et ramenez doucement la tête vers la poitrine. Restez ainsi pendant 5 secondes. Répétez deux ou trois fois l'exercice. Pour les autres étirements du cou, reportez-vous à la page 27.

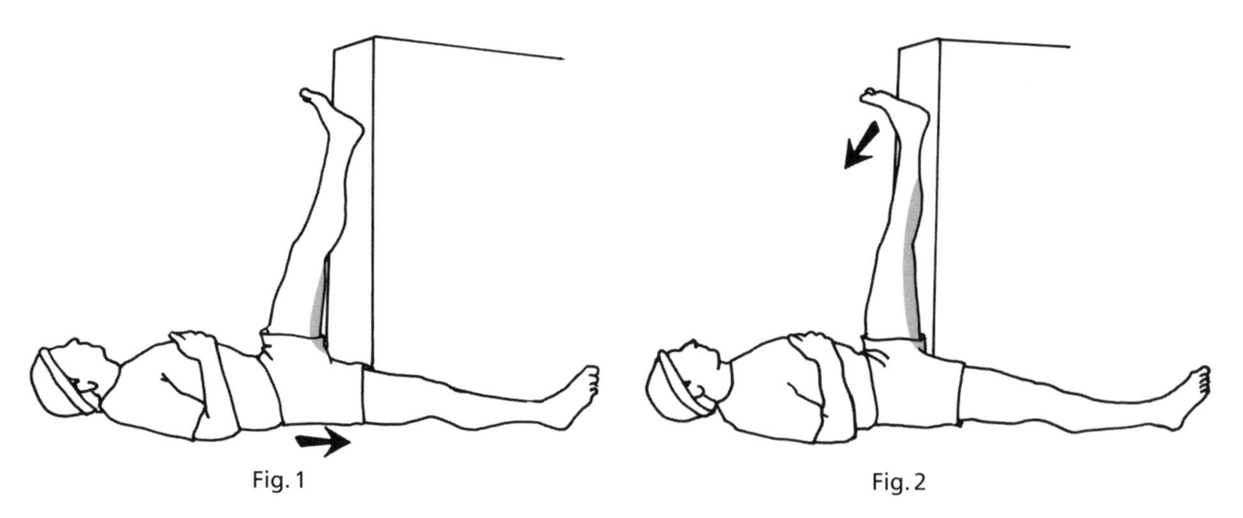
Fig. 1 Fig. 2

Voici un excellent exercice pour étirer les muscles tendineux situés à l'arrière des cuisses. Allongez-vous sur le dos dans l'ouverture d'une porte ou le long d'un meuble, de manière à pouvoir maintenir une jambe levée contre le chambranle tandis que l'autre reste sur le sol. Avancez-vous jusqu'à sentir l'étirement des muscles tendineux de la jambe verticale *(fig. 1)* et restez ainsi 10 à 15 secondes. Profitez de cette position pour étirer aussi le mollet en ramenant vos orteils vers votre poitrine *(fig. 2)*. Ne retenez pas votre respiration et gardez la position 10 à 15 secondes avant de changer de côté.

RAPPEL DES ENCHAÎNEMENTS

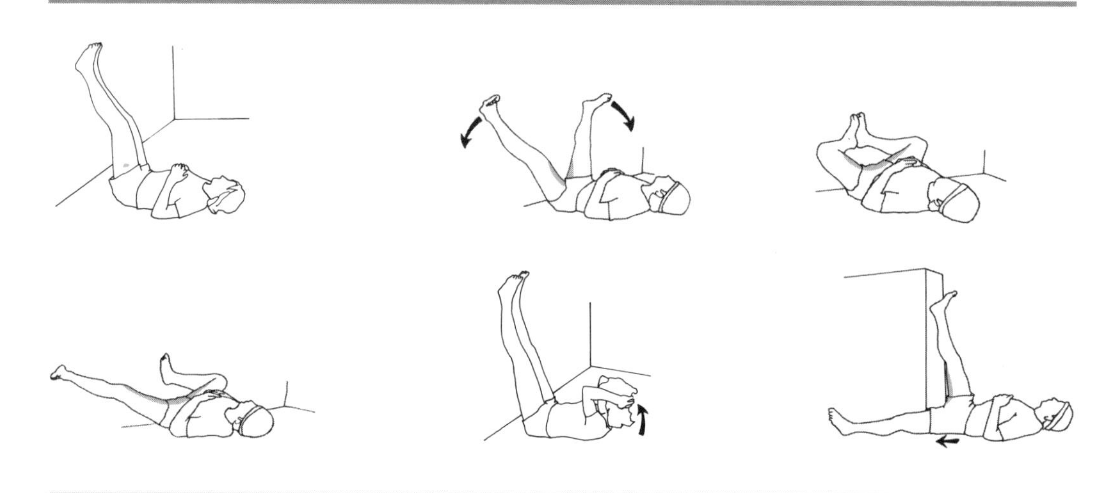

Faites ces exercices dans cet ordre pour détendre le bas de votre corps.

> Si vous travaillez d'une manière continue, accordez-vous 1 à 3 minutes toutes les trois ou quatre heures pour faire quelques exercices. Ils vous aideront à vous maintenir en forme pendant toute la journée.

Exercices jambes écartées pour l'aine et les hanches

Les exercices suivants peuvent faciliter vos mouvements latéraux, accroître ou entretenir votre souplesse et vous éviter des accidents si vous avez à fournir des efforts importants faisant intervenir les muscles du milieu du corps.

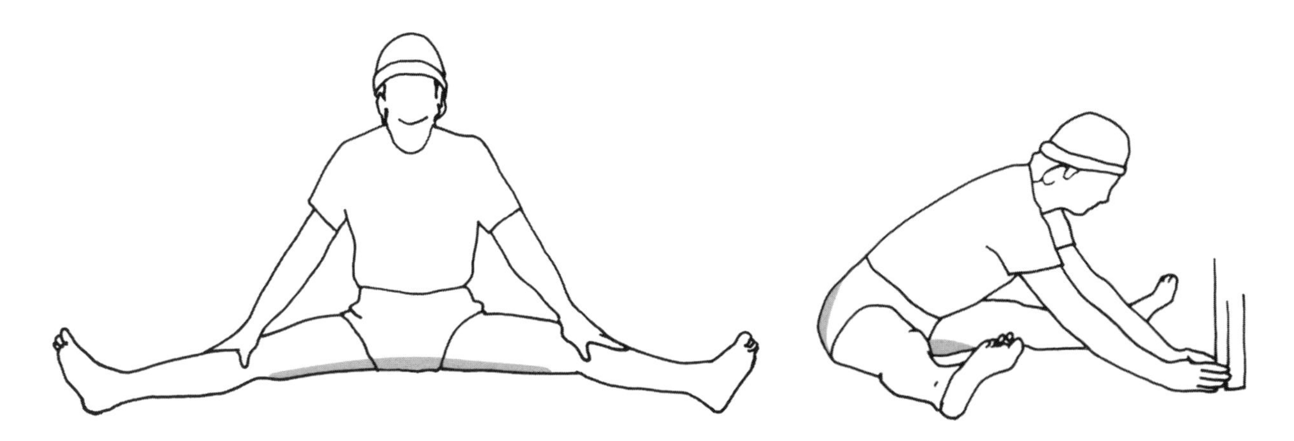

Asseyez-vous, jambes écartées, dans une position confortable. Penchez-vous lentement vers l'avant, en vous pliant à la hauteur des hanches. Ne couchez pas vos pieds, ne tendez pas les quadriceps. Étirez-vous ainsi pendant 10 à 20 secondes, en laissant reposer vos mains en avant pour assurer votre équilibre, ou en saisissant un objet stable placé devant vous pour mieux contrôler votre mouvement. Respirez profondément.

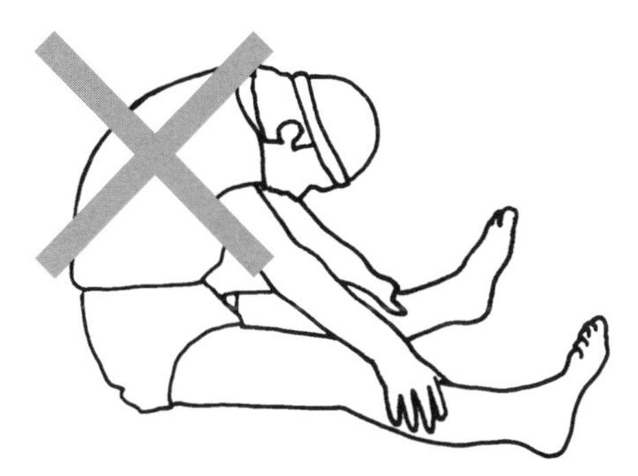

Gardez la tête et les épaules droites, afin d'éviter que vos hanches basculent vers l'arrière et créent une tension dans le bas du dos. Si vous faites le dos rond en vous penchant vers l'avant, cela signifie que tous les muscles du milieu du corps sont exagérément tendus. Pour garder le dos droit, faites partir le mouvement des hanches, dont vous apprendrez à sentir et à contrôler la position.

> Ne cherchez pas une plus grande souplesse. Cherchez un plus grand bien-être.

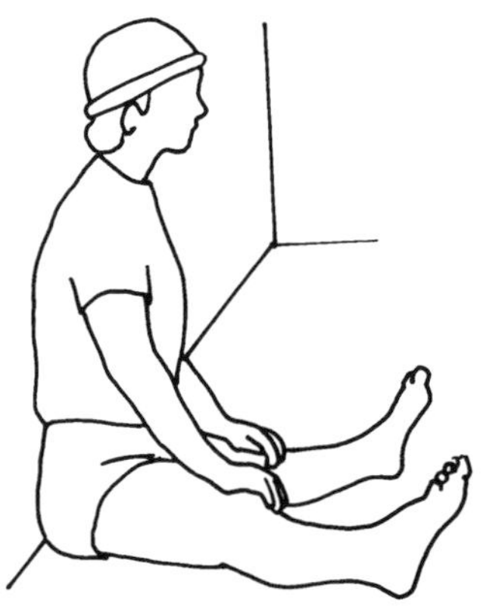

Un bon moyen pour apprendre à placer correctement le dos et les hanches est de vous appuyer contre un mur, les jambes tendues, la partie inférieure du dos collée contre la paroi. Restez dans cette position 30 secondes.

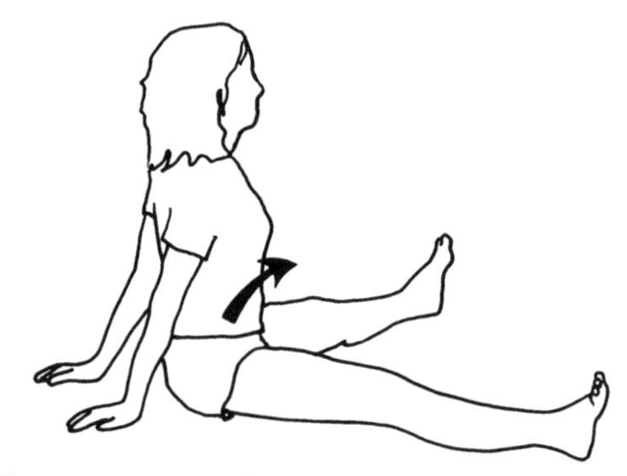

Vous pouvez également poser les mains derrière vous pour vous soutenir et maintenir votre dos droit pendant que vous avancez légèrement les hanches. Restez dans cette position 20 secondes.

Ne vous penchez pas vers l'avant si vous ne vous sentez pas à l'aise dans les positions ci-dessus. Développez d'abord la flexibilité des hanches.

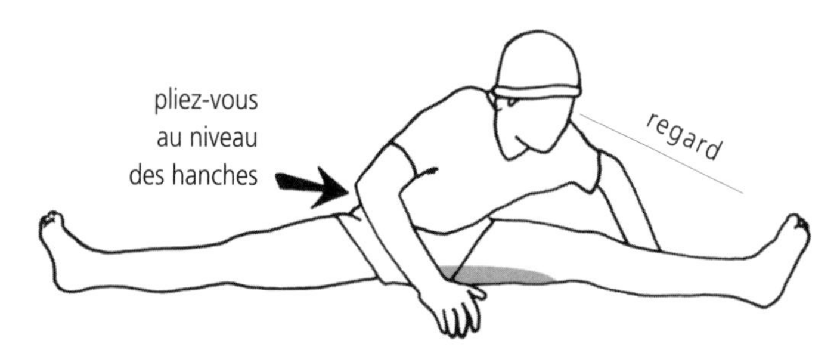

Variante. Pour étirer l'arrière de la cuisse gauche et la hanche droite, penchez-vous en direction de votre pied gauche. Faites partir le mouvement des hanches. Rentrez le menton, gardez le dos droit, le regard braqué sur vos orteils. Restez ainsi pendant 15 à 20 secondes. Si vous avez des difficultés, utilisez une serviette. Soyez toujours détendu et respirez profondément.

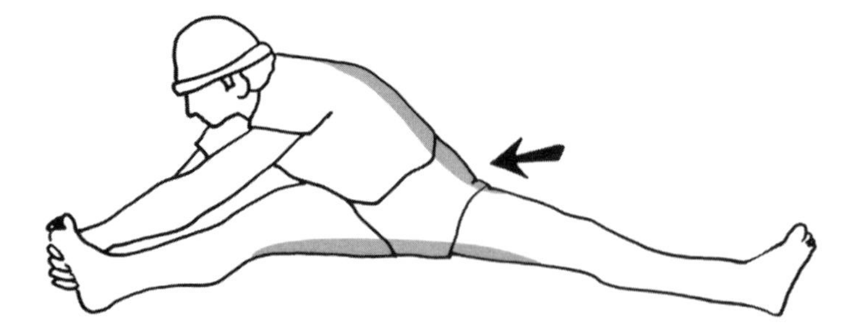

Autre variante. Penchez-vous en direction du pied droit et saisissez-le en plaçant vos deux mains à l'extérieur. Cet exercice accentue l'étirement de l'aine et du dos, des omoplates à la taille. Gardez la position 10 à 15 secondes. Ne forcez pas si vous n'y arrivez pas. Vous y parviendrez au moment voulu, sans effort inutile.

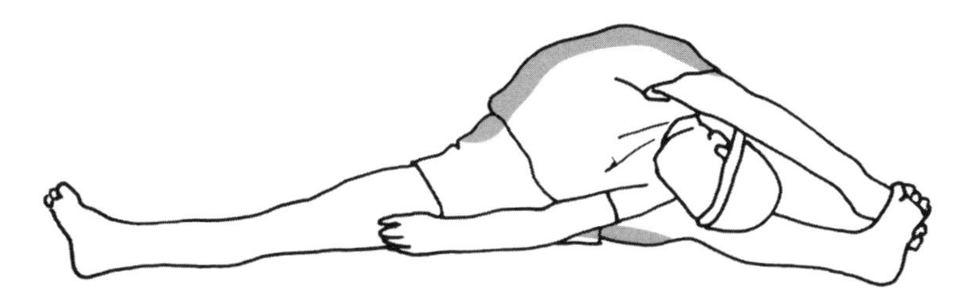

Exercice avancé. Penchez-vous sur le côté, passez le bras droit par-dessus la tête et saisissez votre pied gauche. Laissez le bras gauche reposer sur le sol, dans une position naturelle. Étirez-vous pendant 15 à 20 secondes. Ne forcez pas si vous ne parvenez pas à toucher votre pied dès les premières fois.

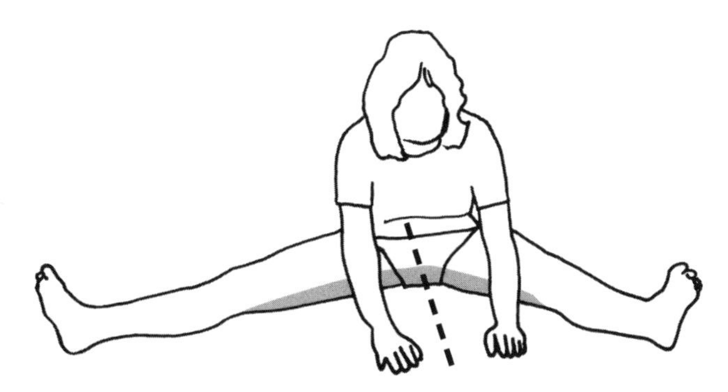

Apprenez à choisir l'angle de vos étirements. Après vous être penché vers l'avant, vers la gauche, vers la droite, penchez-vous dans des positions intermédiaires, en fonction des raideurs et des tensions que vous ressentez. Effectuez chaque étirement pendant 10 à 15 secondes, en vous relaxant.

Si vous avez du mal à faire ces exercices, ne vous découragez pas. Pratiquez-les régulièrement, sans vous laisser démoraliser par votre manque de souplesse. Si vous suivez votre rythme, votre raideur s'atténuera et vous ferez de rapides progrès.

Autre exercice avancé. Joignez les plantes des pieds, penchez-vous vers l'avant et saisissez un objet placé devant vous (le bord de votre natte ou le pied d'un meuble). Utilisez ce point de traction pour trouver une position confortable et accentuer ensuite votre étirement. Ne forcez pas. Gardez la position, tout en vous détendant, pendant 10 à 20 secondes. Tenir le bord de la natte ou du tapis de sol vous assurera une meilleure stabilité et un plus grand équilibre pendant l'étirement.

Asseyez-vous sur le coin d'un tapis, en plaçant les jambes et les pieds à angle droit, le long du bord. Posez vos mains sur le sol pour vous soutenir et assurer votre équilibre. Vous devez sentir un léger étirement de l'aine. Gardez la position pendant 15 à 20 secondes.

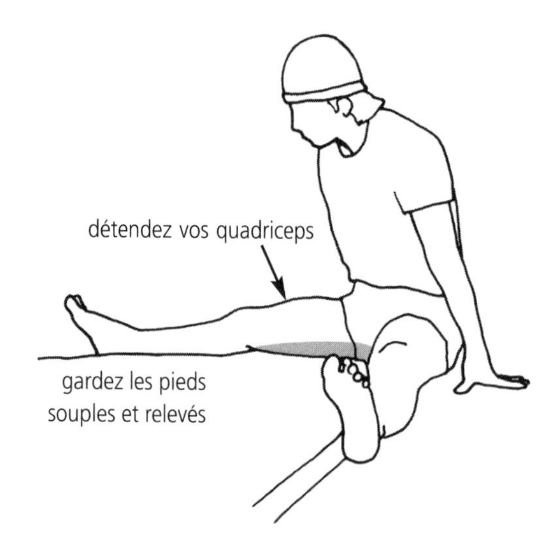

Pour accentuer l'étirement, penchez-vous vers l'avant en prenant appui sur vos bras puis avancez les fesses et les hanches. Faites ce mouvement en essayant de ne pas déplacer ni coucher vos pieds, mais uniquement en écartant plus largement les jambes au moment où vous vous propulsez vers l'avant.

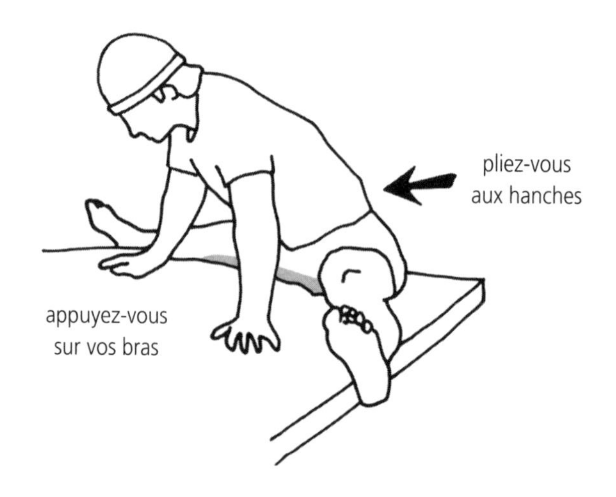

Dans cette position, tournez-vous légèrement de côté et penchez-vous en direction de votre pied gauche, en pliant bien les hanches. Posez les deux mains sur votre jambe, à la hauteur qui vous permet de sentir le mieux l'étirement de la cuisse droite et du dos. Projetez le menton vers l'avant sans arrondir les épaules. Gardez la position pendant 10 à 20 secondes, en vous relaxant, puis redressez-vous et faites la même chose de l'autre côté. Évitez tout mouvement brusque. Commencez toujours par étirer la jambe qui vous paraît en avoir le plus besoin. Si nécessaire, utilisez une serviette. C'est un excellent exercice pour le bas du dos, les hanches et les muscles tendineux de l'arrière des cuisses. N'oubliez pas de respirer régulièrement.

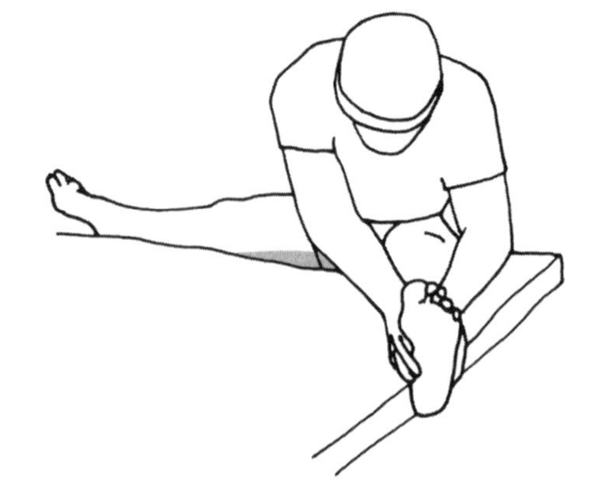

Apprendre le grand écart

Les exercices suivants ne sont pas conseillés à tous. Ils peuvent intéresser les gymnastes, les danseurs ou certains sportifs. Si vous n'entrez dans aucune de ces catégories, contentez-vous des autres exercices présentés dans l'ouvrage. Cet avertissement peut vous paraître décourageant mais, à moins de pratiquer une discipline particulière, il ne vous est pas indispensable de savoir faire le grand écart !

Avant de pratiquer ces exercices, faites un échauffement approprié. Effectuez des exercices faciles et 5 à 6 minutes d'aérobic.

Le grand écart vers l'avant

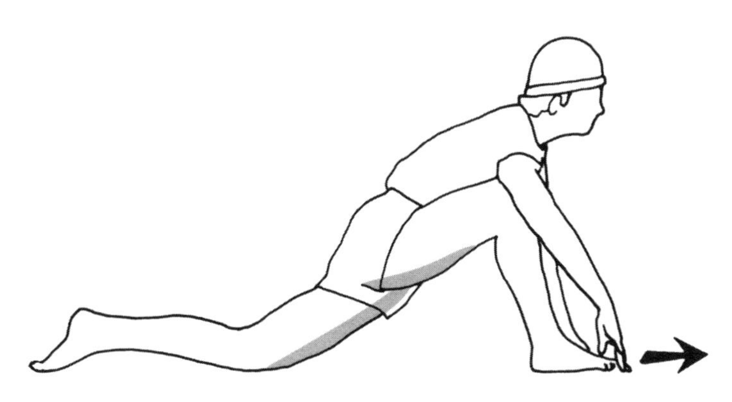

En partant de la position décrite page 51 déplacez lentement votre pied droit vers l'avant. Concentrez votre attention sur le mouvement des hanches, qui doivent se rapprocher du sol. Restez ainsi pendant 10 à 20 secondes.

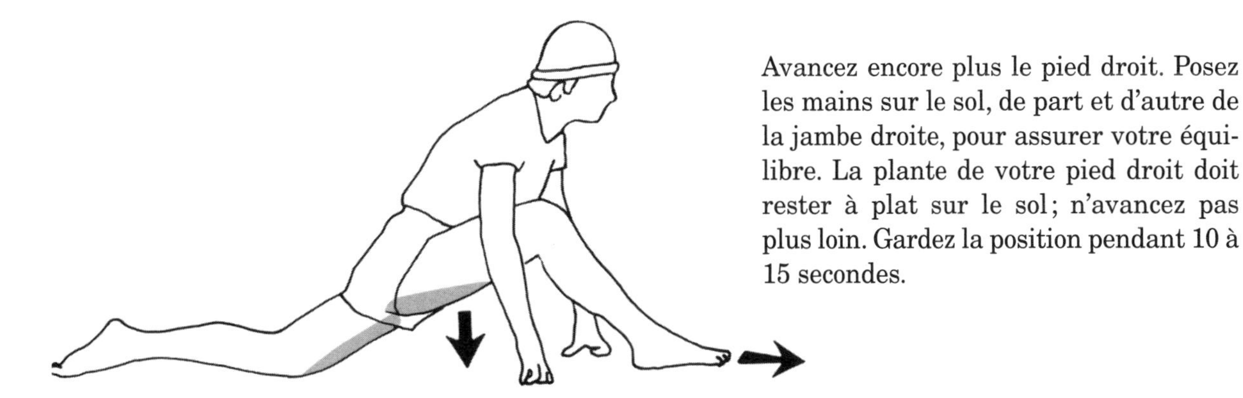

Avancez encore plus le pied droit. Posez les mains sur le sol, de part et d'autre de la jambe droite, pour assurer votre équilibre. La plante de votre pied droit doit rester à plat sur le sol ; n'avancez pas plus loin. Gardez la position pendant 10 à 15 secondes.

Les exercices des pages 94 à 100 constituent une excellente préparation au grand écart.

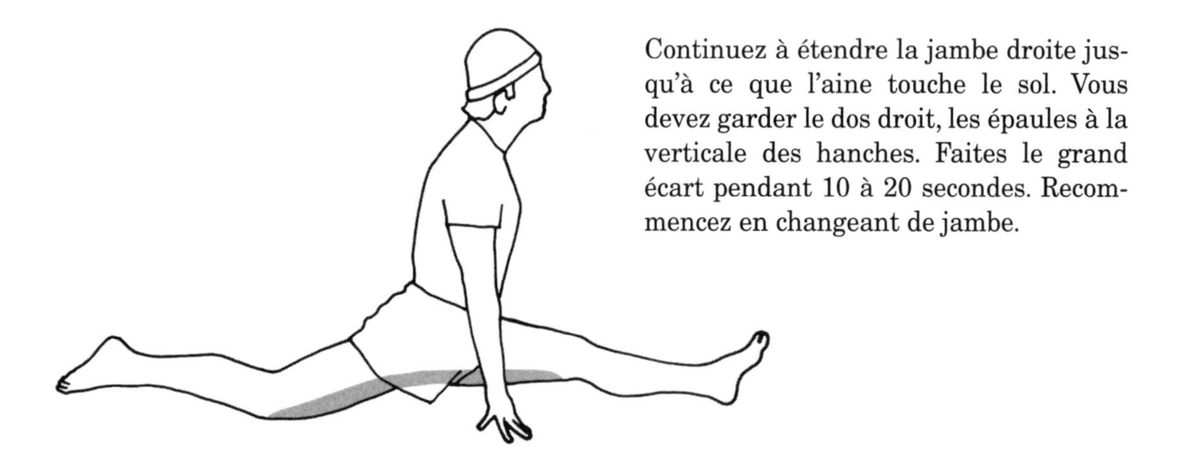

Continuez à étendre la jambe droite jusqu'à ce que l'aine touche le sol. Vous devez garder le dos droit, les épaules à la verticale des hanches. Faites le grand écart pendant 10 à 20 secondes. Recommencez en changeant de jambe.

Apprendre à faire le grand écart demande du temps, de la patience, une très grande régularité. Soyez extrêmement prudent. Procédez par étapes, en prenant votre temps. Si vous allez trop vite, vous risquez de vous blesser.

Le grand écart facial

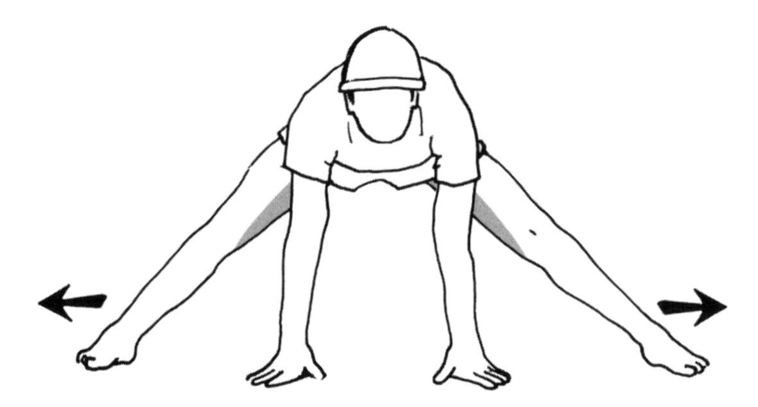

Partez de la position debout et écartez lentement les jambes jusqu'à ce que vous sentiez bien l'étirement des cuisses. Appuyez-vous sur les mains. Concentrez votre attention sur vos hanches, qui doivent descendre pratiquement à la verticale. Maintenez cet étirement simple pendant au moins 15 secondes.

Quand la tension a diminué, continuez à écarter les pieds pour obtenir un étirement complet. Pour ne pas imposer un trop grand effort aux genoux, dont les ligaments extérieurs pourraient être blessés, laissez vos pieds se redresser et reposer sur les talons. Gardez la position pendant 10 à 20 secondes. Avec de l'expérience, vous pourrez descendre de plus en plus bas et finir par faire reposer votre aine sur le sol. Mais soyez extrêmement patient. Ne perdez jamais le contrôle de votre mouvement. Moins vous irez vite, plus vous aurez de chances de réussir.

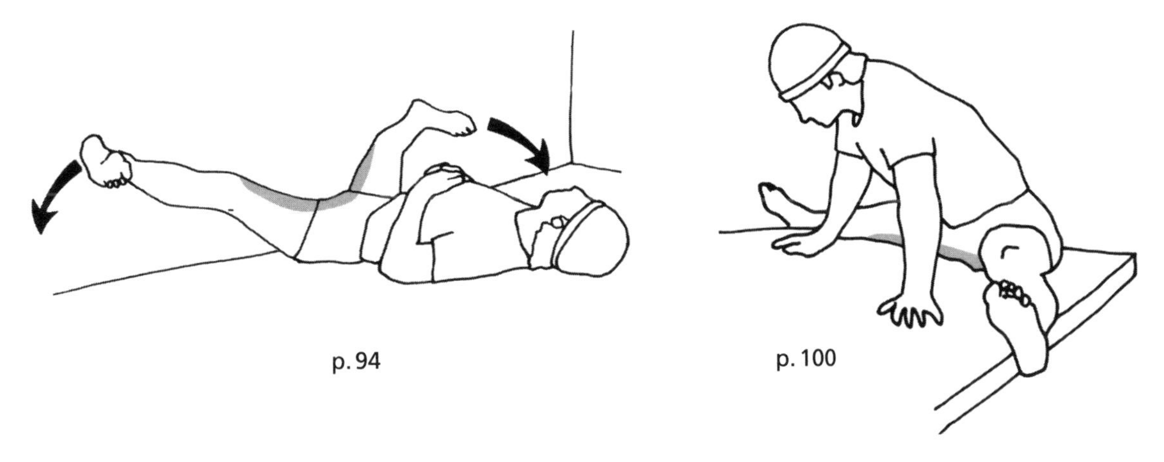

Les exercices ci-dessus, préconisés pages 94 et 100, préparent bien à faire le grand écart.

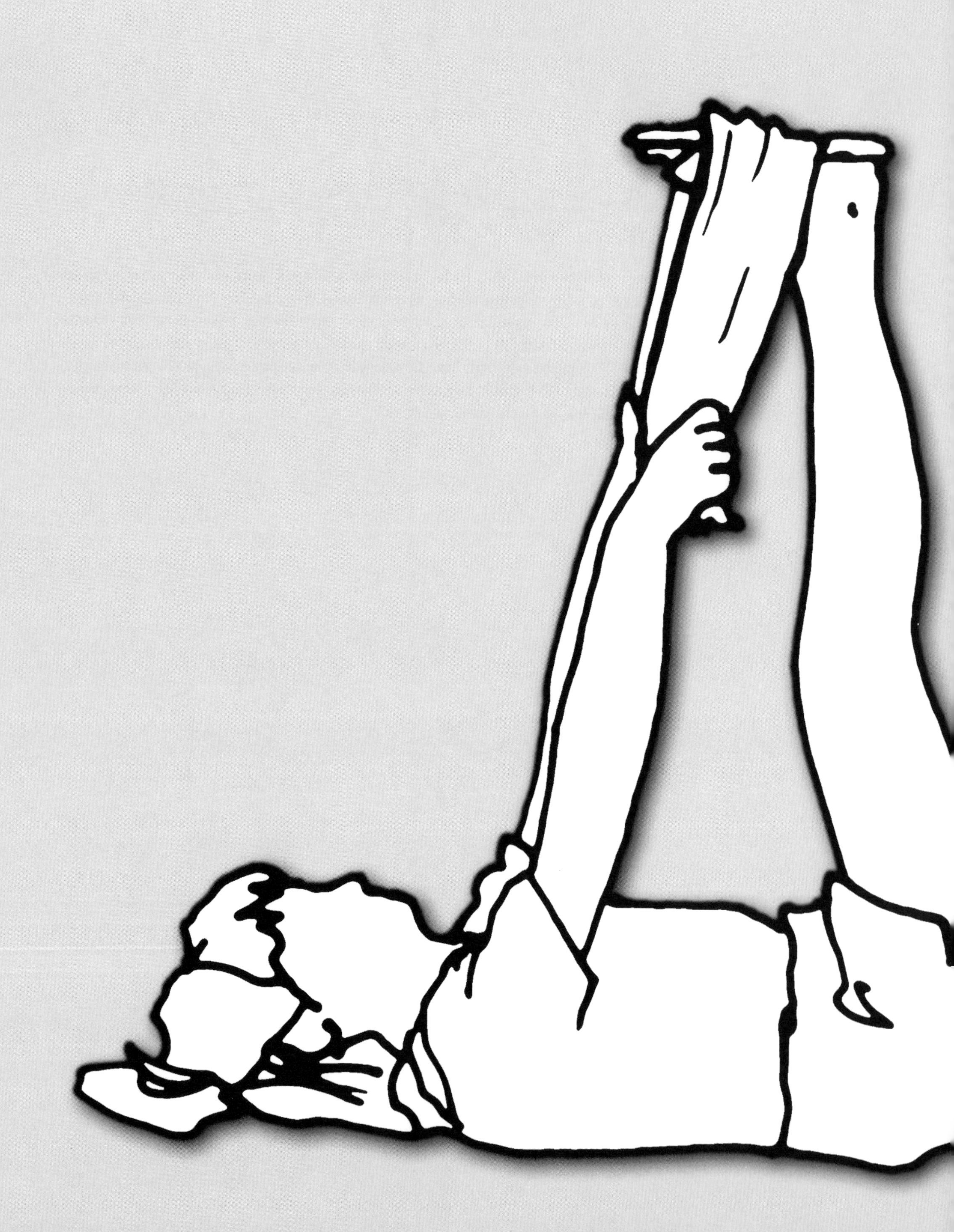

LE STRETCHING AU QUOTIDIEN

Pour être bénéfique, la pratique du stretching doit être régulière. Vous trouverez dans cette partie différents exercices regroupés selon votre âge, le moment de la journée et les parties du corps que vous souhaitez étirer.

À votre lever 106
Avant de vous coucher 107
Exercices quotidiens 108
Mains, bras et épaules 110
Cou, épaules et bras 111
Jambes, aines et hanches 112
Bas du dos 113
Au bureau ou devant un ordinateur 114
À la carte 115
Avant un effort physique 116
Après une longue position assise 118
Au jardin 119
Pour les plus de soixante ans 120
Pour les enfants 122
Devant la télévision 124
Avant et après la marche 125
En voyage 126
En avion 127

À votre lever

4 minutes environ

Dès le lever, quelques étirements libéreront votre corps de l'engourdissement d'une nuit de sommeil. Faites votre stretching sans hâte, bien à votre aise. Il soulagera les muscles trop raides ou contractés.

Avant de vous coucher

3 minutes environ

C'est un moment privilégié pour faire quelques étirements quotidiens. Ils sont destinés à vous détendre et à vous aider à mieux dormir. Prenez votre temps pour sentir les parties de votre corps qui restent tendues. Étirez-vous lentement en respirant profondément.

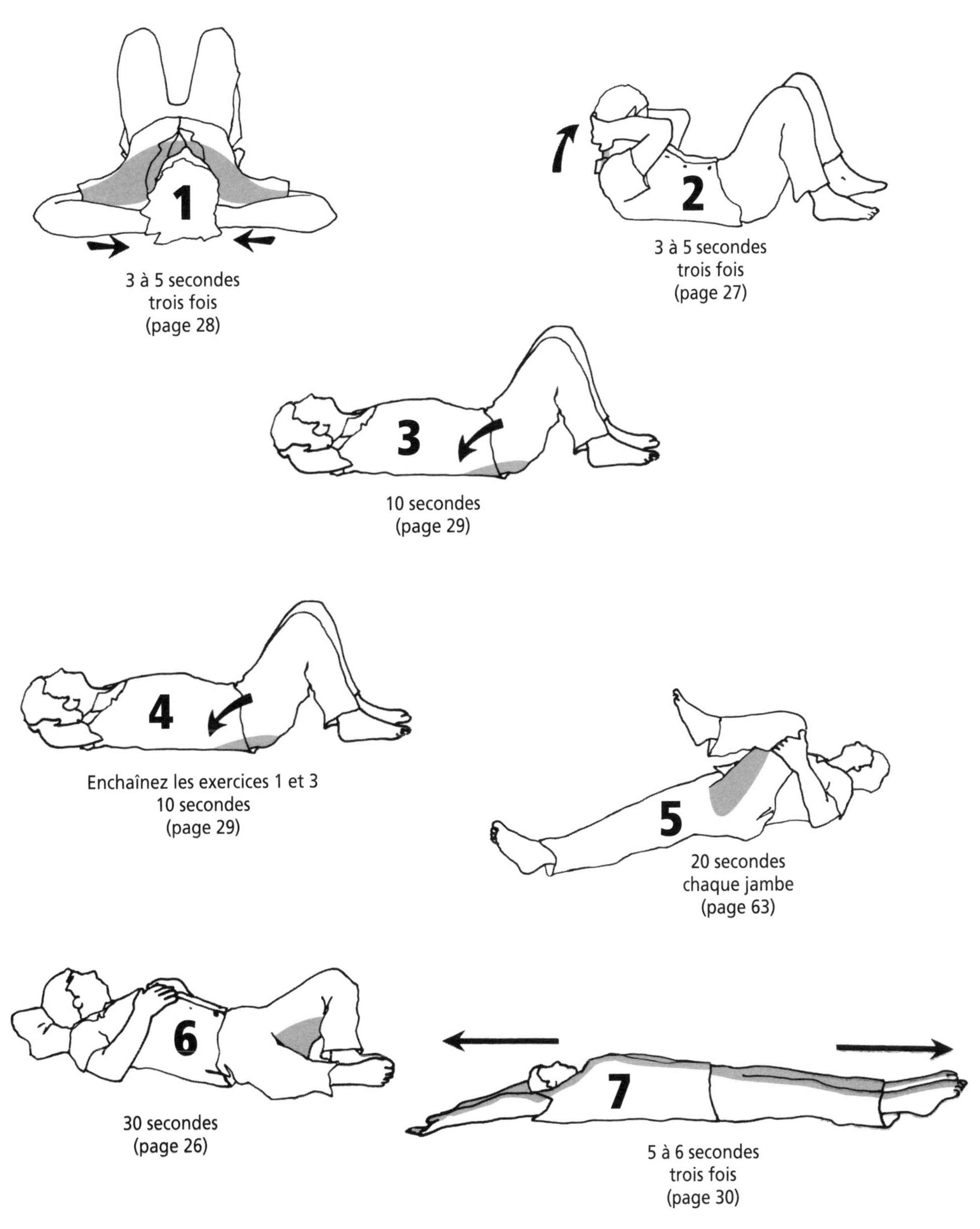

Exercices quotidiens

8 minutes environ

Commencez avec quelques minutes de marche. Cet enchaînement vise à étirer et à soulager les muscles qui sont les plus sollicités lors d'une journée d'activité normale. Les tâches les plus simples soumettent souvent le corps à des gestes brusques et maladroits qui provoquent stress et tensions et entraînent la rigidité des muscles. 8 à 10 minutes de stretching par jour permettront de venir à bout de ces blocages.

20 à 30 secondes
(page 58)

8 à 10 secondes
de chaque côté
(page 60)

reprenez l'étirement 11
10 secondes
(page 58)

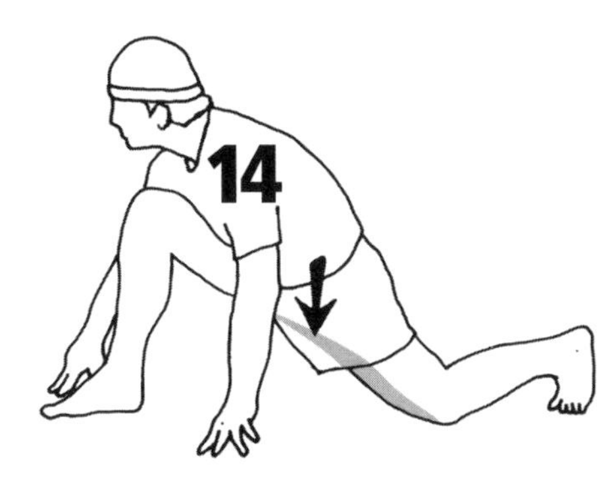

15 à 20 secondes
chaque jambe
(page 51)

20 secondes
chaque jambe
(page 71)

4 à 5 secondes
deux fois
(page 46)

10 à 12 secondes
deux fois
(page 90)

8 à 10 secondes
de chaque côté
(page 44)

20 à 30 secondes
(page 47)

10 secondes
deux fois
(page 46)

Mains, bras et épaules

4 minutes environ

Cette série d'exercices soulage les tensions ressenties quotidiennement dans les bras et les mains. Installez-vous confortablement et détendez-vous en respirant régulièrement pour faire ces exercices.

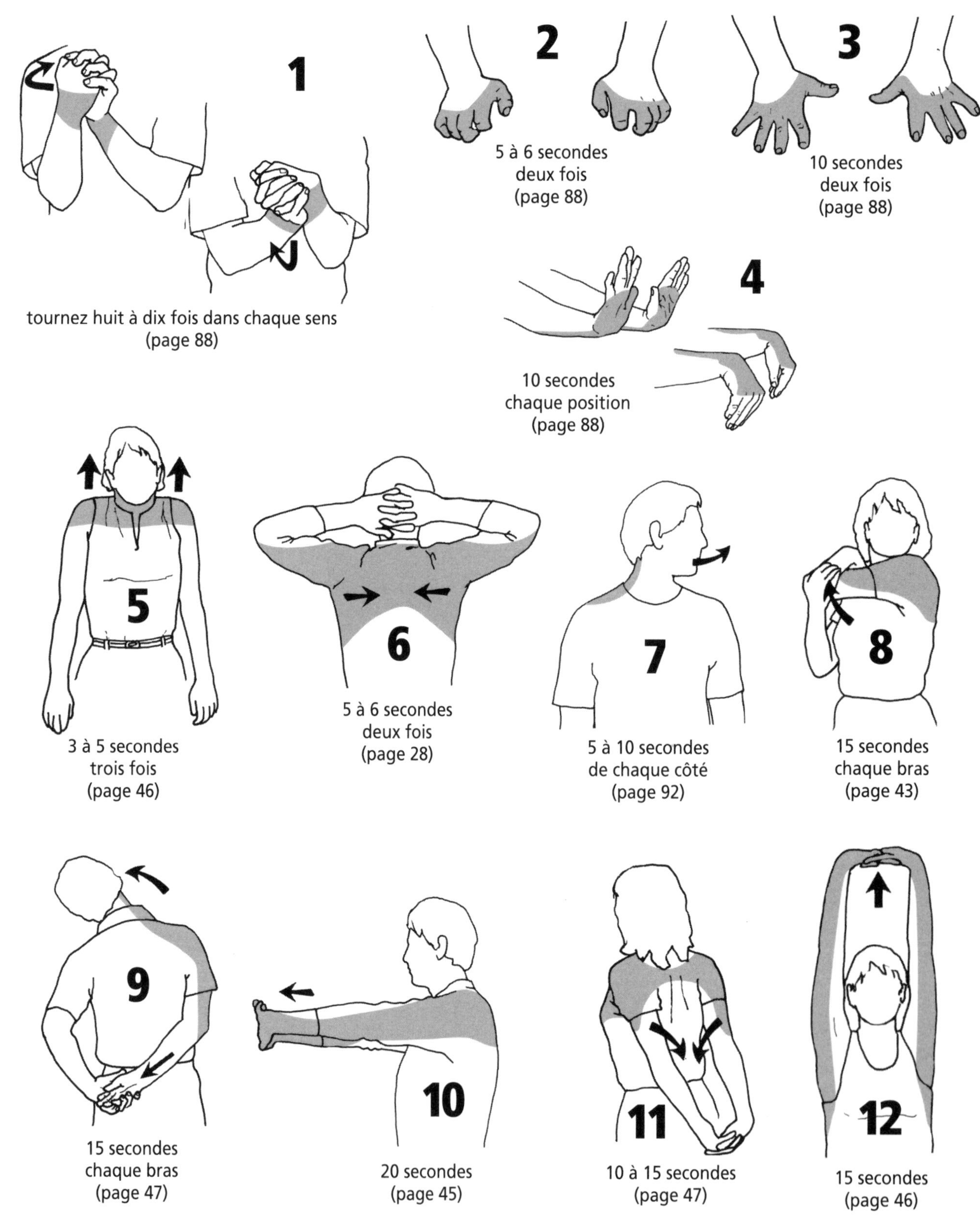

Cou, épaules et bras

5 minutes environ

Beaucoup de gens souffrent de tensions au niveau du cou et des épaules. Ces exercices vous aideront à résoudre ce problème si vous les faites quotidiennement, de façon détendue, en respirant profondément.

1. 5 à 6 secondes deux fois (page 29)
2. 3 à 5 secondes deux fois (page 27)
3. 5 à 6 secondes deux fois (page 28)
4. 8 à 10 secondes de chaque côté (page 29)
5. 10 secondes deux fois (page 46)
6. 5 secondes deux fois (page 46)
7. 8 à 10 secondes de chaque côté (page 44)
8. 8 à 10 secondes deux fois de chaque côté (page 47)
9. 15 secondes chaque bras deux fois (page 44)
10. 15 à 20 secondes chaque bras (page 43)
11. 15 à 20 secondes (page 47)
12. 15 à 20 secondes (page 81)

Jambes, aines et hanches

7 minutes environ

Échauffez-vous d'abord en faisant 2 à 3 minutes de marche sur place ou de vélo d'appartement. Étirez-vous tranquillement tout en contrôlant vos mouvements. Détendez-vous et respirez régulièrement.

Bas du dos

6 minutes environ

Ces exercices sont conçus pour soulager la tension musculaire dans le bas et le haut du dos, les épaules et le cou. Faites-les de préférence avant d'aller vous coucher. Ne conservez que les exercices qui vous soulagent et, surtout, ne forcez pas.

10 à 12 secondes
deux fois
(page 46)

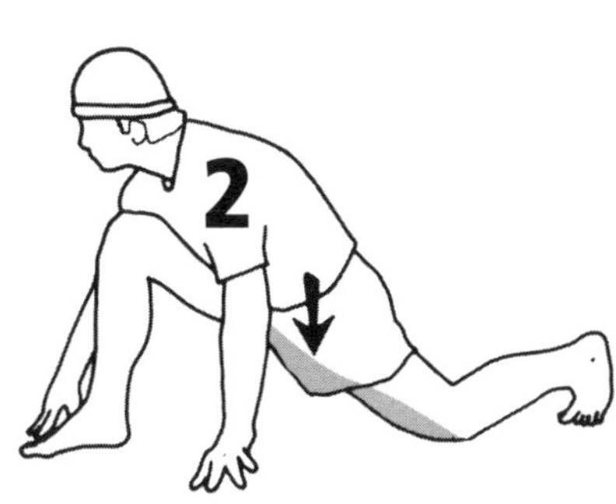

15 à 20 secondes
chaque jambe
(page 51)

5 à 15 secondes
deux fois
(page 33)

30 secondes
(page 26)

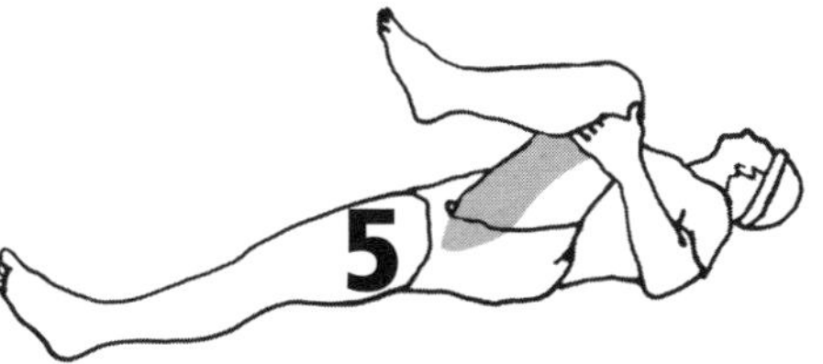

20 à 30 secondes
chaque jambe
(page 63)

contractez-vous 3 à 5 secondes,
puis détendez-vous
deux fois
(page 27)

contractez-vous 5 à 8 secondes,
puis détendez-vous
deux fois
(page 29)

balancez-vous lentement de chaque côté
quinze à vingt fois
(page 26)

15 à 30 secondes
chaque jambe
(page 27)

10 à 15 secondes
chaque jambe
(page 32)

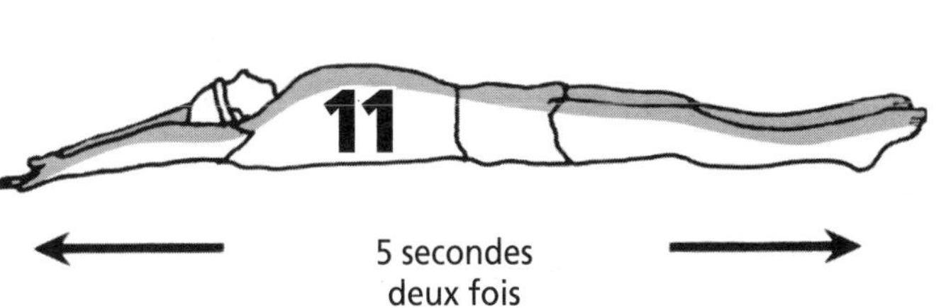

5 secondes
deux fois
(page 30)

12

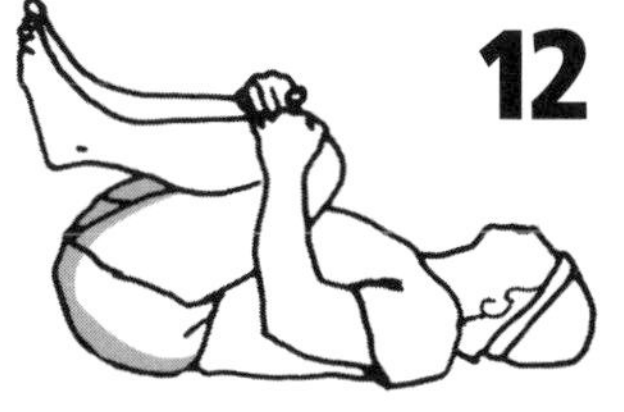

10 à 15 secondes
deux fois
(page 63)

Au bureau ou devant un ordinateur

4 minutes environ

On souffre souvent de raideur dans le cou, les épaules et, parfois, dans le bas du dos lorsqu'on travaille longtemps sur un ordinateur. Faites ces exercices toutes les heures ou lorsque vous vous sentez très tendu.

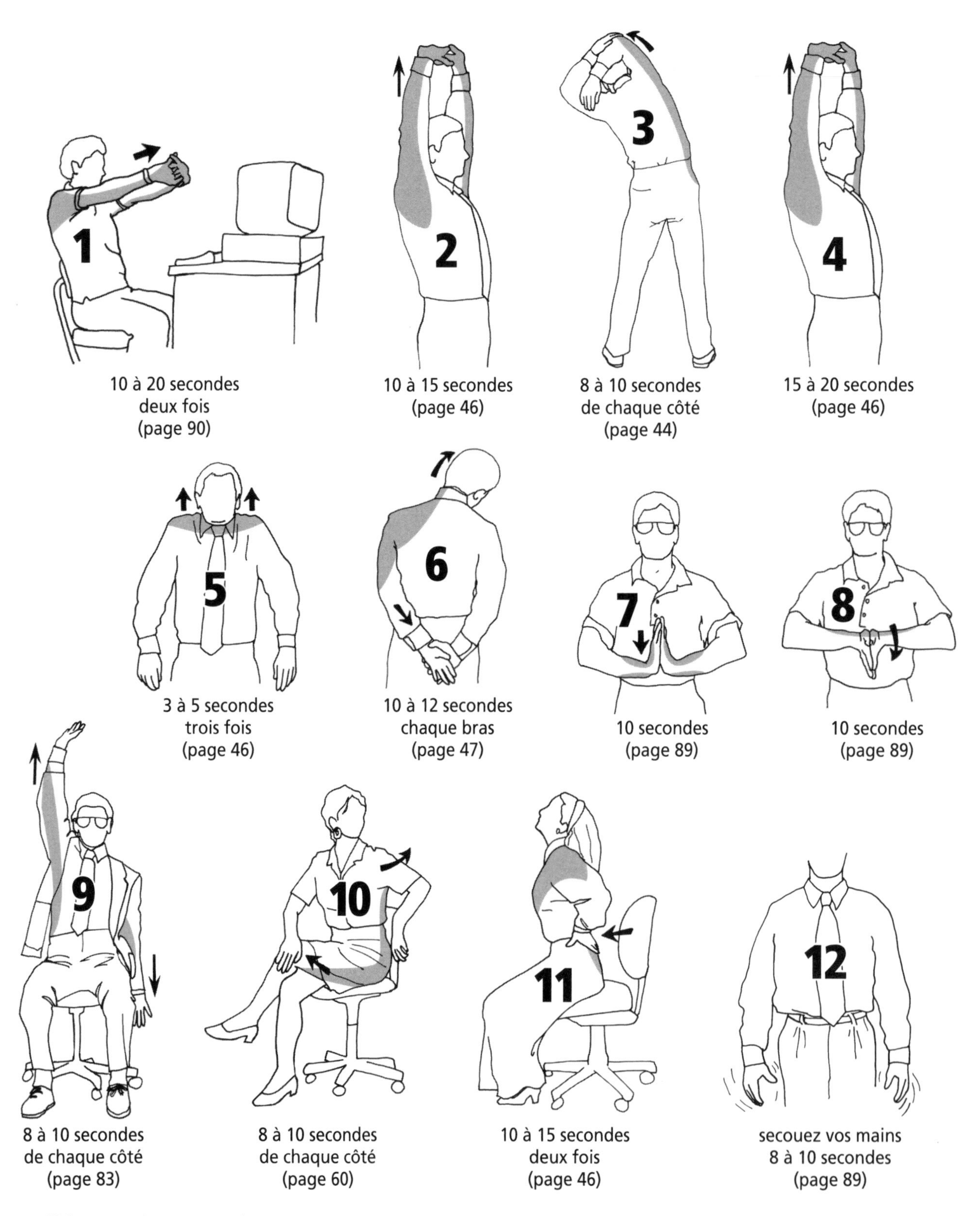

À la carte

Lire un journal, parler au téléphone, attendre l'autobus, autant de moments où vous pouvez réaliser quelques étirements simples qui vous détendront agréablement. Soyez inventif : il y a tant d'occasions que l'on considère comme des pertes de temps et que l'on peut ainsi mettre à profit.

Avant un effort physique

6 minutes environ

Avant d'effectuer une tâche qui exige un effort physique réel, consacrez quelques minutes à des étirements simples. Vous éviterez ainsi la tension musculaire et les courbatures qui accompagnent généralement ce genre de travail, et celui-ci en sera facilité.

1. 10 à 20 fois chaque pied (page 71)
2. 10 à 20 secondes chaque jambe (page 71)
3. 5 à 10 secondes chaque jambe (page 71)
4. 10 secondes chaque jambe (page 75)
5. 10 à 15 secondes chaque jambe (page 73)
6. 10 à 15 secondes chaque jambe (page 74)
7. 3 à 5 secondes deux fois (page 46)
8. 3 à 5 secondes de chaque côté (page 46)
9. 20 secondes (page 45)

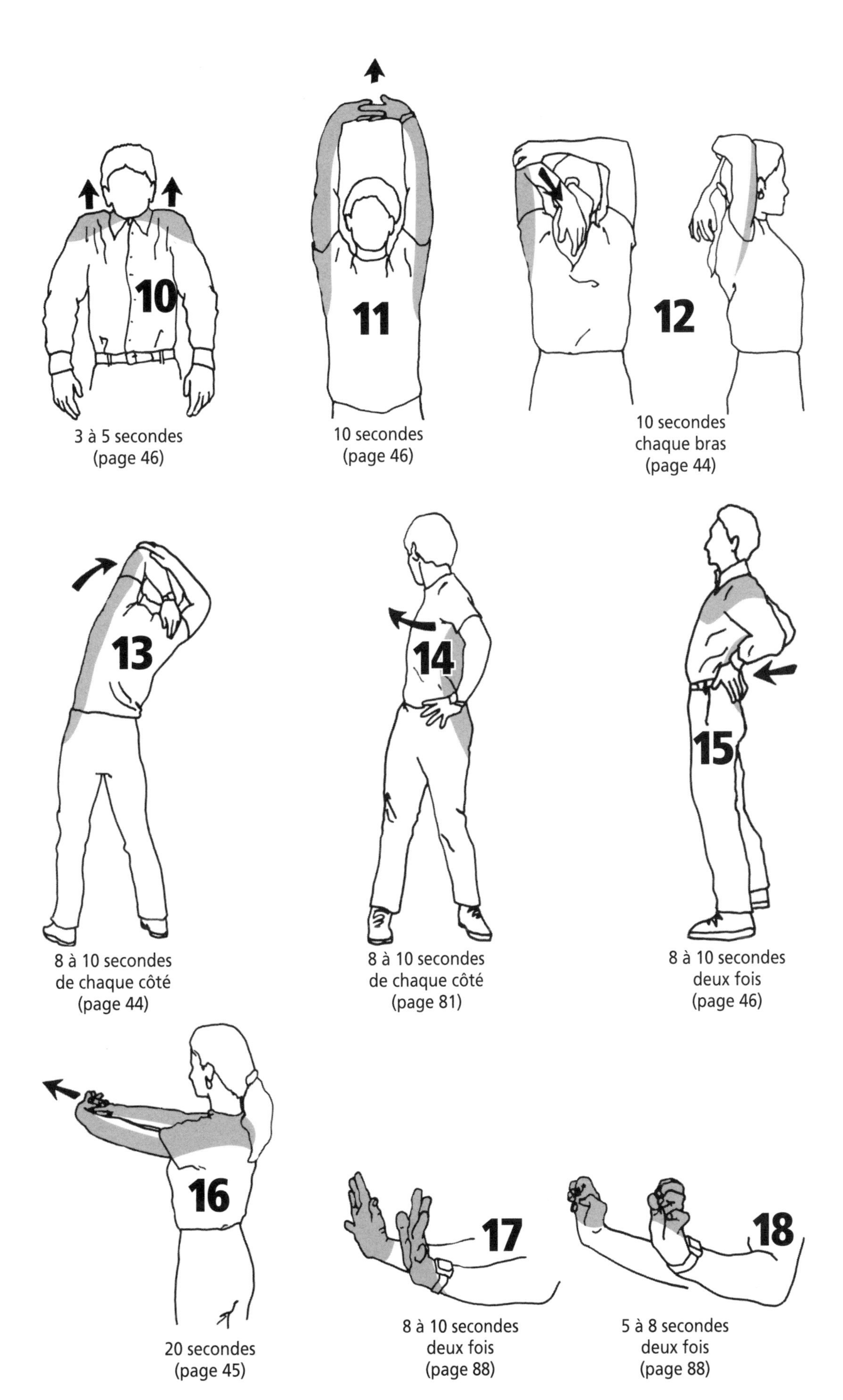
10
3 à 5 secondes
(page 46)
11
10 secondes
(page 46)
12
10 secondes
chaque bras
(page 44)
13
8 à 10 secondes
de chaque côté
(page 44)
14
8 à 10 secondes
de chaque côté
(page 81)
15
8 à 10 secondes
deux fois
(page 46)
16
20 secondes
(page 45)
17
8 à 10 secondes
deux fois
(page 88)
18
5 à 8 secondes
deux fois
(page 88)

Après une longue position assise

4 minutes environ

La position assise ralentit la circulation sanguine dans les jambes et les pieds, contracte les muscles de la face interne des cuisses et raidit ceux du dos et du cou. Ces étirements rétabliront votre circulation et dissiperont les tensions dues à une trop longue immobilité. Commencez par faire 2 à 3 minutes de marche.

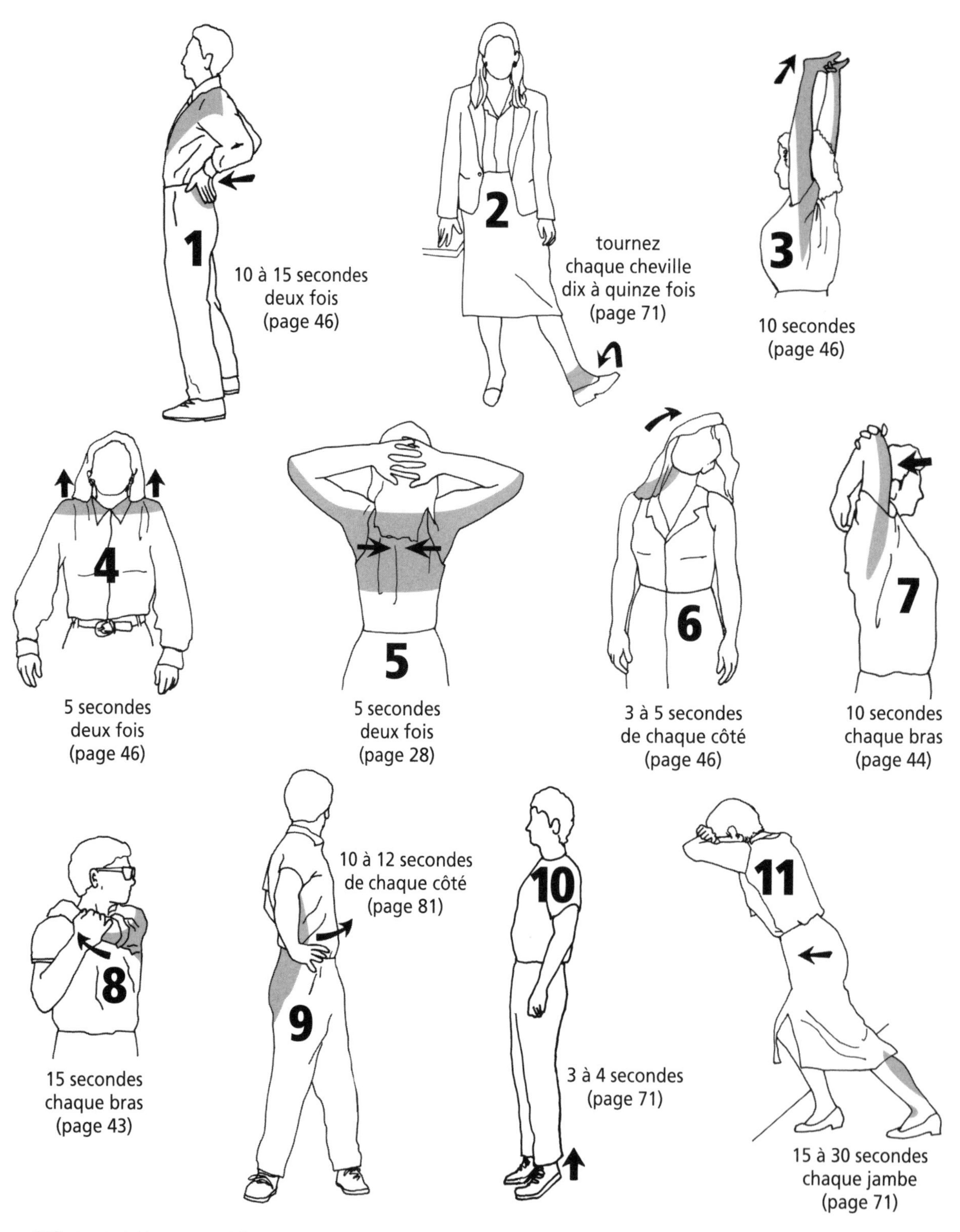

Au jardin

4 minutes environ

Avant d'entreprendre des travaux de jardinage, consacrez quelques minutes à des étirements simples. Vous éviterez ainsi la tension musculaire et les courbatures que provoque généralement ce genre de travail.

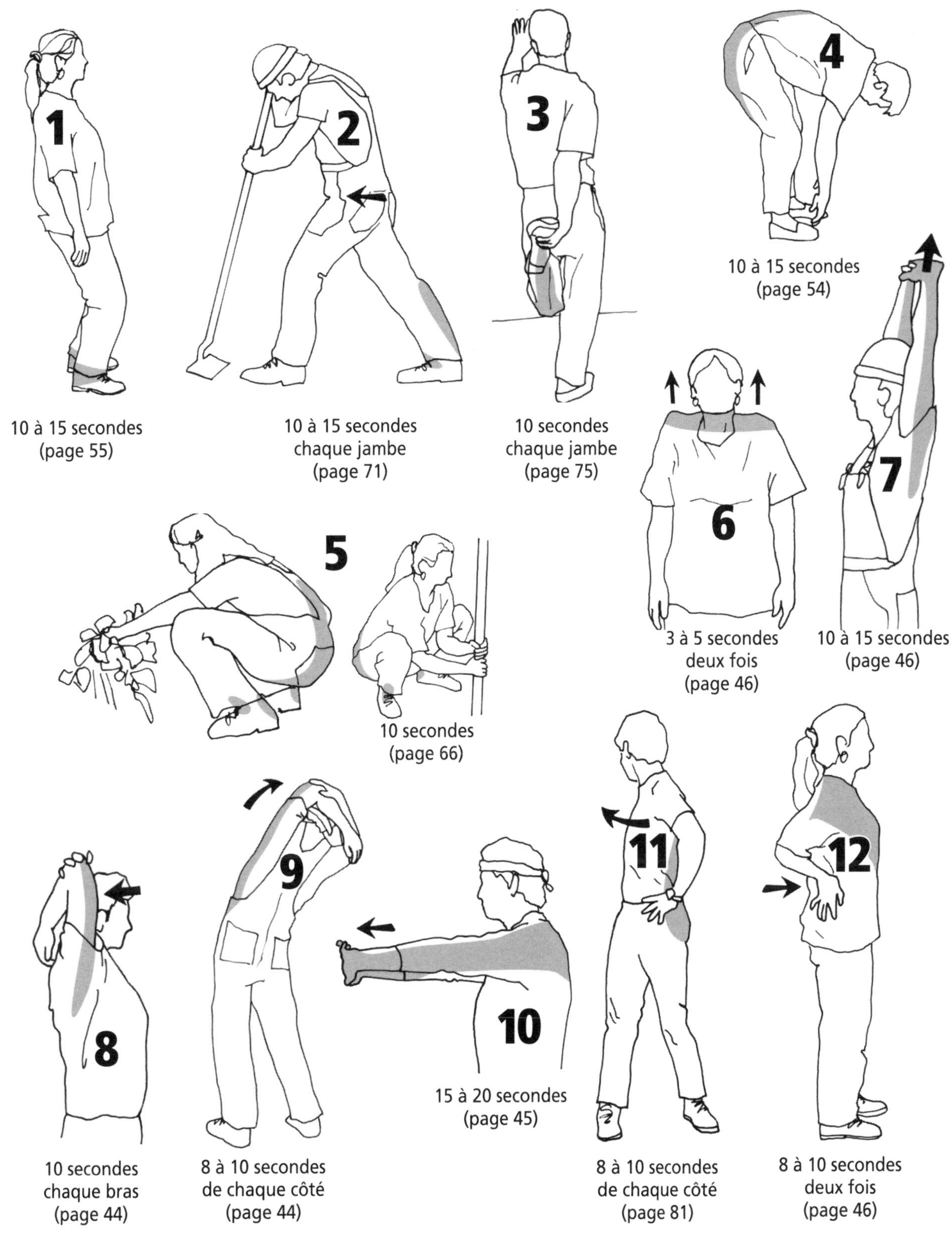

Pour les plus de soixante ans

7 minutes environ

Il n'est jamais trop tard pour apprendre le stretching et, plus on prend de l'âge, plus cette activité présente de l'intérêt. Moins actif, le corps perd en force et en souplesse. Il montre pourtant une étonnante capacité à les reconquérir pour peu que l'on adopte un programme de remise en forme physique. Quels que soient l'âge et le niveau de souplesse, les principes de base du stretching restent les mêmes : ne cherchez pas à dépasser vos limites ; ne tentez pas de reproduire exactement les étirements proposés dans cet ouvrage. Apprenez à vous étirer en douceur, en restant à l'écoute de votre corps. Soyez patient. Des muscles ankylosés par de longues années d'inactivité ne se décontracteront pas en un jour. Soyez régulier, et l'entraînement s'avérera payant. Si vous hésitez sur la marche à suivre, consultez votre médecin avant de commencer le stretching.

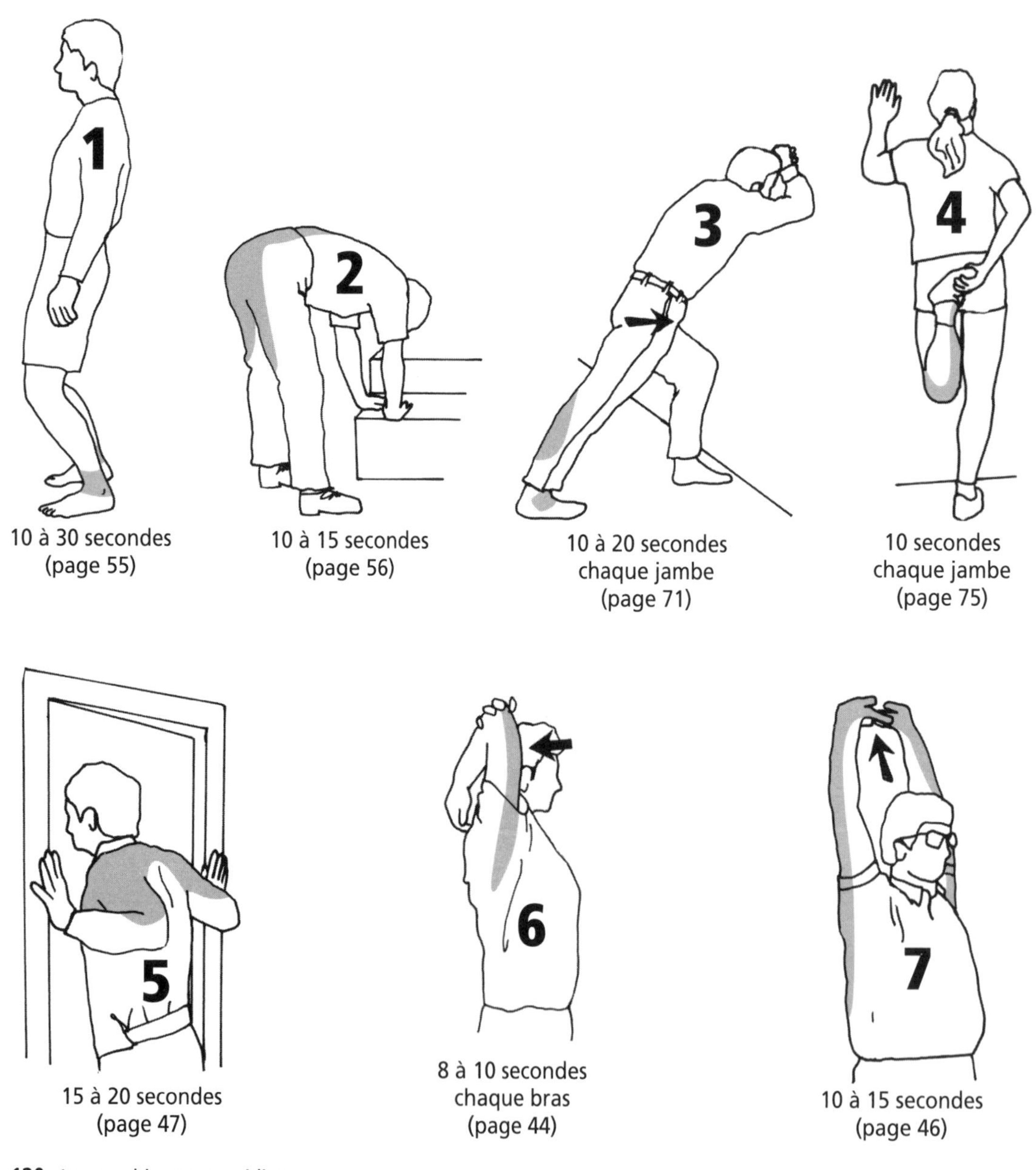

1. 10 à 30 secondes (page 55)
2. 10 à 15 secondes (page 56)
3. 10 à 20 secondes chaque jambe (page 71)
4. 10 secondes chaque jambe (page 75)
5. 15 à 20 secondes (page 47)
6. 8 à 10 secondes chaque bras (page 44)
7. 10 à 15 secondes (page 46)

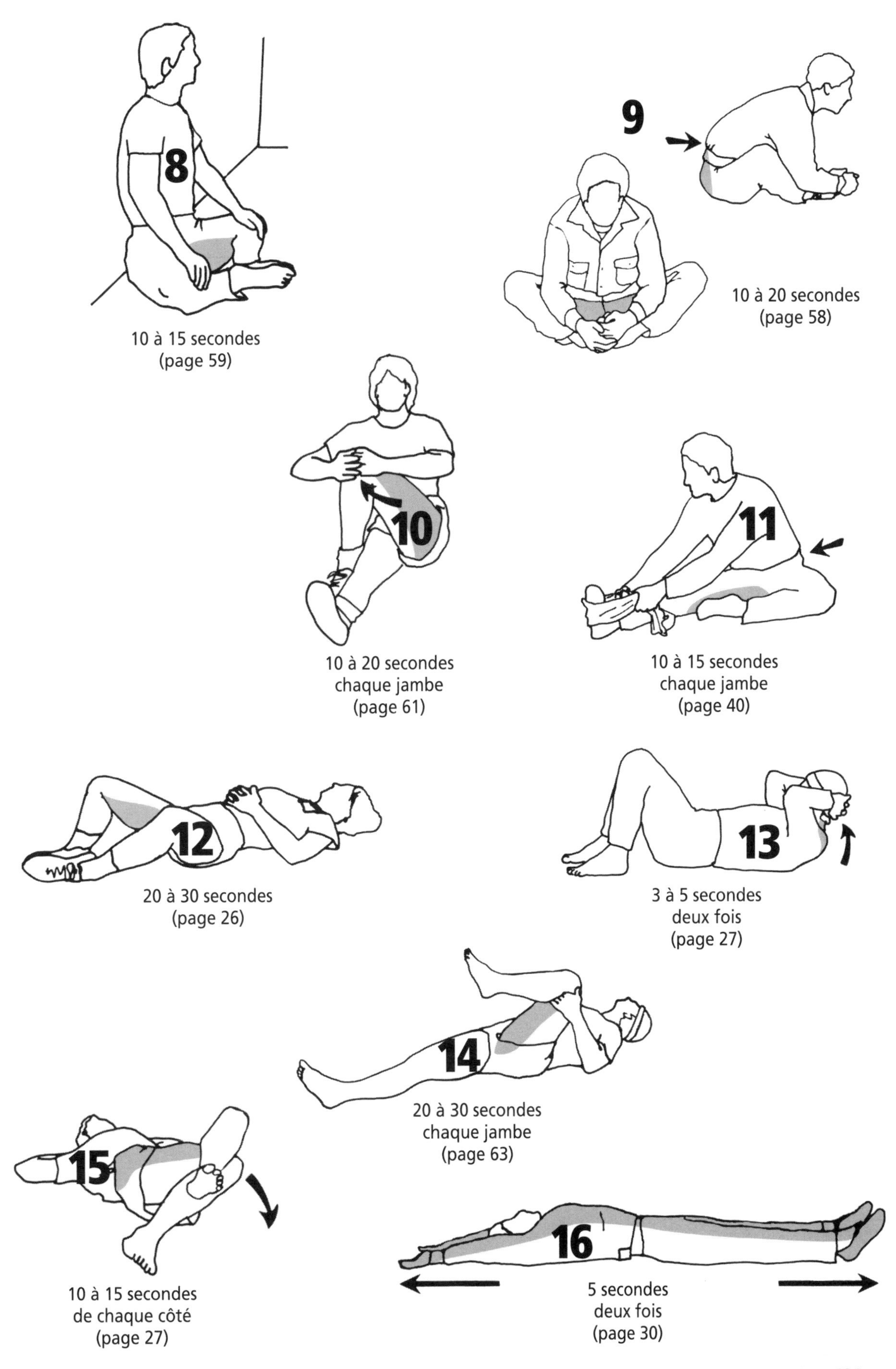

10 à 15 secondes
(page 59)

10 à 20 secondes
(page 58)

10 à 20 secondes
chaque jambe
(page 61)

10 à 15 secondes
chaque jambe
(page 40)

20 à 30 secondes
(page 26)

3 à 5 secondes
deux fois
(page 27)

20 à 30 secondes
chaque jambe
(page 63)

10 à 15 secondes
de chaque côté
(page 27)

5 secondes
deux fois
(page 30)

Pour les enfants

5 minutes environ

Il n'est jamais trop tôt pour commencer le stretching ! Apprenez à vos enfants ces exercices – ou montrez-les à leurs professeurs pour qu'ils les apprennent à toute la classe. Expliquez-leur que le stretching n'est pas une compétition et qu'ils doivent faire les étirements lentement, en se concentrant sur leurs mouvements.

5 à 10 secondes
(page 46)

3 à 5 secondes
deux fois
(page 46)

5 à 10 secondes
de chaque côté
(page 44)

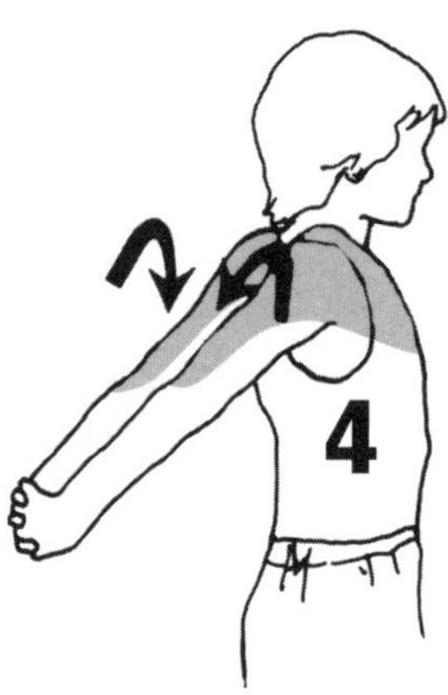

10 secondes
deux fois
(page 47)

10 secondes
chaque bras
(page 43)

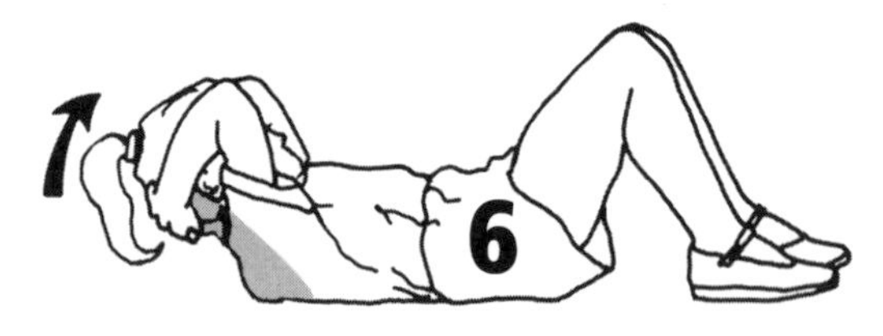

3 secondes
deux fois
(page 27)

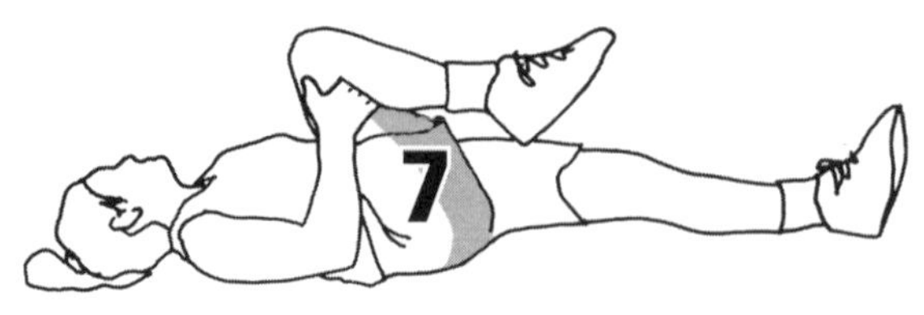

15 secondes
chaque jambe
(page 63)

8
3 à 5 secondes
deux fois
(page 30)
9
10 à 15 secondes
chaque jambe
(page 71)
10
10 secondes
chaque jambe
(page 75)
11
10 secondes
chaque jambe
(page 51)
12
10 à 20 secondes
(page 58)
13
8 à 10 secondes
chaque jambe
(page 61)
14
10 à 15 secondes
chaque jambe
(page 58)

Devant la télévision

Certains affirment qu'ils n'ont pas le temps de pratiquer le stretching alors qu'ils consacrent plusieurs heures chaque soir à regarder la télévision. Rien ne vous empêche de faire quelques étirements en suivant l'émission de votre choix: votre temps de loisir sera ainsi doublement fructueux.

Avant et après la marche

5 minutes environ

Ces étirements facilitent les mouvements de la marche qui, réciproquement, constitue un excellent échauffement avant le stretching.

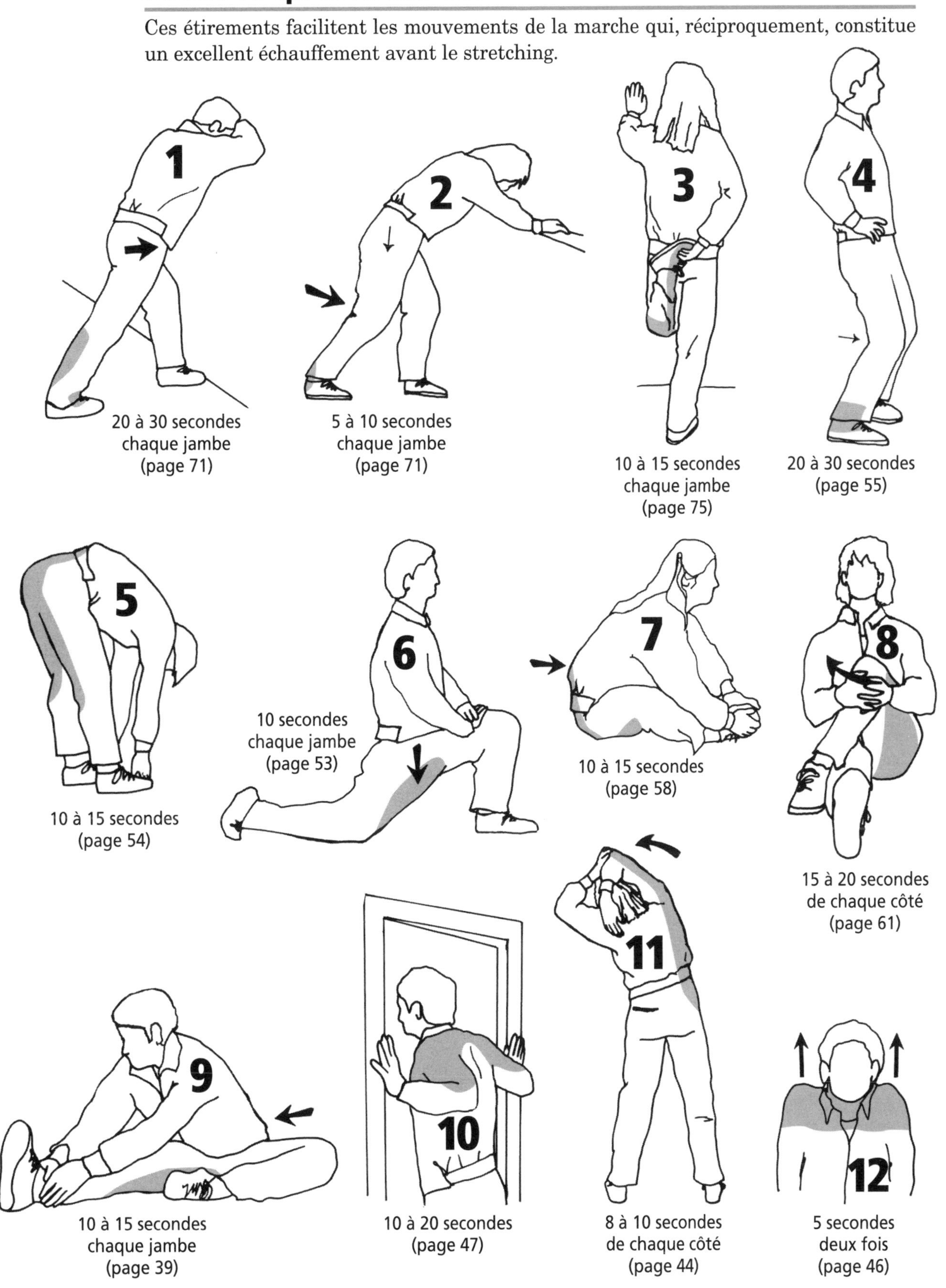

En voyage

Ces exercices, effectués au cours d'un voyage, soulageront votre corps des raideurs provoquées par l'immobilité.

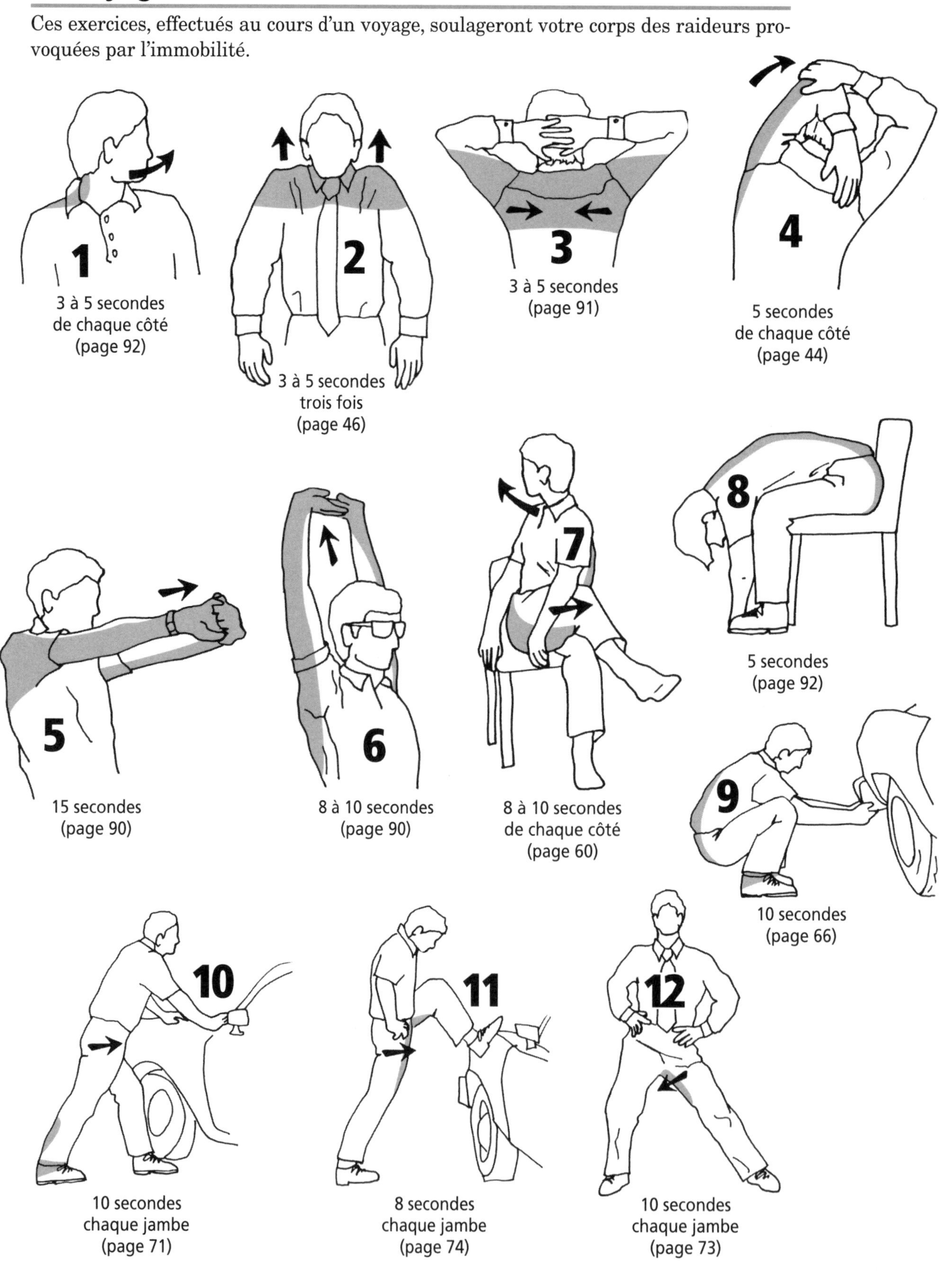

En avion

Photocopiez cette planche et emportez-la lors de votre prochain voyage en avion. Effectués pendant le vol, ces étirements vous soulageront de votre fatigue et vous permettront d'arriver plus détendu. Ne soyez pas surpris si d'autres passagers suivent votre exemple.

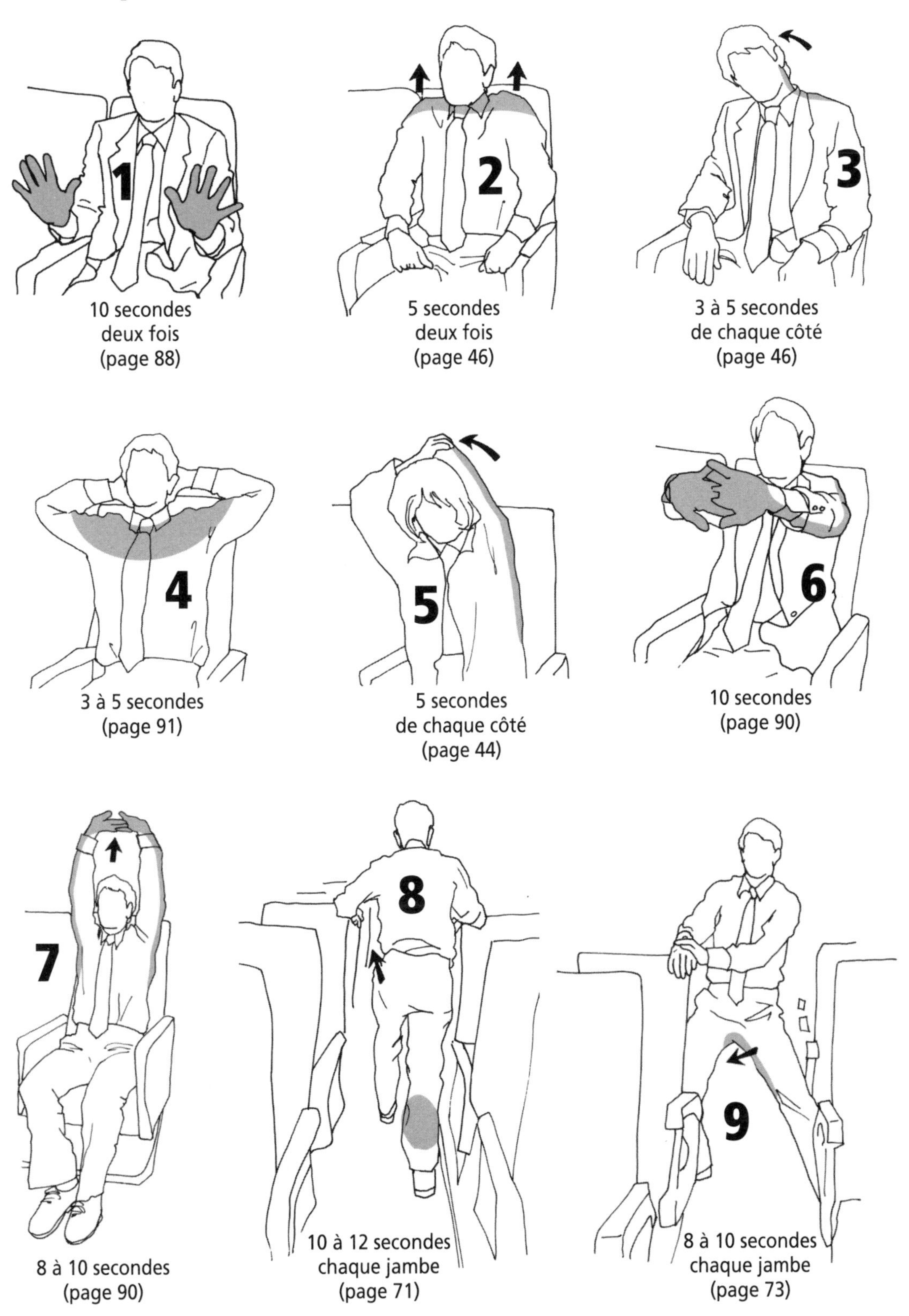

LE STRETCHING ET LE SPORT

Les exercices de stretching sont fortement recommandés avant la pratique d'un sport : ils échauffent les muscles et préviennent les risques de claquage et de foulure. Vous trouverez dans cette partie les étirements adaptés au sport que vous pratiquez.

À l'intention des professeurs et entraîneurs. *Ces enchaînements constituent une ligne directrice. Vous pouvez toujours modifier telle ou telle séquence en fonction d'un emploi du temps ou de besoins spécifiques.*

Aérobic 130
Arts martiaux 132
Badminton 134
Base-ball 136
Basket-ball 138
Bowling 140
Course 142
Cyclisme 144
Danse 146
Escalade 148
Football 150
Golf 152
Gymnastique 154
Haltérophilie 156
Handball et squash 158
Hockey sur glace 160
Kayak 162
Lutte 164
Moto-cross 166
Natation 168
Patinage artistique 170
Patinage de vitesse 172
Planche à voile 174
Randonnée 176
Rugby 178
Ski alpin 180
Ski de fond 182
Snowboard 184
Sports équestres 186
Surf 188
Tennis 190
Tennis de table 192
Triathlon 194
Volley-ball 196
VTT 198

Aérobic

6 minutes environ

Faites un échauffement préalable de 2 à 3 minutes.

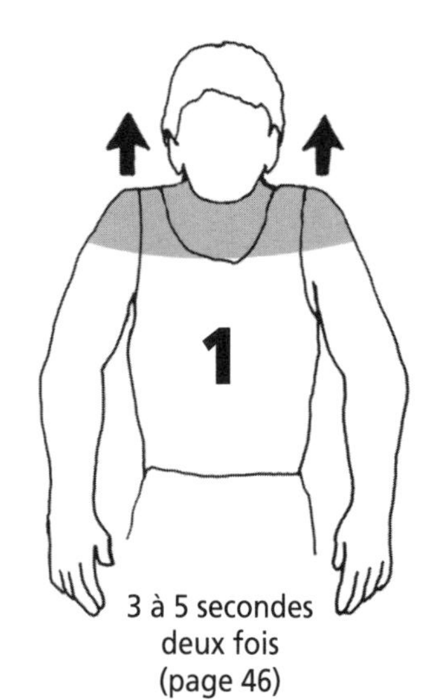

3 à 5 secondes
deux fois
(page 46)

15 secondes
(page 45)

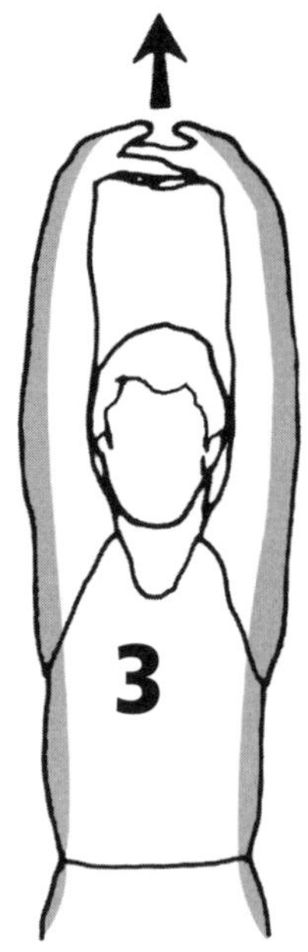

10 secondes
(page 46)

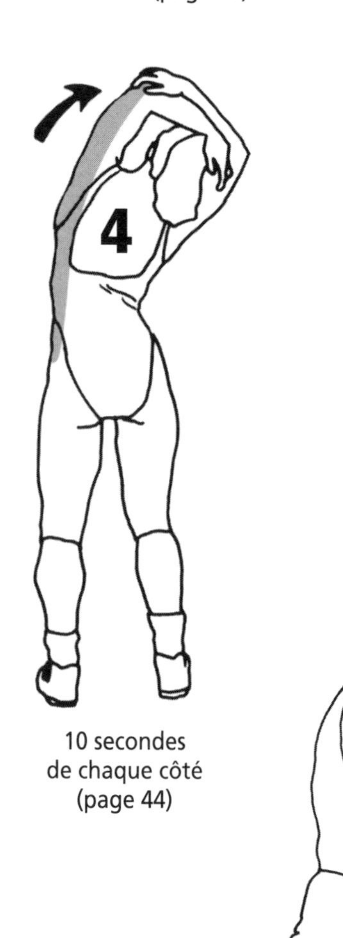

10 secondes
de chaque côté
(page 44)

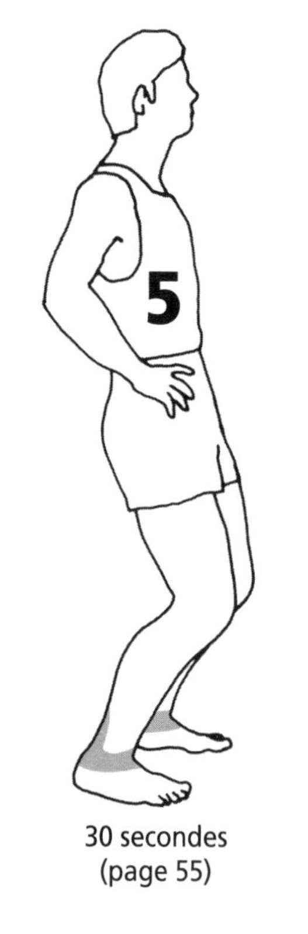

30 secondes
(page 55)

10 secondes
chaque jambe
(page 75)

7

10 secondes
chaque jambe
(page 53)

8

15 secondes
chaque bras
(page 42)

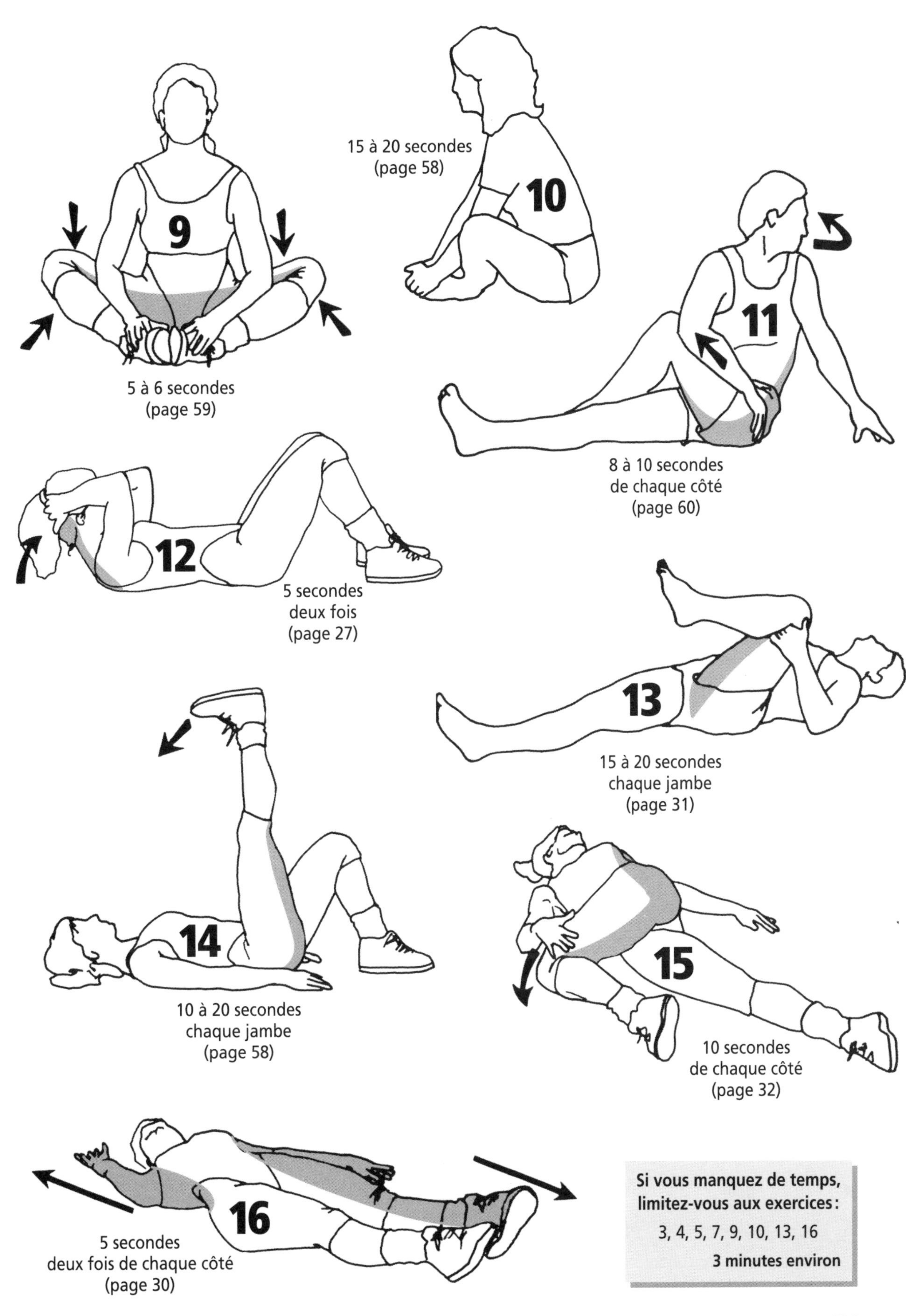

Si vous manquez de temps, limitez-vous aux exercices :

3, 4, 5, 7, 9, 10, 13, 16

3 minutes environ

Arts martiaux

7 minutes environ

Ces exercices ne remplacent pas votre entraînement traditionnel mais améliorent votre souplesse. Ils doivent être précédés d'un bon échauffement.

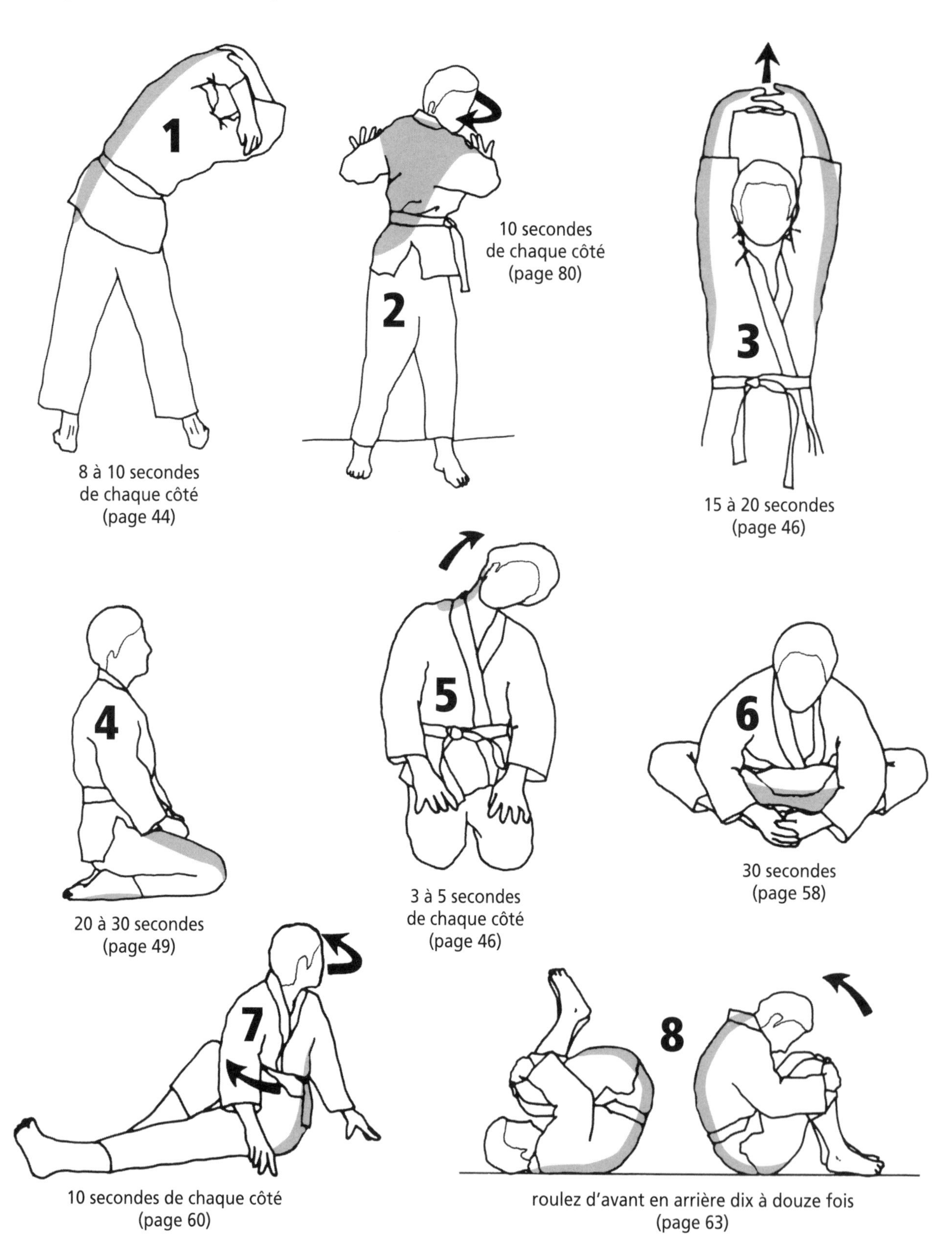

1 — 8 à 10 secondes de chaque côté (page 44)

2 — 10 secondes de chaque côté (page 80)

3 — 15 à 20 secondes (page 46)

4 — 20 à 30 secondes (page 49)

5 — 3 à 5 secondes de chaque côté (page 46)

6 — 30 secondes (page 58)

7 — 10 secondes de chaque côté (page 60)

8 — roulez d'avant en arrière dix à douze fois (page 63)

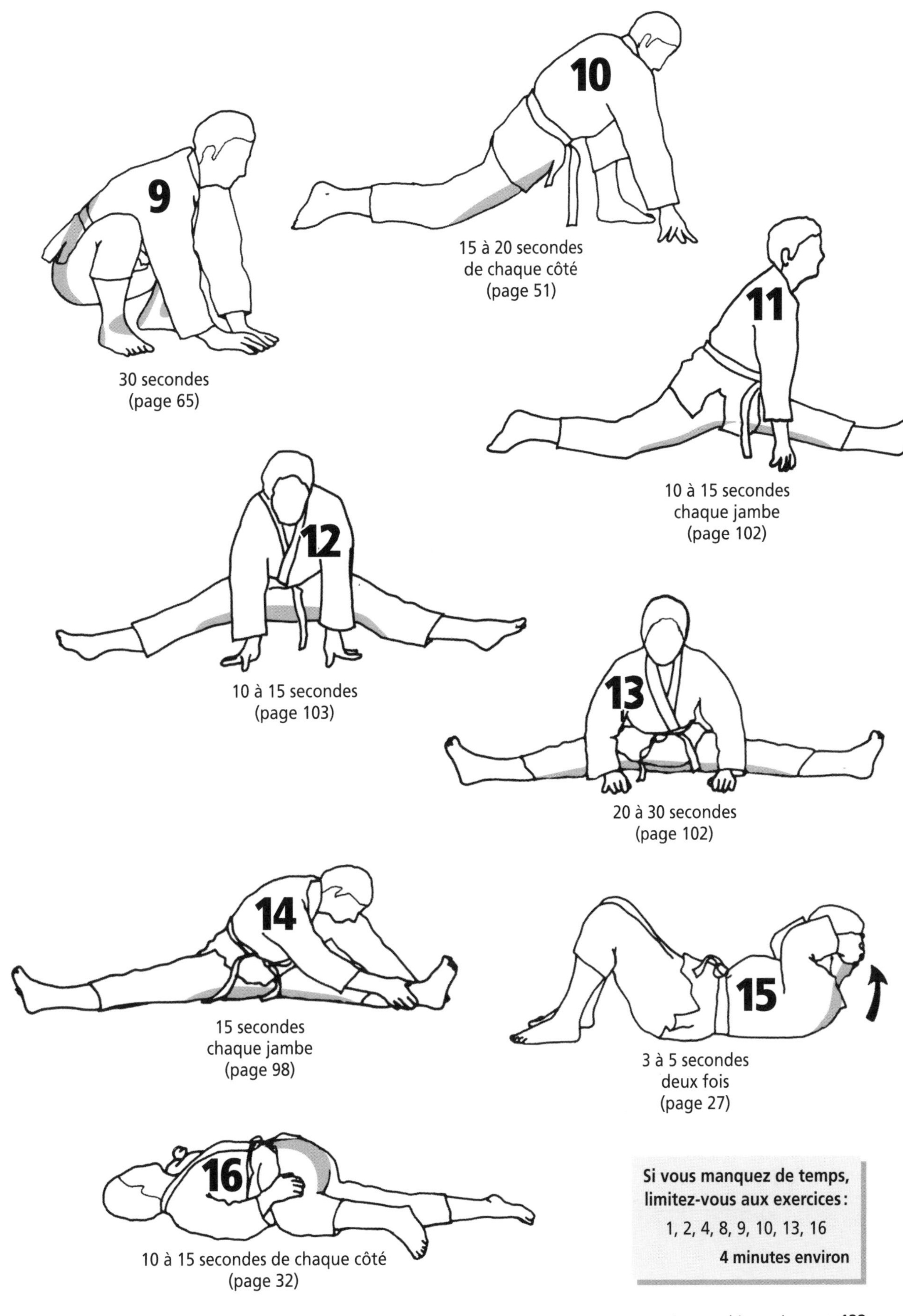
9
30 secondes
(page 65)
10
15 à 20 secondes
de chaque côté
(page 51)
11
10 à 15 secondes
chaque jambe
(page 102)
12
10 à 15 secondes
(page 103)
13
20 à 30 secondes
(page 102)
14
15 secondes
chaque jambe
(page 98)
15
3 à 5 secondes
deux fois
(page 27)
16
10 à 15 secondes de chaque côté
(page 32)
Si vous manquez de temps,
limitez-vous aux exercices :
1, 2, 4, 8, 9, 10, 13, 16
4 minutes environ

Badminton

6 minutes environ

Marchez quelques minutes pour vous échauffer.

10 à 15 secondes chaque jambe (page 71)

15 à 30 secondes (page 55)

15 à 20 secondes (page 54)

10 à 15 secondes chaque jambe (page 75)

10 à 15 secondes chaque jambe (page 53)

10 à 15 secondes (page 58)

8 à 10 secondes de chaque côté (page 60)

3 à 5 secondes deux fois (page 28)

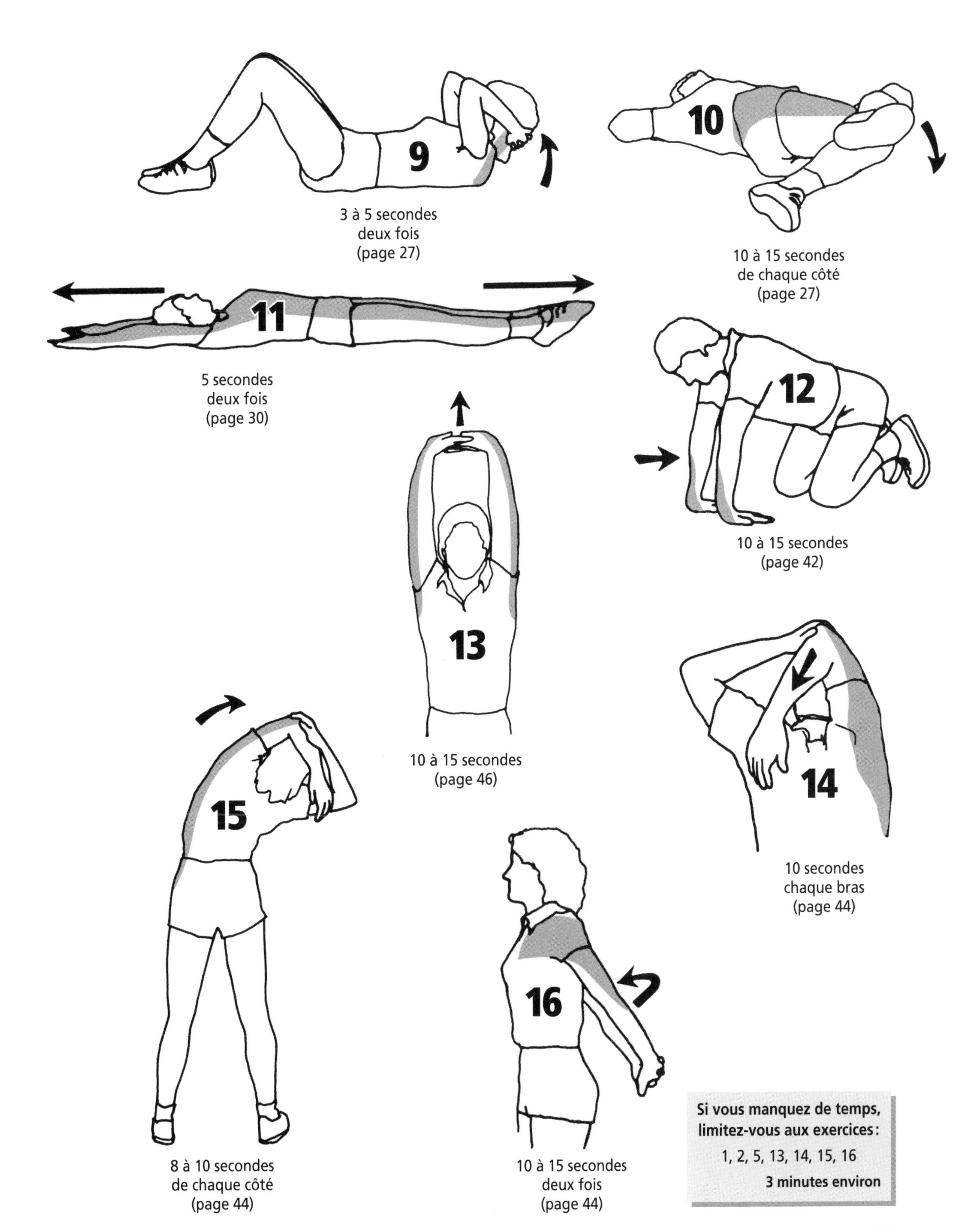
9
3 à 5 secondes
deux fois
(page 27)
10
10 à 15 secondes
de chaque côté
(page 27)
11
5 secondes
deux fois
(page 30)
12
10 à 15 secondes
(page 42)
13
10 à 15 secondes
(page 46)
14
10 secondes
chaque bras
(page 44)
15
8 à 10 secondes
de chaque côté
(page 44)
16
10 à 15 secondes
deux fois
(page 44)
Si vous manquez de temps,
limitez-vous aux exercices :
1, 2, 5, 13, 14, 15, 16
3 minutes environ

Base-ball

8 minutes environ

Faites un tour de terrain comme échauffement préalable.

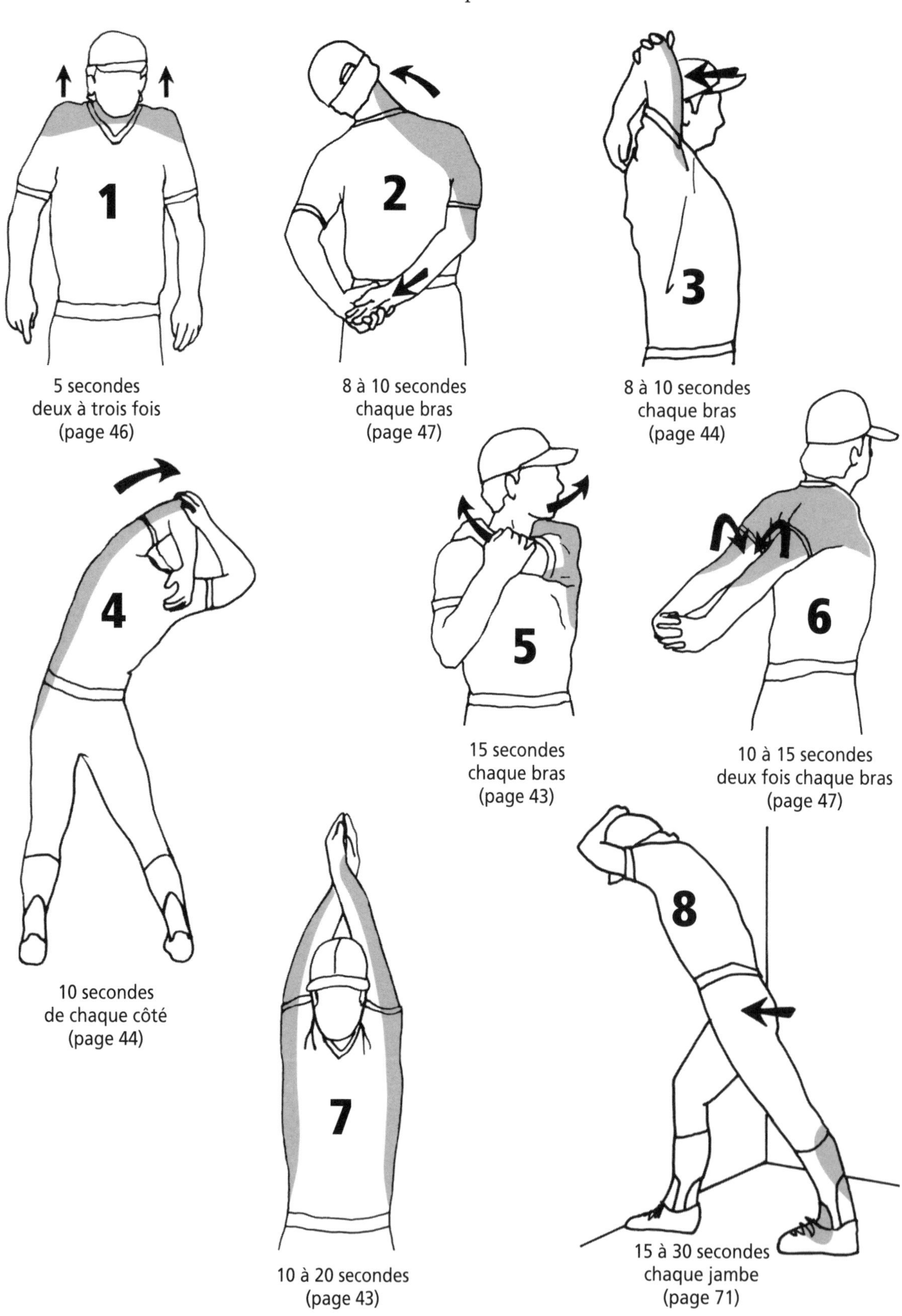

10 à 20 secondes
chaque jambe
(page 53)

10 à 20 secondes
(page 65)

15 à 30 secondes
(page 58)

8 à 10 secondes
de chaque côté
(page 60)

8 à 10 secondes
chaque jambe
(page 36)

10 à 20 secondes
chaque jambe
(page 58)

10 à 15 secondes
de chaque côté
(page 27)

10 à 15 secondes
chaque jambe
(page 31)

Si vous manquez de temps, limitez-vous aux exercices :
1, 3, 5, 9, 11, 12, 14, 16
4 minutes environ

Basket-ball

7 minutes environ

Faites un tour de terrain comme échauffement préalable.

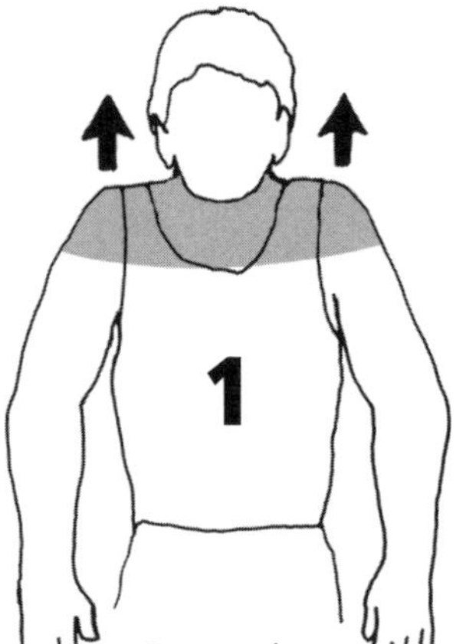

1
5 secondes
trois fois
(page 46)

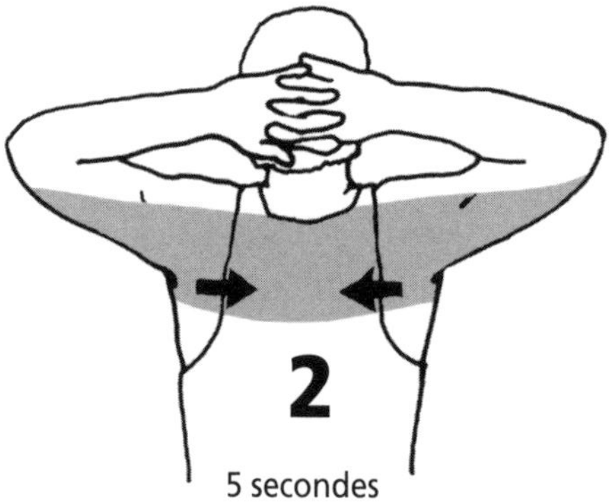

2
5 secondes
deux fois
(page 28)

3
15 secondes
(page 46)

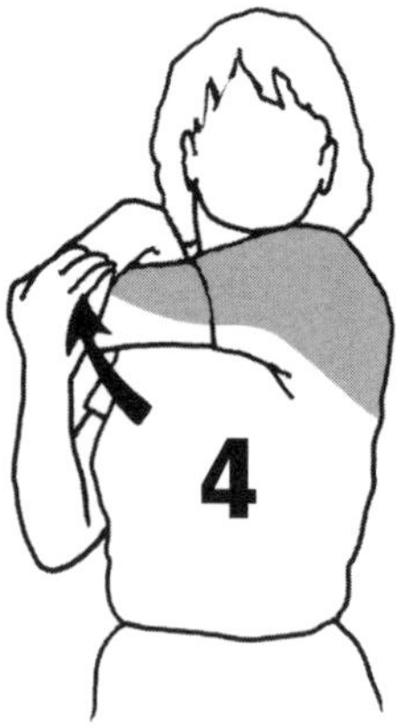

4
15 secondes
chaque bras
(page 43)

5
8 à 10 secondes
de chaque côté
(page 44)

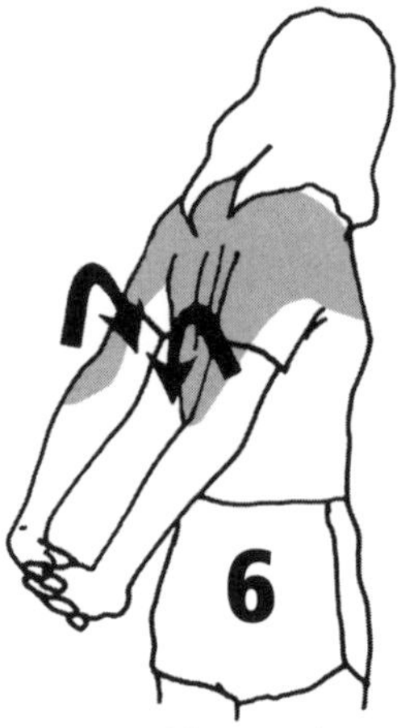

6
10 secondes
deux fois
(page 47)

7
30 secondes
(page 55)

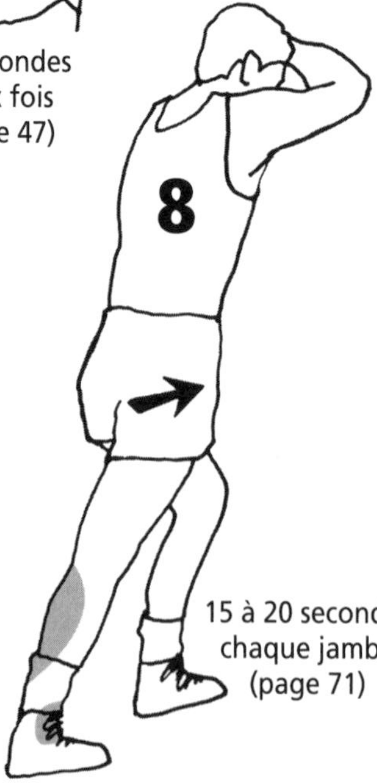

8
15 à 20 secondes
chaque jambe
(page 71)

Si vous manquez de temps, limitez-vous aux exercices :

1, 3, 5, 6, 7, 8, 9, 10

3 minutes environ

Bowling

6 minutes environ

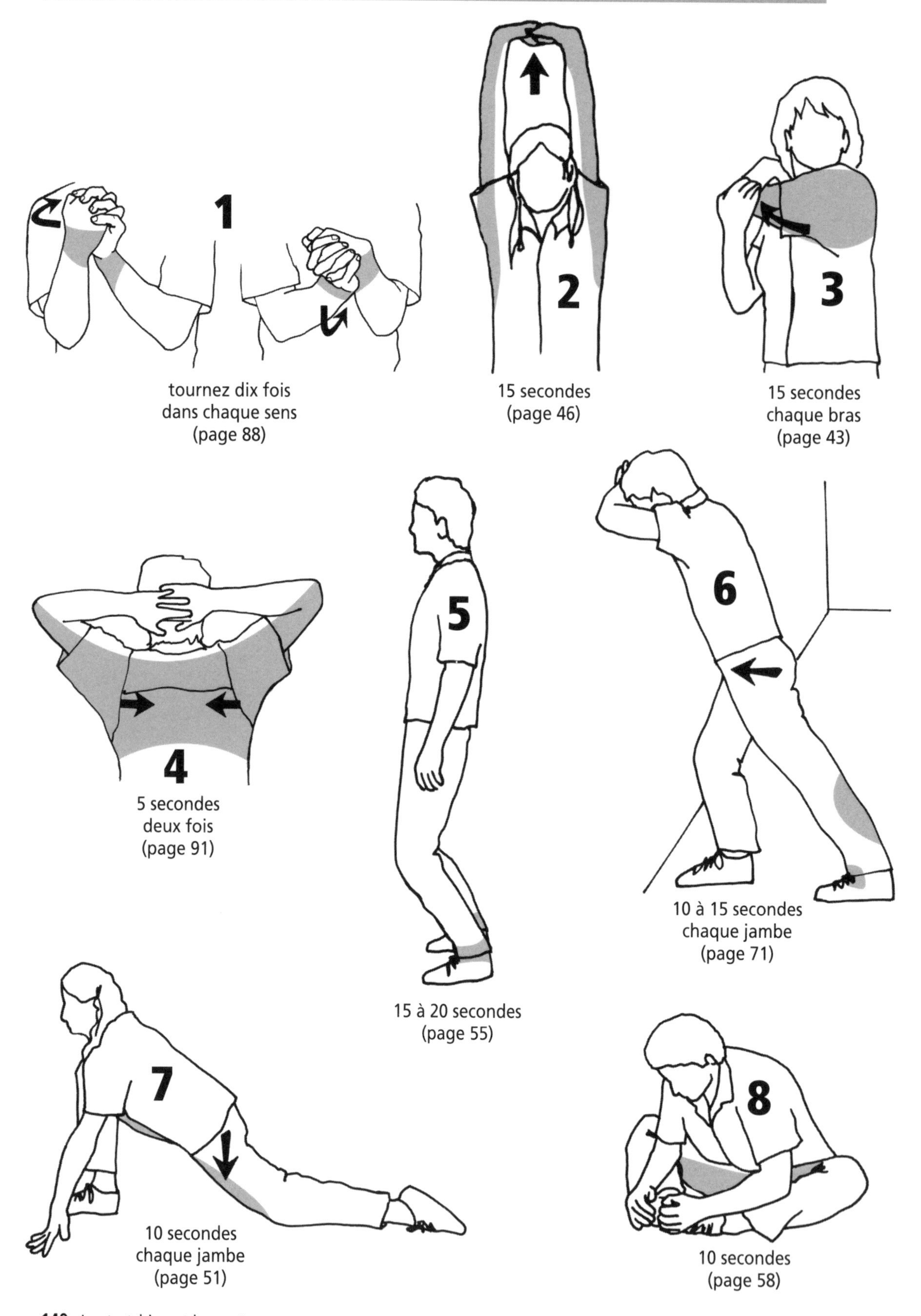

tournez dix fois dans chaque sens (page 88)

15 secondes (page 46)

15 secondes chaque bras (page 43)

5 secondes deux fois (page 91)

15 à 20 secondes (page 55)

10 à 15 secondes chaque jambe (page 71)

10 secondes chaque jambe (page 51)

10 secondes (page 58)

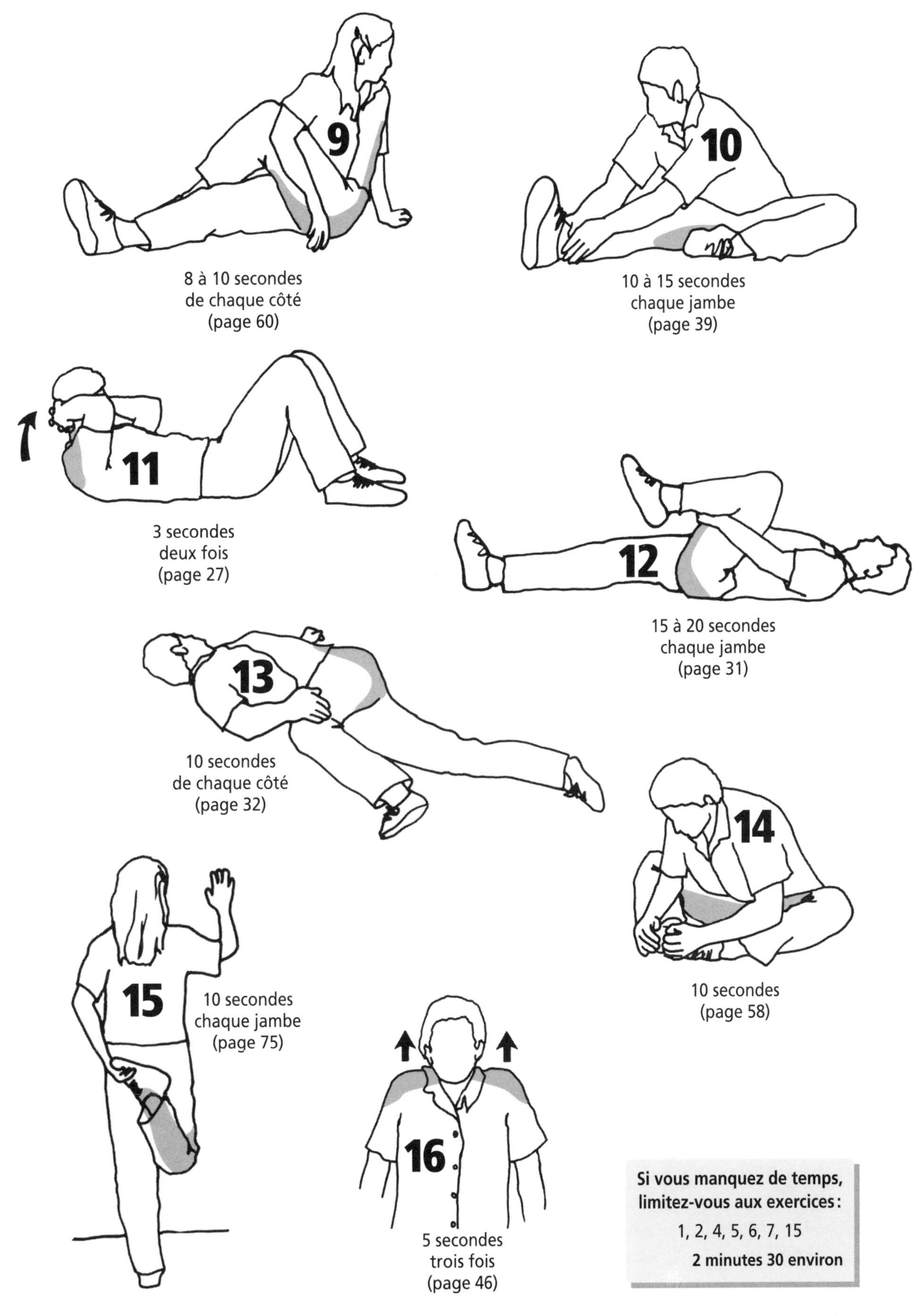

Si vous manquez de temps, limitez-vous aux exercices :

1, 2, 4, 5, 6, 7, 15

2 minutes 30 environ

Course

4 minutes environ

Faites un jogging de 3 à 5 minutes comme échauffement préalable.

Après la course

3 minutes environ

10 secondes
chaque jambe
(page 71)

10 à 15 secondes
(page 58)

15 secondes
chaque jambe
(page 61)

10 secondes
chaque jambe
(page 36)

15 secondes
chaque jambe
(page 31)

3 à 5 secondes
deux fois
(page 27)

10 à 15 secondes
chaque jambe
(page 58)

5 secondes deux fois
(page 30)

Si vous manquez de temps, limitez-vous aux exercices :

1, 5, 6, 8

1 minute 30 environ

Cyclisme

8 minutes environ

Marchez quelques minutes comme échauffement préalable.

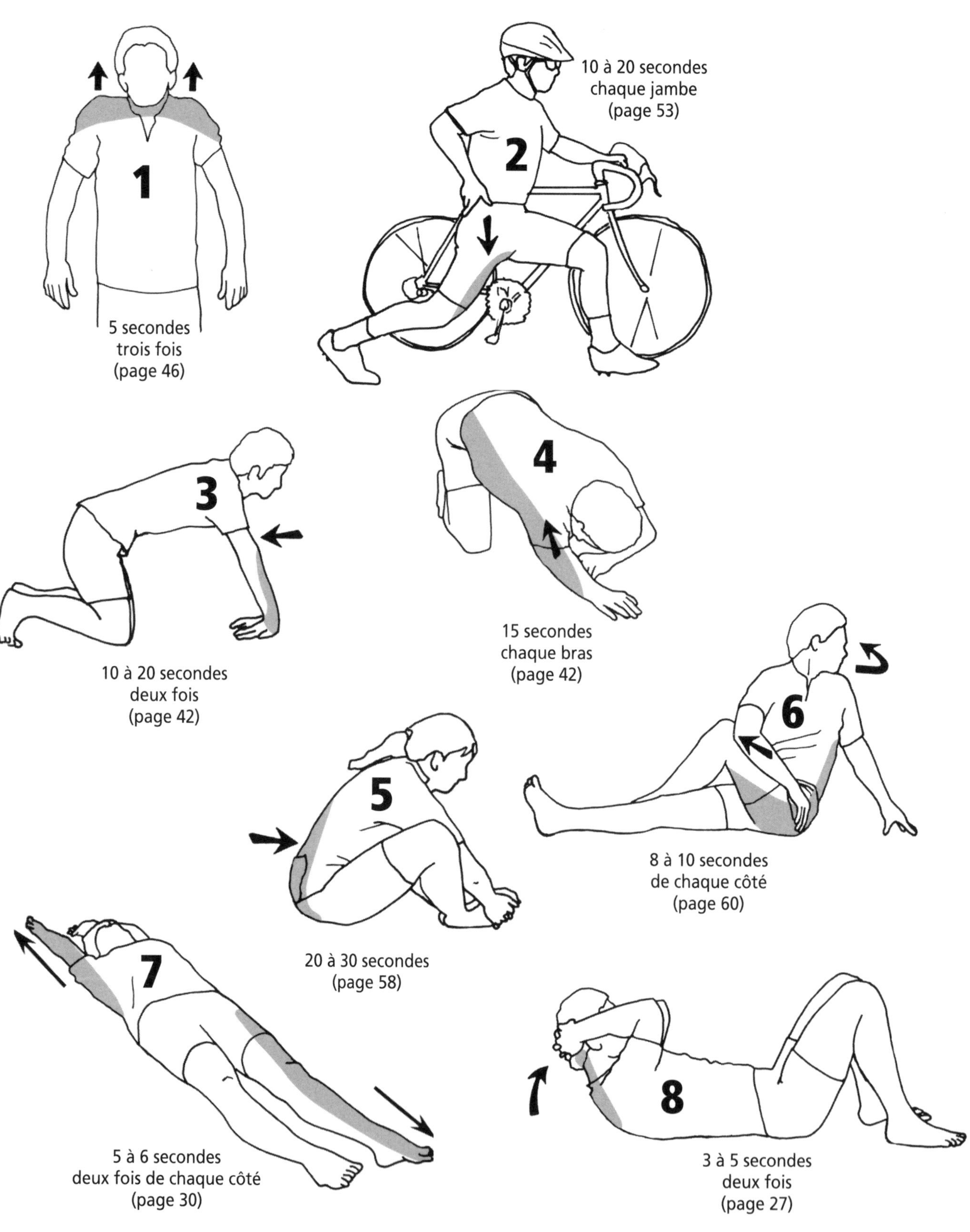

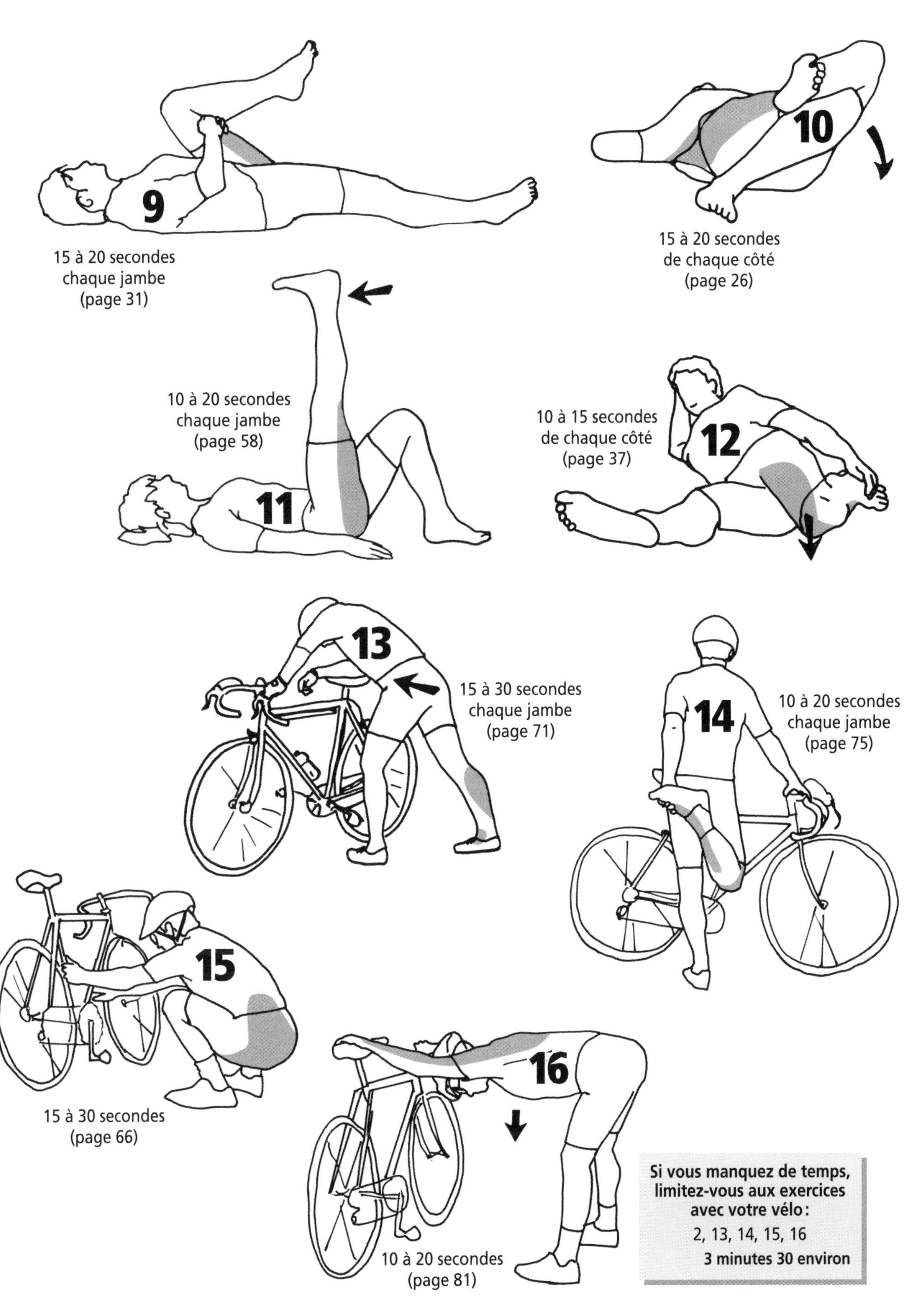

Si vous manquez de temps, limitez-vous aux exercices avec votre vélo :

2, 13, 14, 15, 16

3 minutes 30 environ

Danse

8 minutes environ

Procédez à un échauffement préalable de 4 à 5 minutes.

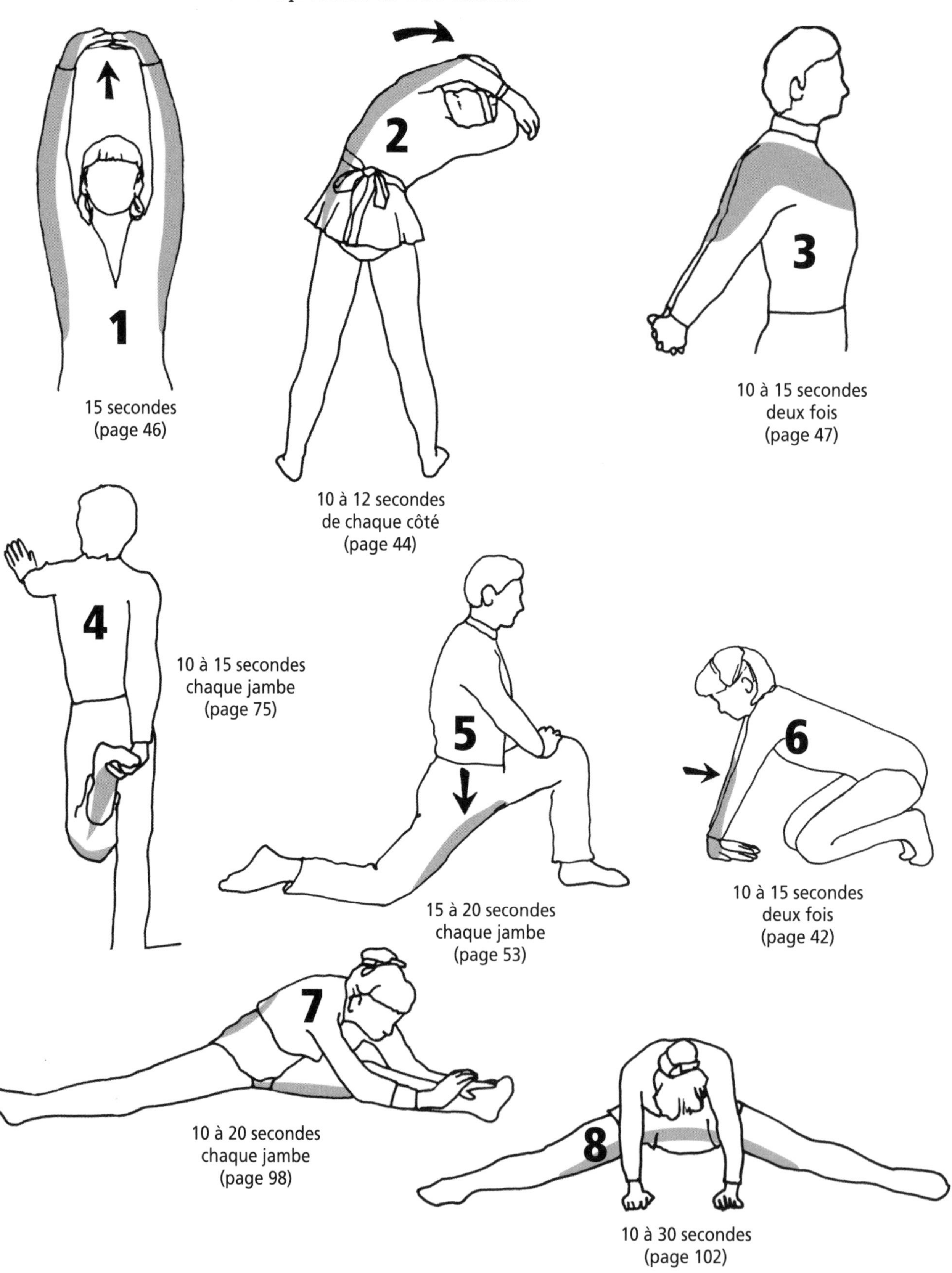

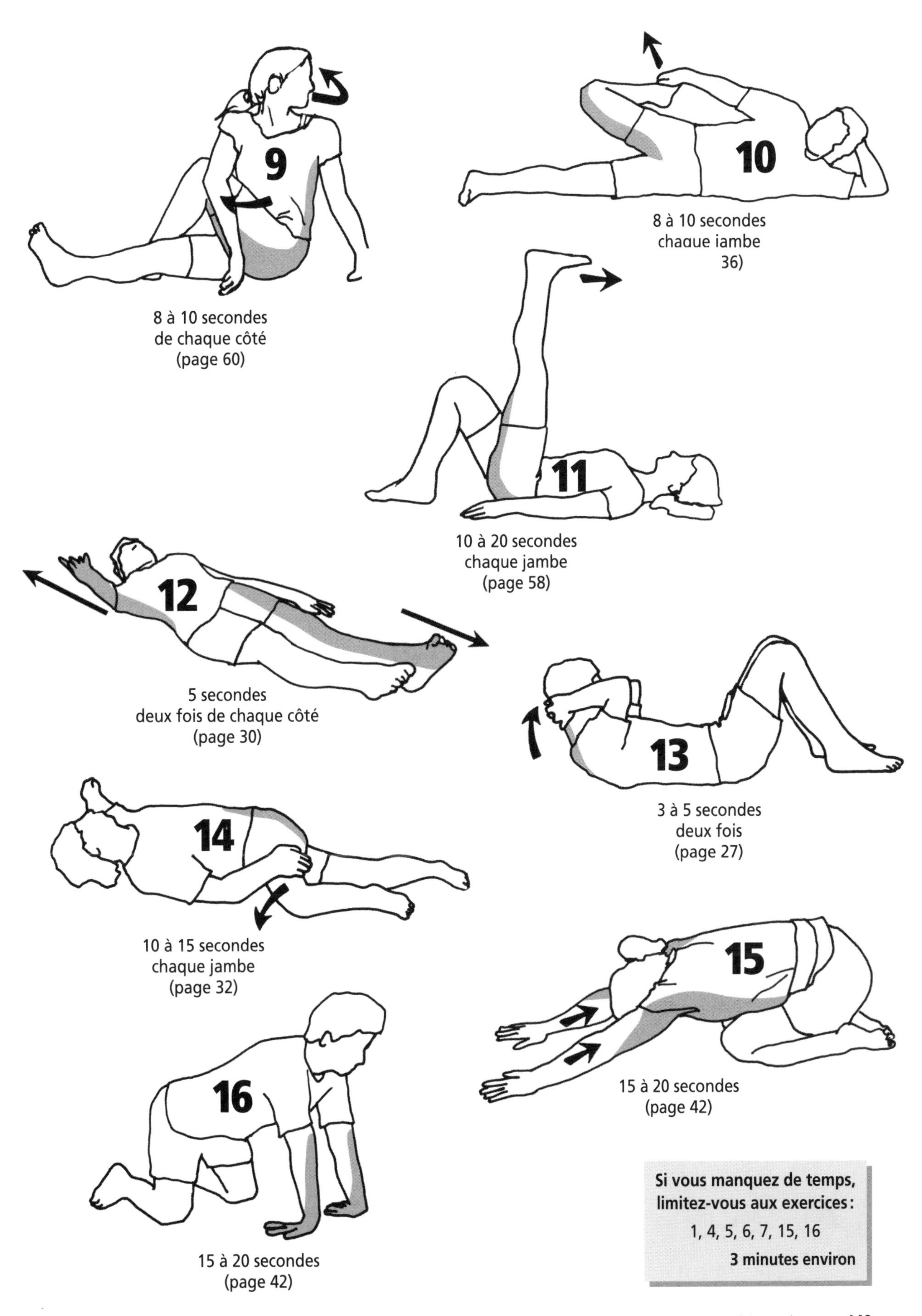

Si vous manquez de temps, limitez-vous aux exercices :

1, 4, 5, 6, 7, 15, 16

3 minutes environ

Football

3 minutes environ

Courez un tour de terrain comme échauffement préalable.

8 à 10 secondes
de chaque côté
(page 44)

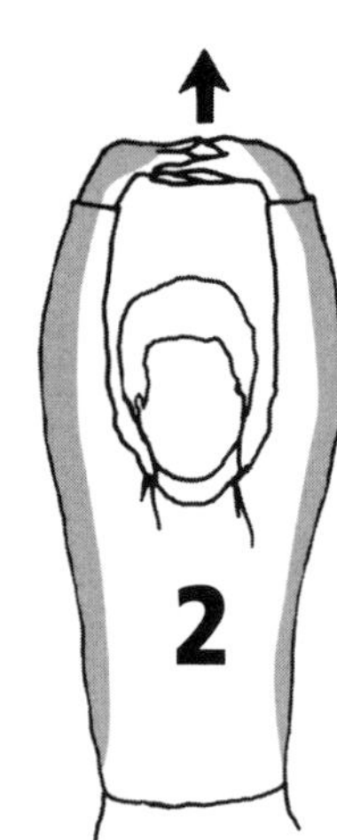

10 à 15 secondes
(page 46)

20 à 30 secondes
(page 55)

5 à 8 secondes
(page 59)

8 à 10 secondes
de chaque côté
(page 60)

10 à 15 secondes
chaque jambe
(page 39)

10 à 15 secondes
(page 65)

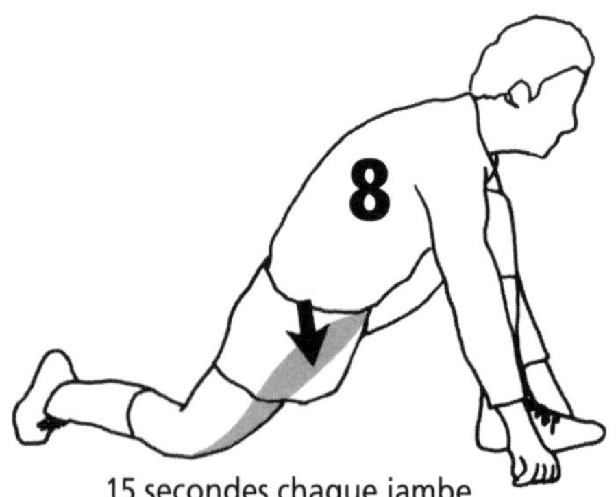

15 secondes chaque jambe
(page 52)

Si vous manquez de temps, limitez-vous aux exercices :

1, 2, 3, 4, 8

2 minutes environ

Après un match

3 minutes environ

Si vous manquez de temps, limitez-vous aux exercices :

1, 3, 4, 5, 6

2 minutes environ

Golf

6 minutes environ

Marchez quelques minutes pour vous échauffer.

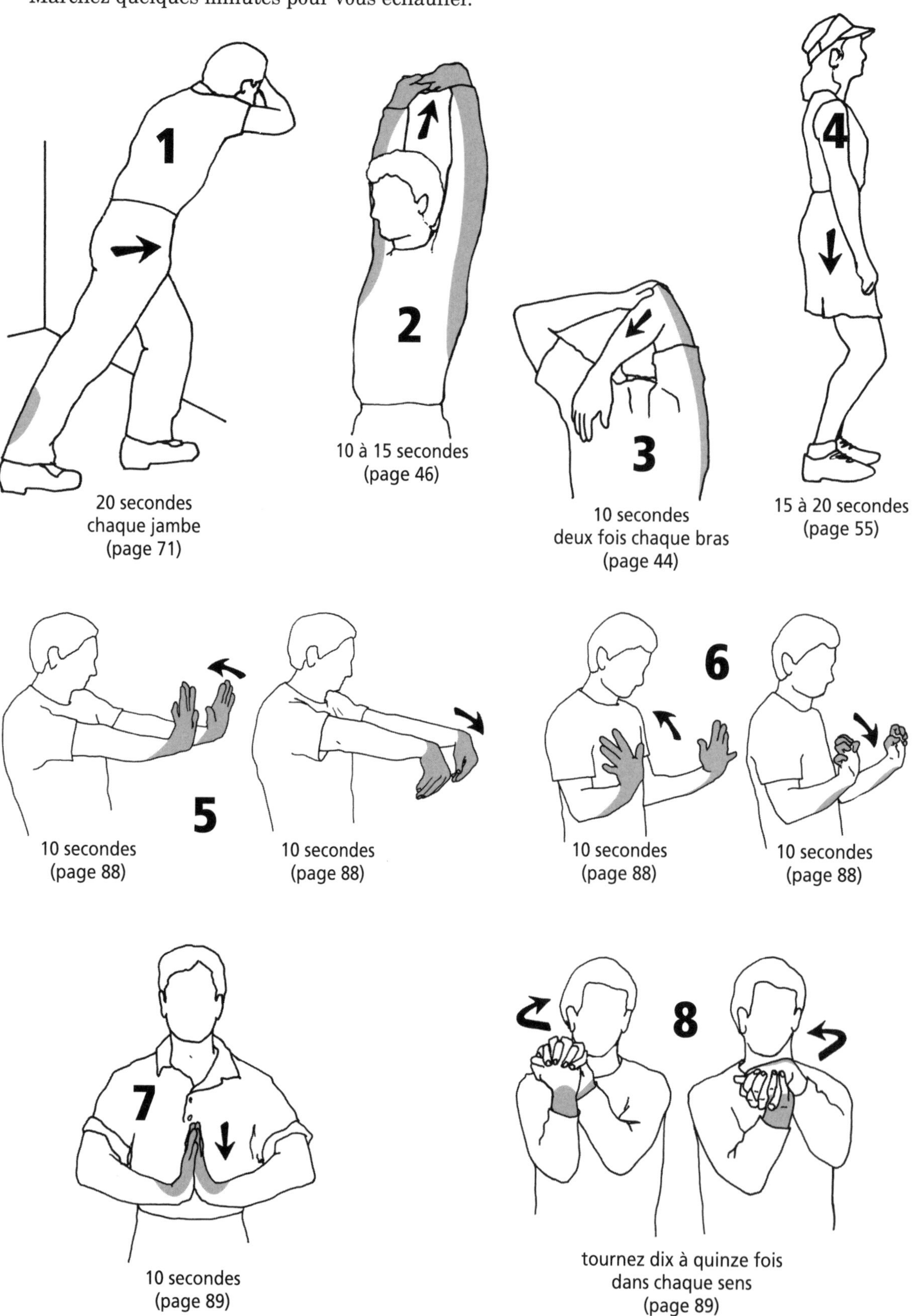

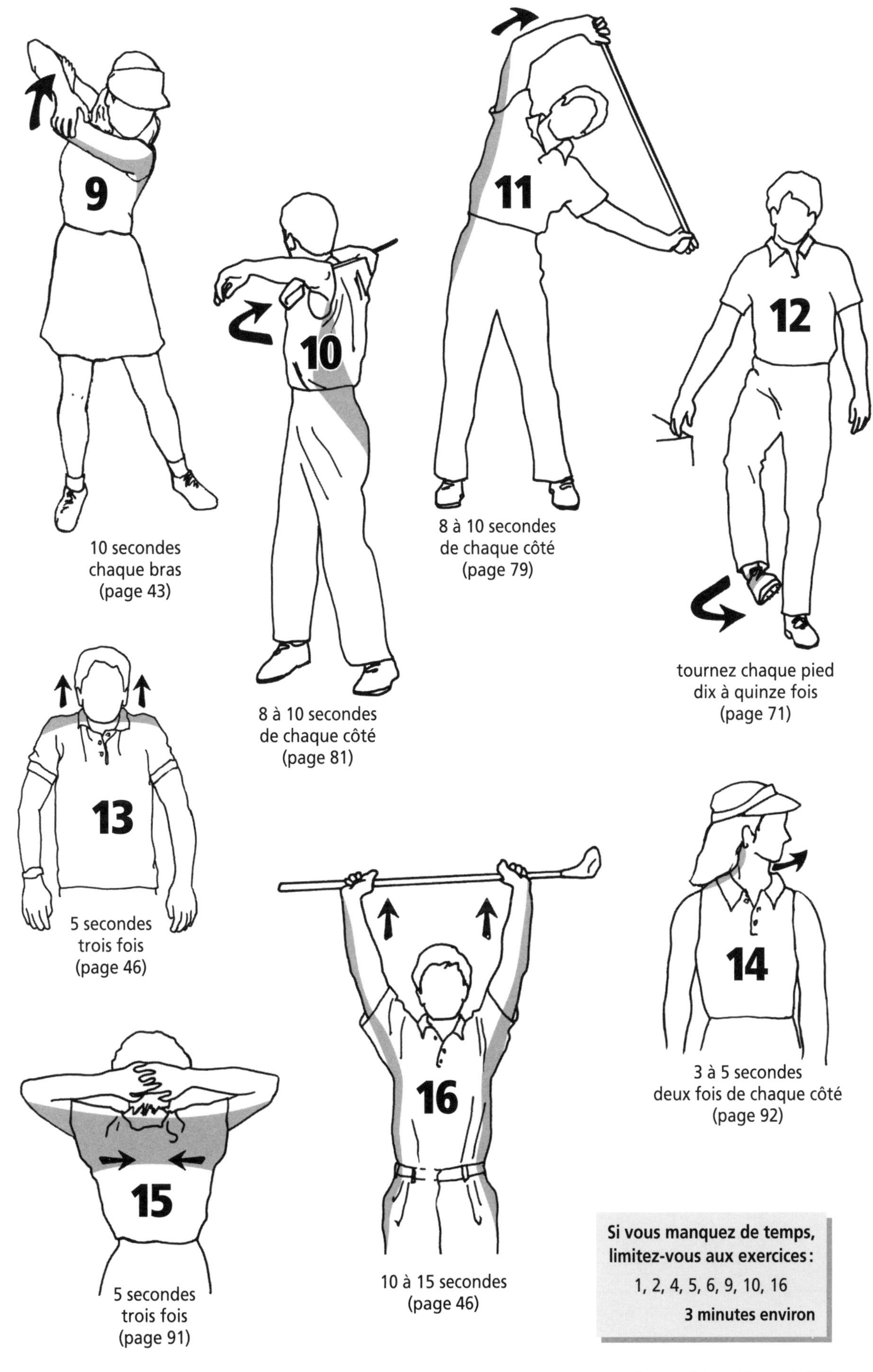

9 — 10 secondes chaque bras (page 43)

10 — 8 à 10 secondes de chaque côté (page 81)

11 — 8 à 10 secondes de chaque côté (page 79)

12 — tournez chaque pied dix à quinze fois (page 71)

13 — 5 secondes trois fois (page 46)

14 — 3 à 5 secondes deux fois de chaque côté (page 92)

15 — 5 secondes trois fois (page 91)

16 — 10 à 15 secondes (page 46)

Si vous manquez de temps, limitez-vous aux exercices :

1, 2, 4, 5, 6, 9, 10, 16

3 minutes environ

Gymnastique

8 minutes environ

Faites une marche ou une course de 4 à 5 minutes comme échauffement préalable.

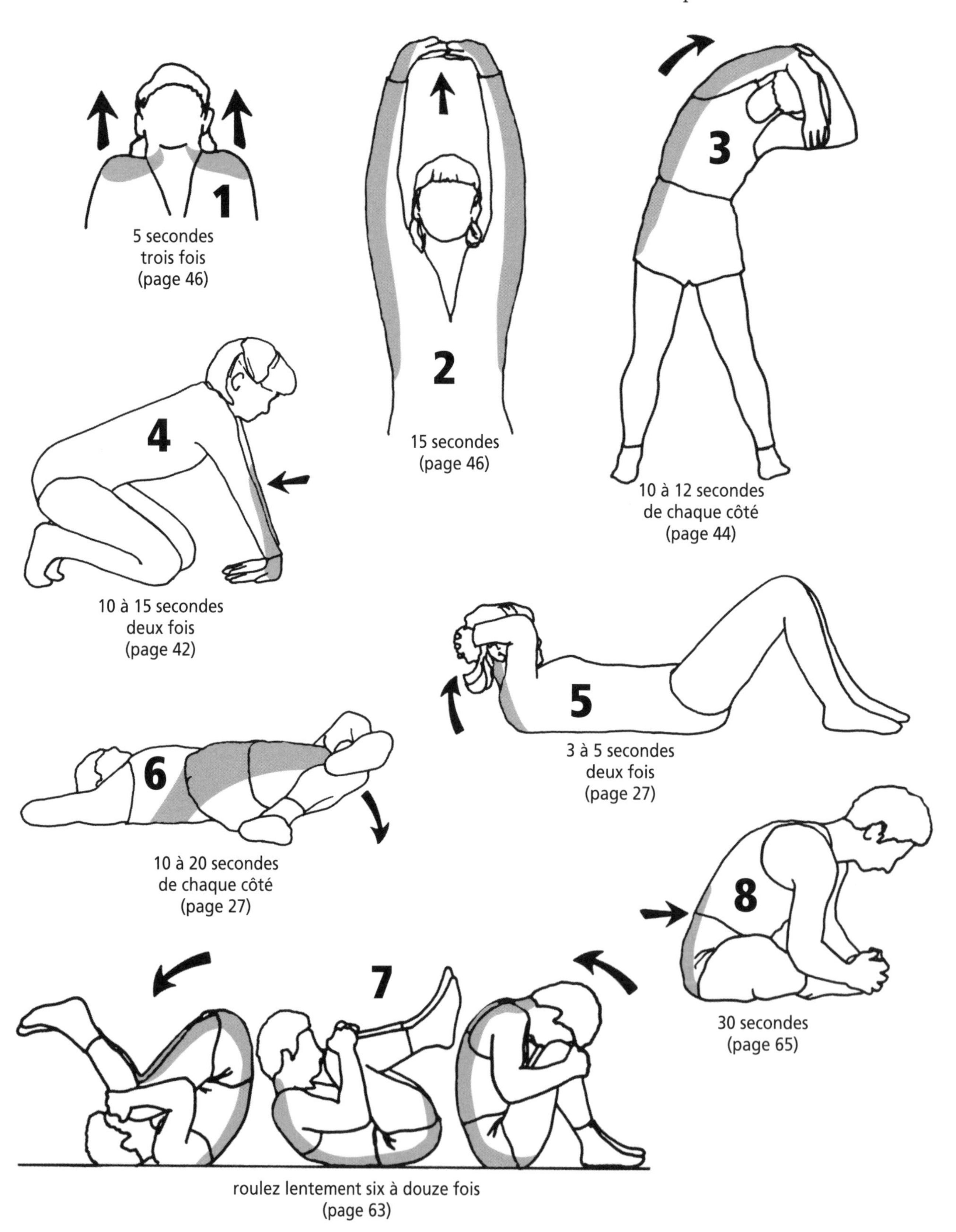

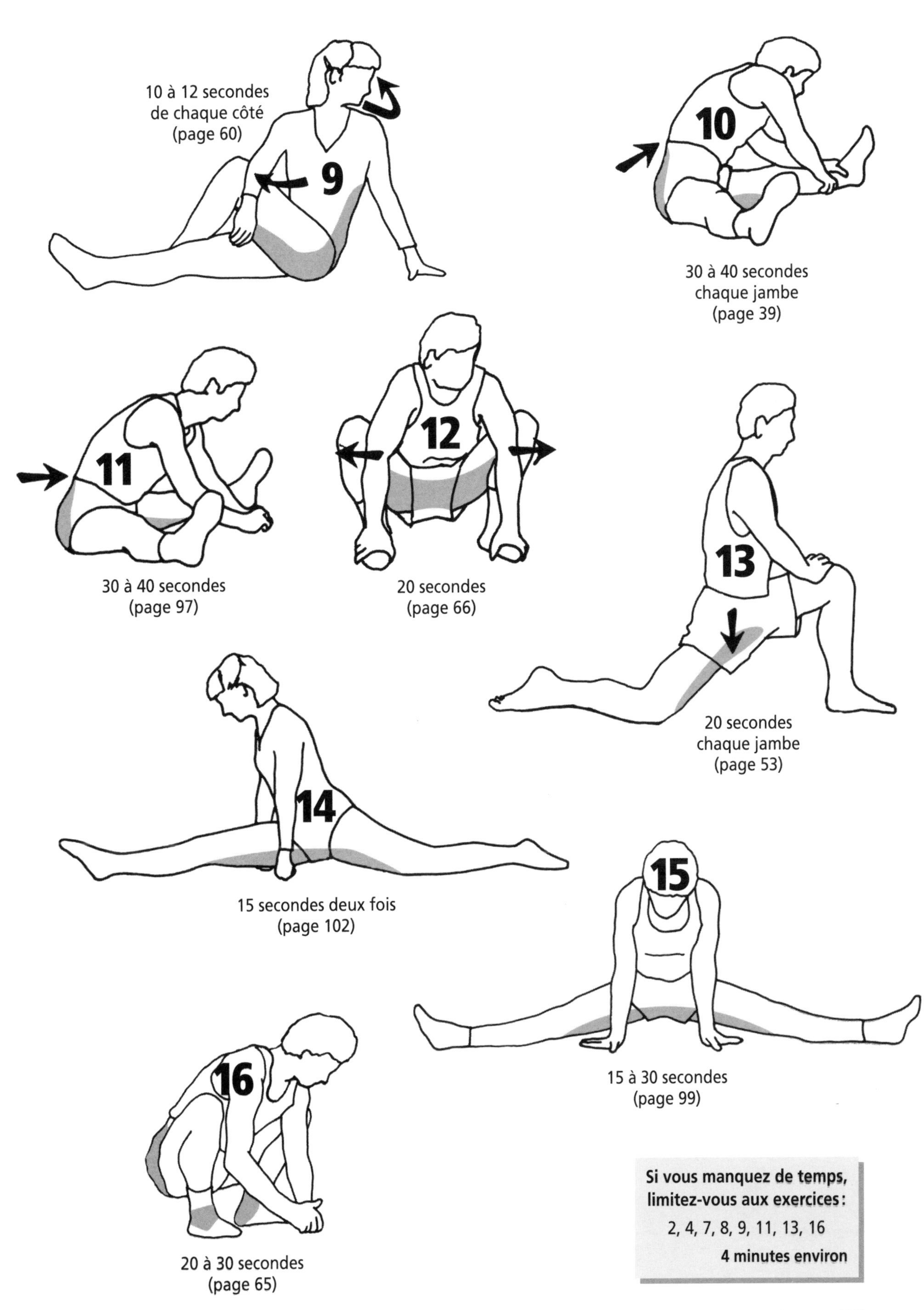

Si vous manquez de temps, limitez-vous aux exercices :

2, 4, 7, 8, 9, 11, 13, 16

4 minutes environ

Haltérophilie

7 minutes environ

Faites une séance de vélo d'appartement de 3 à 5 minutes comme échauffement préalable. Entre deux développés, faites des étirements pour maintenir la circulation du sang.

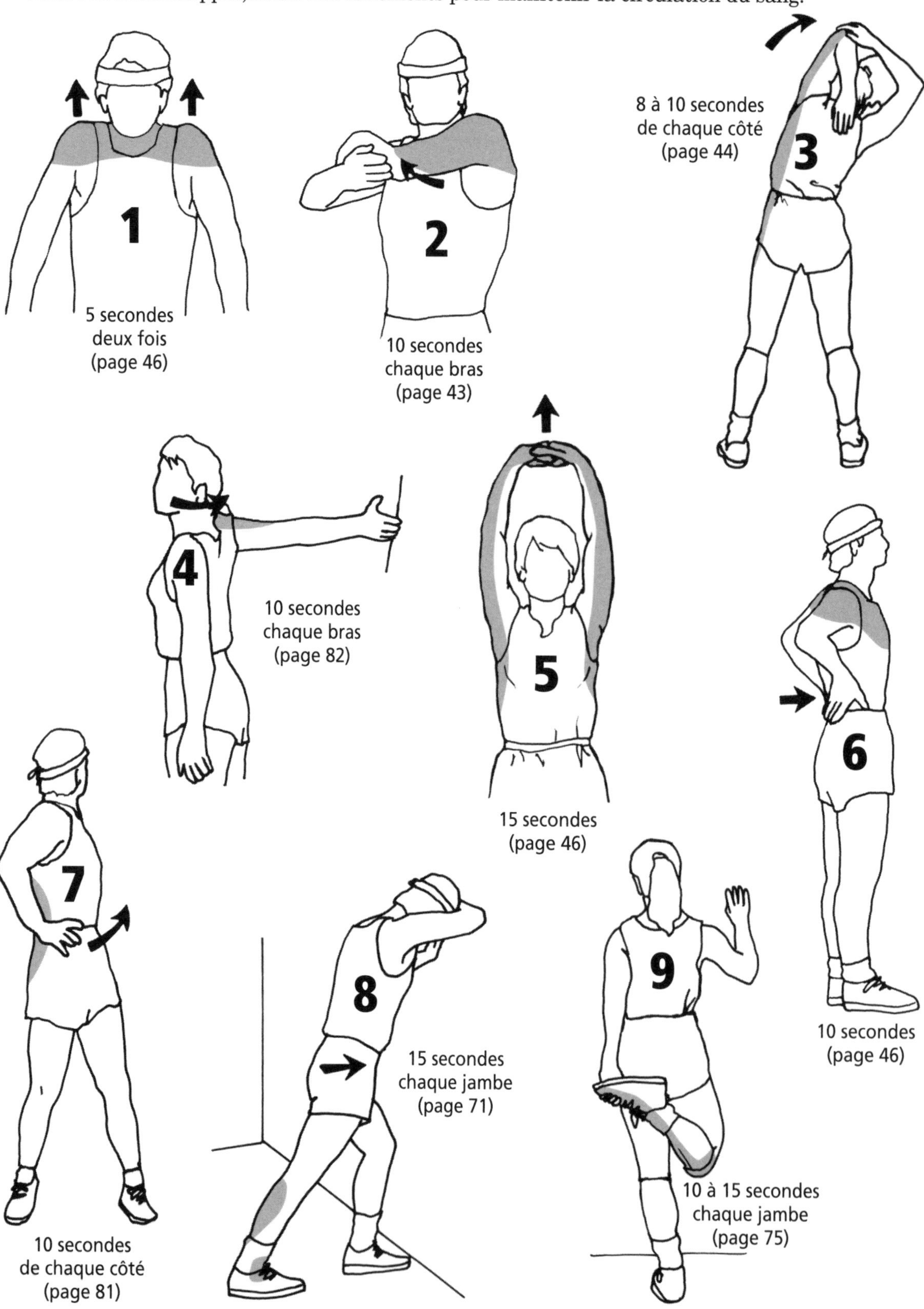

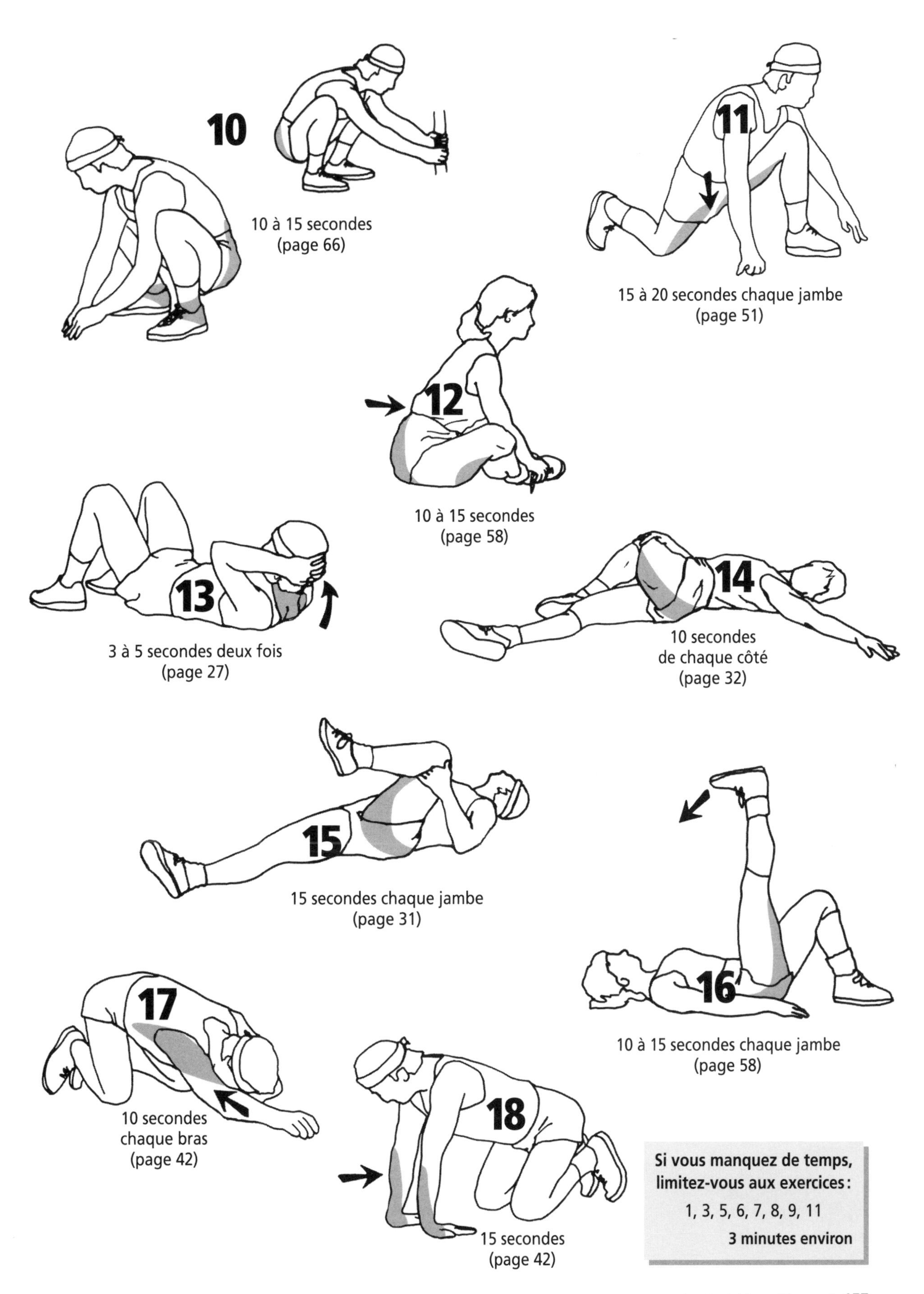
10
10 à 15 secondes
(page 66)
11
15 à 20 secondes chaque jambe
(page 51)
12
10 à 15 secondes
(page 58)
13
3 à 5 secondes deux fois
(page 27)
14
10 secondes
de chaque côté
(page 32)
15
15 secondes chaque jambe
(page 31)
16
10 à 15 secondes chaque jambe
(page 58)
17
10 secondes
chaque bras
(page 42)
18
15 secondes
(page 42)
Si vous manquez de temps,
limitez-vous aux exercices :
1, 3, 5, 6, 7, 8, 9, 11
3 minutes environ

Handball et squash

7 minutes environ

Faites un échauffement préalable de 2 à 4 minutes.

10 à 20 secondes
chaque jambe
(page 51)

15 à 20 secondes
(page 58)

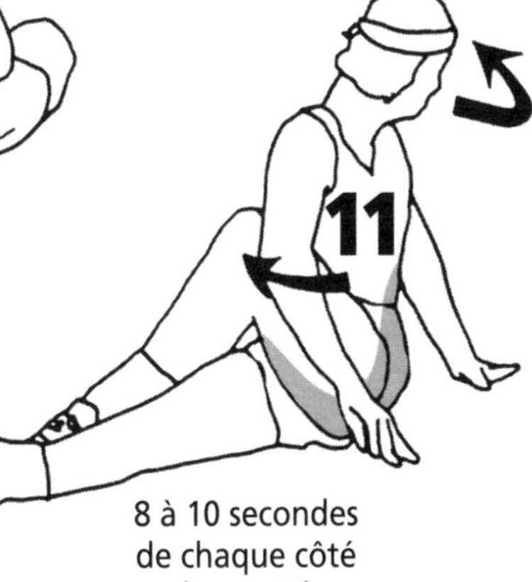

8 à 10 secondes
de chaque côté
(page 60)

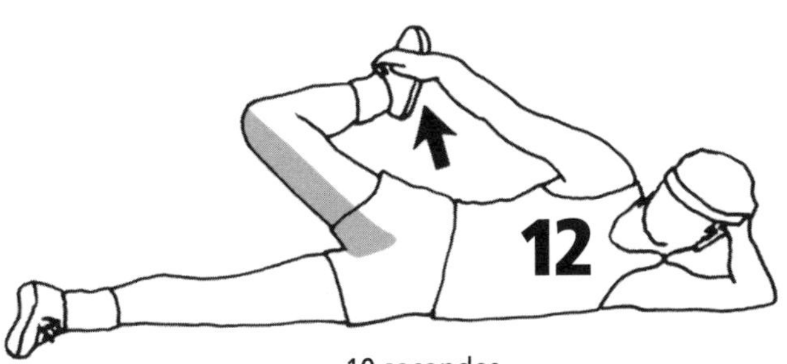

10 secondes
chaque jambe
(page 36)

15 secondes
chaque jambe
(page 39)

10 à 20 secondes
(page 65)

10 à 15 secondes
(page 42)

15 secondes chaque bras
(page 42)

Si vous manquez de temps, limitez-vous aux exercices :

1, 2, 5, 7, 8, 9, 10, 11

4 minutes environ

Hockey sur glace

8 minutes environ

Faites une marche ou une séance de vélo d'appartement de 2 à 4 minutes comme échauffement préalable.

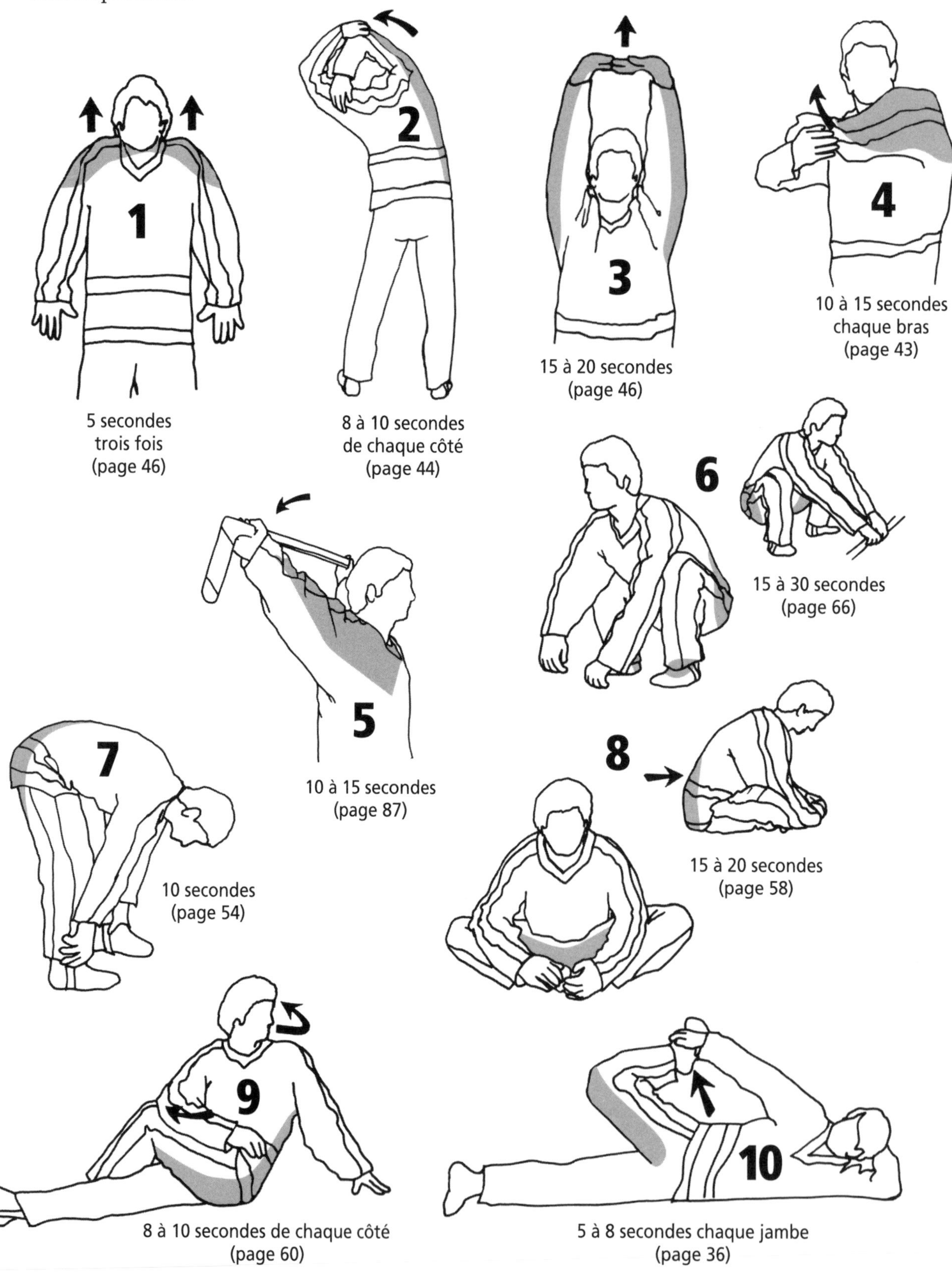

Si vous manquez de temps, limitez-vous aux exercices :

1, 3, 4, 5, 6, 7, 18, 19, 20

4 minutes environ

Kayak

7 minutes environ

Marchez quelques minutes pour vous échauffer.

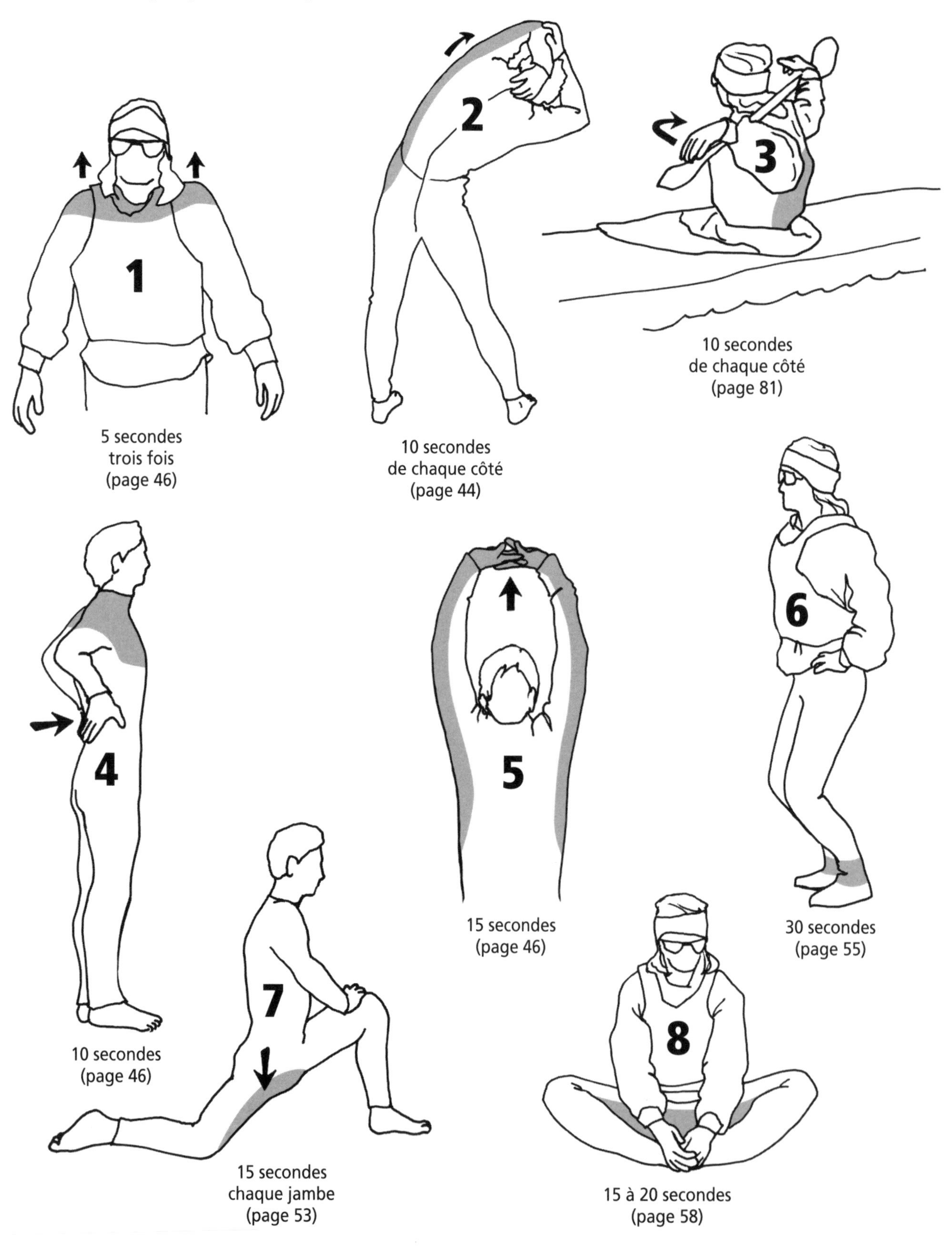

8 à 10 secondes
de chaque côté
(page 60)

10 à 15 secondes
chaque jambe
(page 40)

3 à 5 secondes
deux fois
(page 27)

15 secondes
chaque jambe
(page 31)

15 à 20 secondes de chaque côté
(page 27)

20 secondes
chaque bras
(page 42)

10 à 20 secondes
(page 42)

15 secondes
(page 58)

Si vous manquez de temps, limitez-vous aux exercices :

1, 3, 4, 5, 6, 7, 8, 9, 15, 16

4 minutes environ

Lutte

6 minutes environ

Faites un jogging de 2 à 3 minutes comme échauffement préalable.

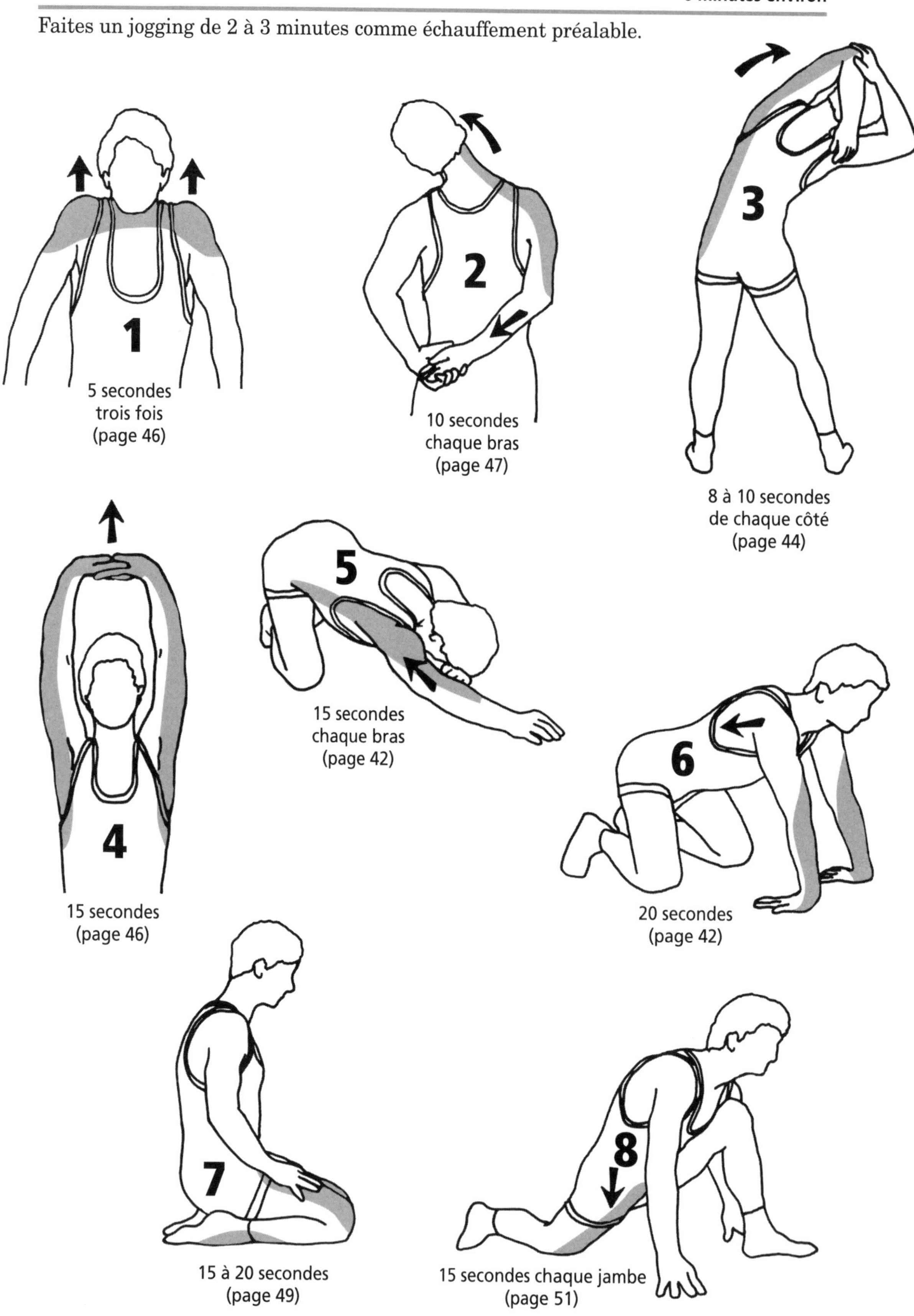

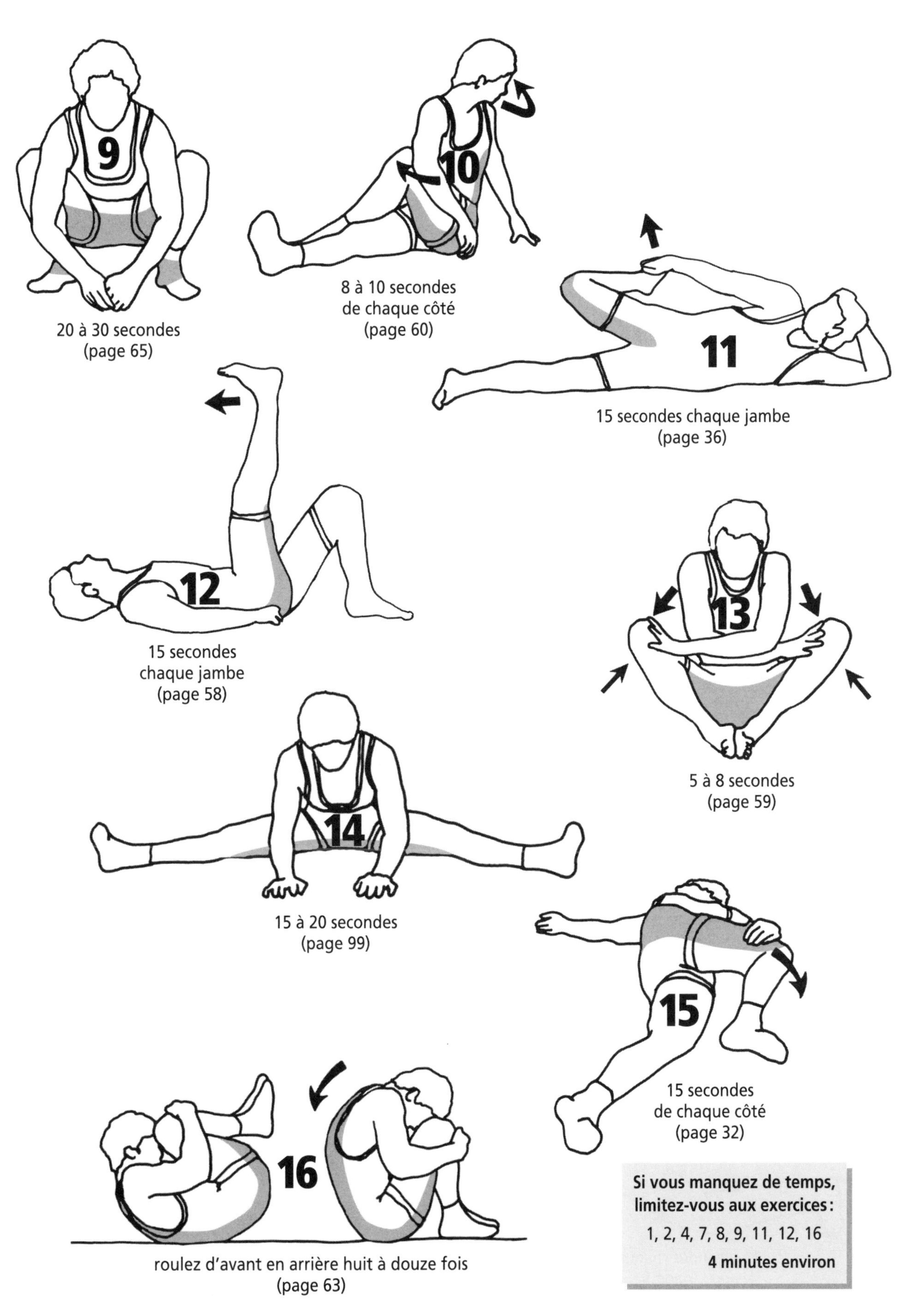

Si vous manquez de temps, limitez-vous aux exercices :

1, 2, 4, 7, 8, 9, 11, 12, 16

4 minutes environ

Moto-cross

6 minutes environ

Marchez quelques minutes pour vous échauffer.

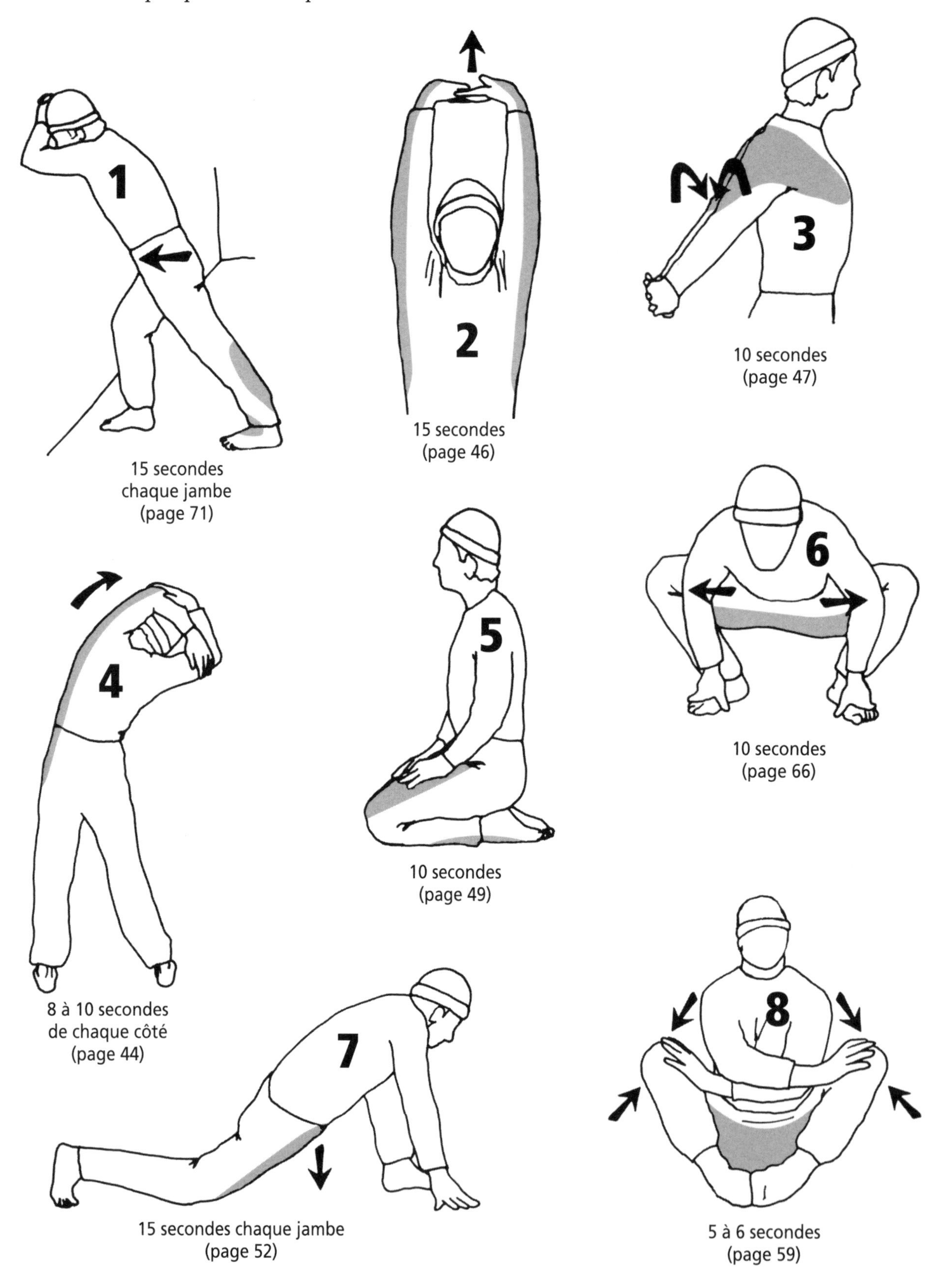

1 : 15 secondes chaque jambe (page 71)

2 : 15 secondes (page 46)

3 : 10 secondes (page 47)

4 : 8 à 10 secondes de chaque côté (page 44)

5 : 10 secondes (page 49)

6 : 10 secondes (page 66)

7 : 15 secondes chaque jambe (page 52)

8 : 5 à 6 secondes (page 59)

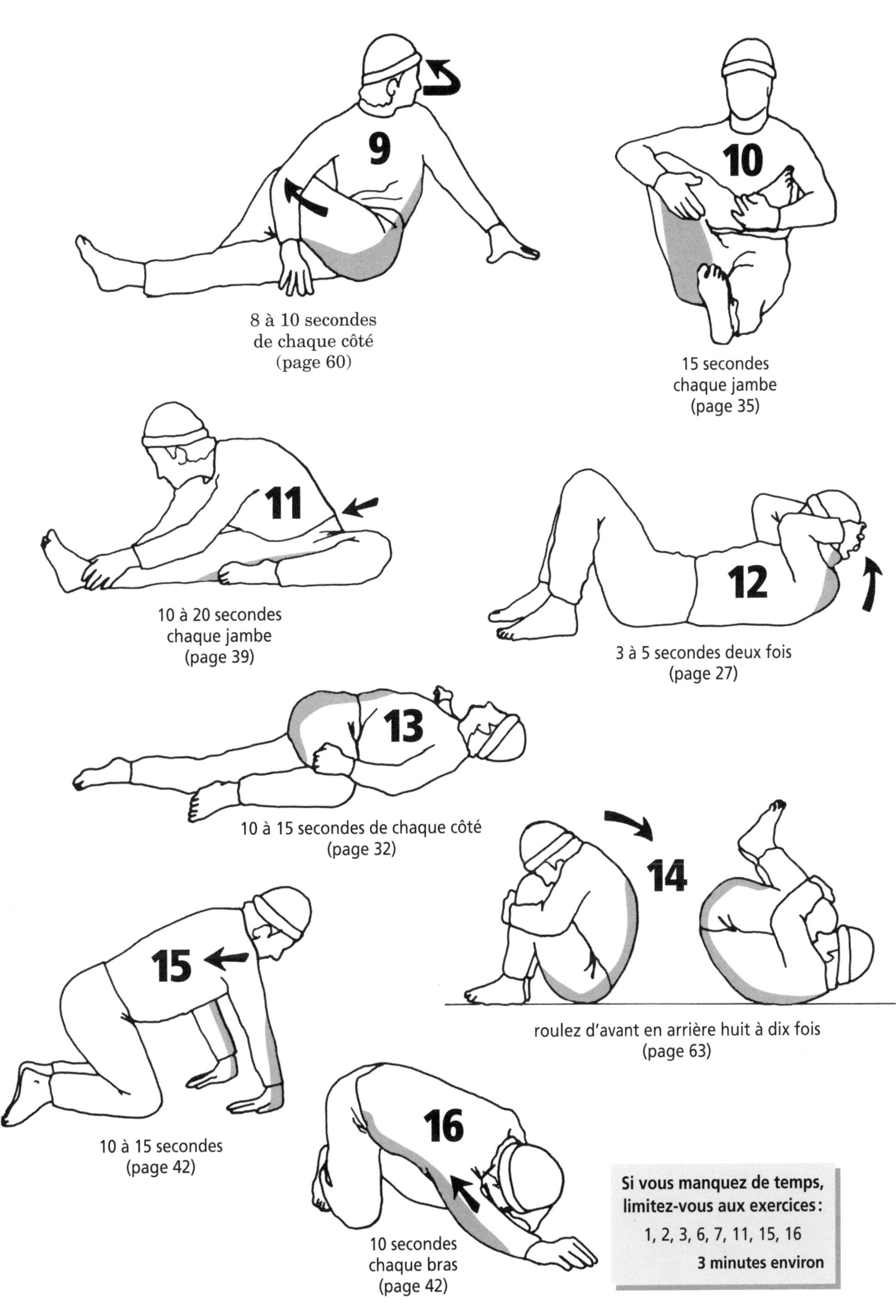

Si vous manquez de temps, limitez-vous aux exercices :

1, 2, 3, 6, 7, 11, 15, 16

3 minutes environ

Natation

5 minutes environ

Marchez quelques minutes pour vous échauffer.

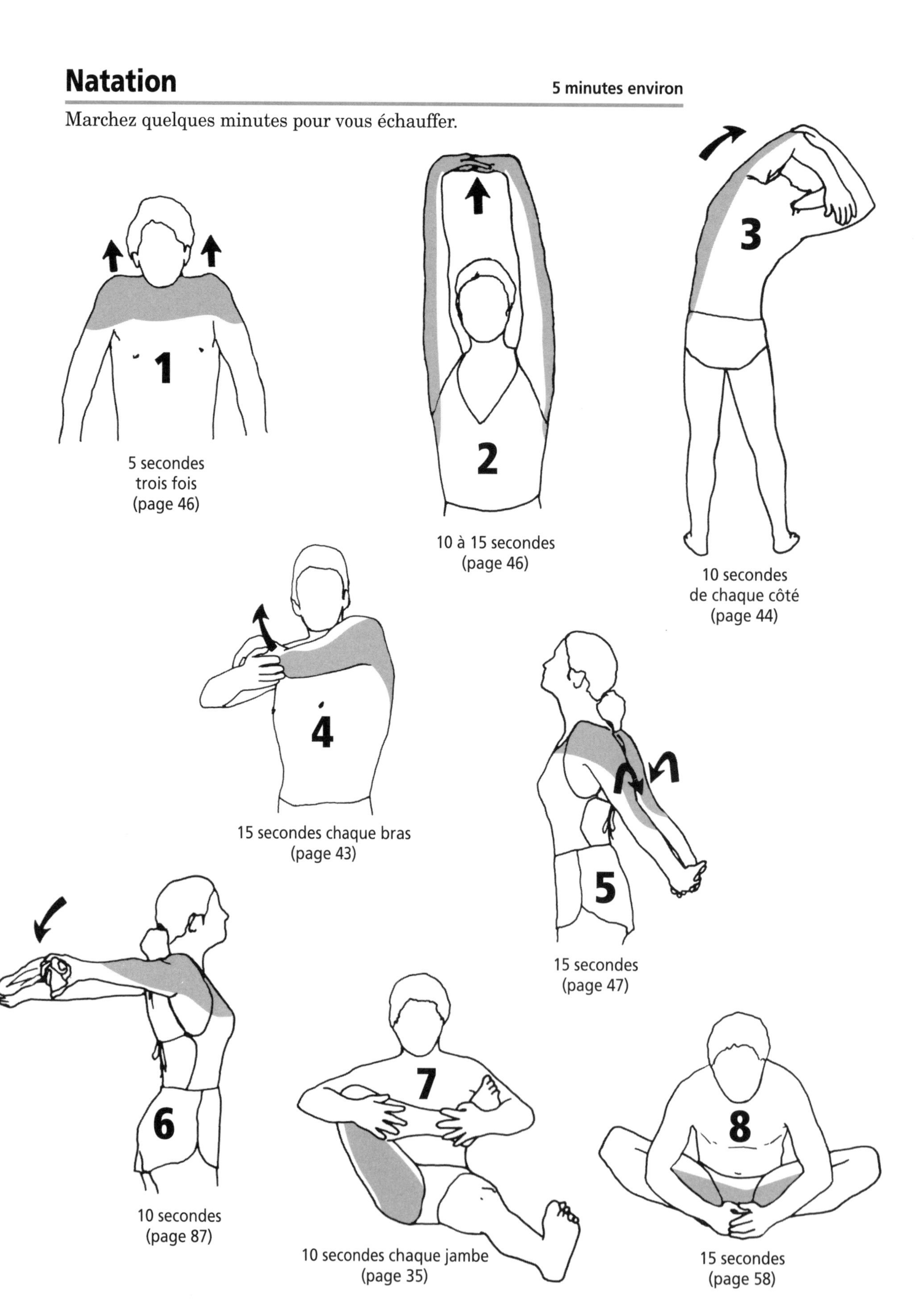

1. 5 secondes trois fois (page 46)

2. 10 à 15 secondes (page 46)

3. 10 secondes de chaque côté (page 44)

4. 15 secondes chaque bras (page 43)

5. 15 secondes (page 47)

6. 10 secondes (page 87)

7. 10 secondes chaque jambe (page 35)

8. 15 secondes (page 58)

3 à 5 secondes deux fois
(page 27)

8 à 10 secondes de chaque côté
(page 60)

10 secondes de chaque côté
(page 32)

5 secondes deux fois
(page 30)

15 secondes
(page 49)

15 secondes chaque jambe
(page 51)

15 secondes
(page 65)

15 secondes chaque jambe
(page 71)

Si vous manquez de temps, limitez-vous aux exercices :

2, 4, 5, 13, 14, 15

2 minutes environ

Patinage artistique

8 minutes environ

Faites un échauffement préalable de 4 à 5 minutes.

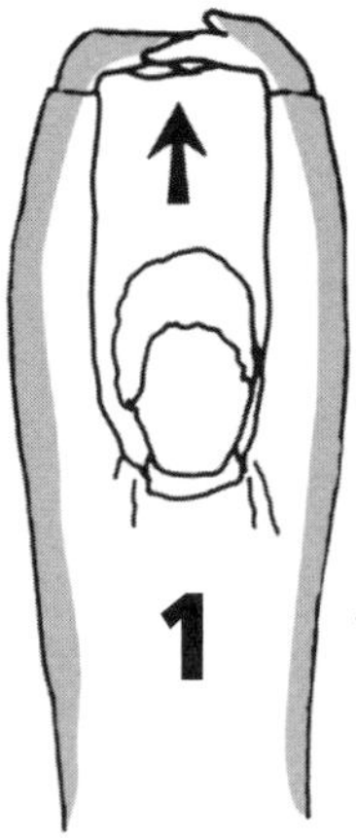

1 — 15 à 20 secondes (page 90)

2 — 10 à 12 secondes de chaque côté (page 44)

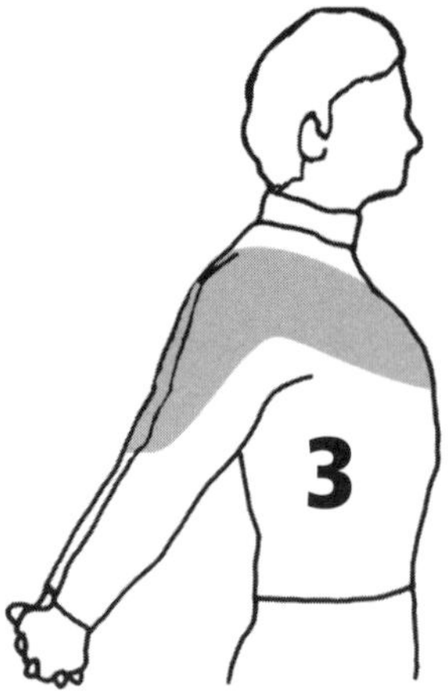

3 — 10 à 15 secondes deux fois (page 47)

4 — 15 à 20 secondes chaque jambe (page 71)

5 — 10 à 15 secondes chaque jambe (page 75)

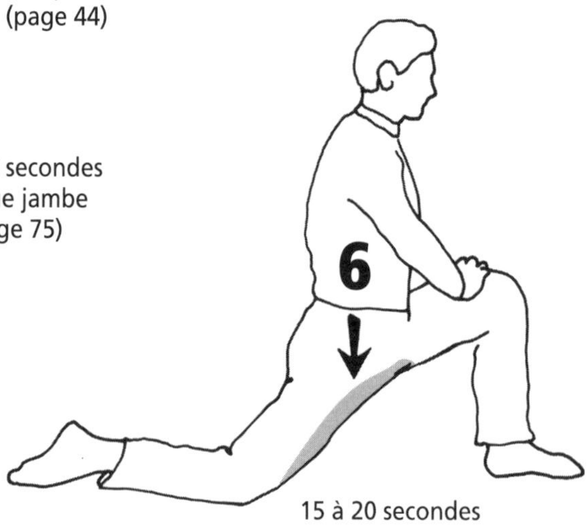

6 — 15 à 20 secondes chaque jambe (page 53)

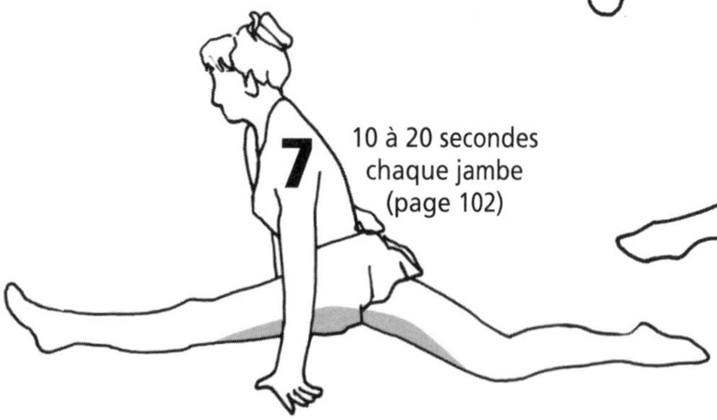

7 — 10 à 20 secondes chaque jambe (page 102)

8 — 10 à 30 secondes (page 102)

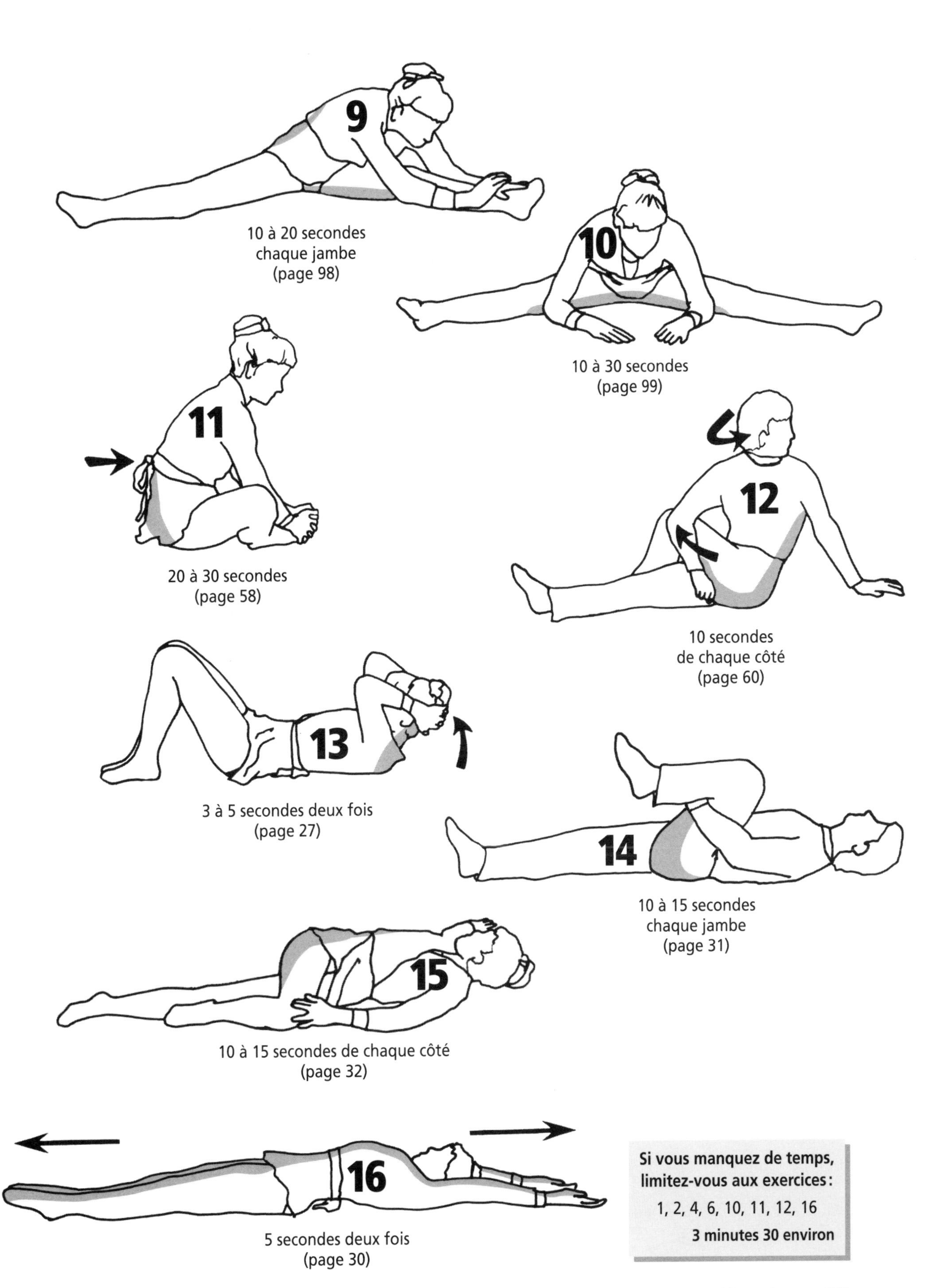

Si vous manquez de temps, limitez-vous aux exercices :

1, 2, 4, 6, 10, 11, 12, 16

3 minutes 30 environ

Patinage de vitesse

6 minutes environ

Marchez quelques minutes pour vous échauffer.

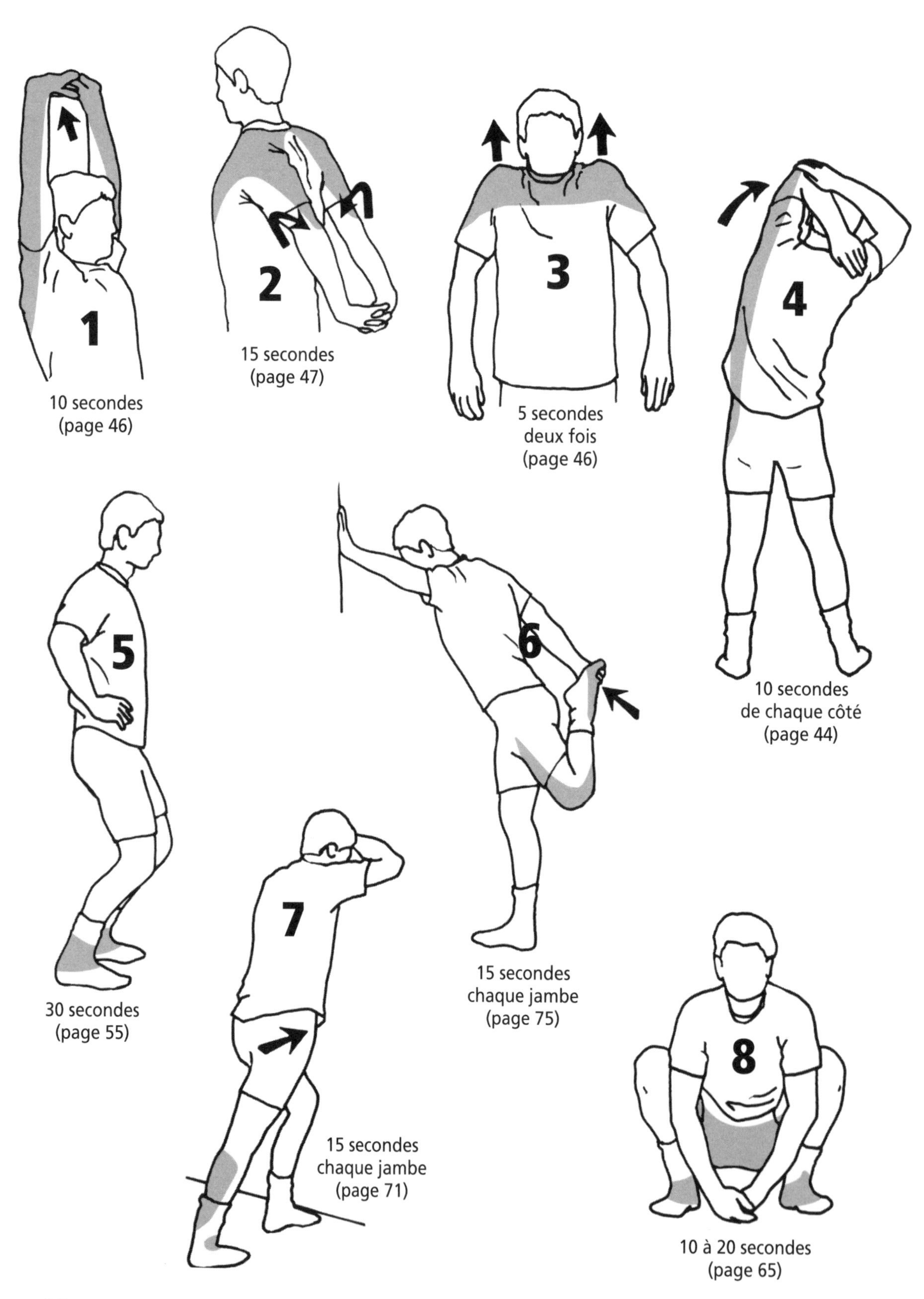

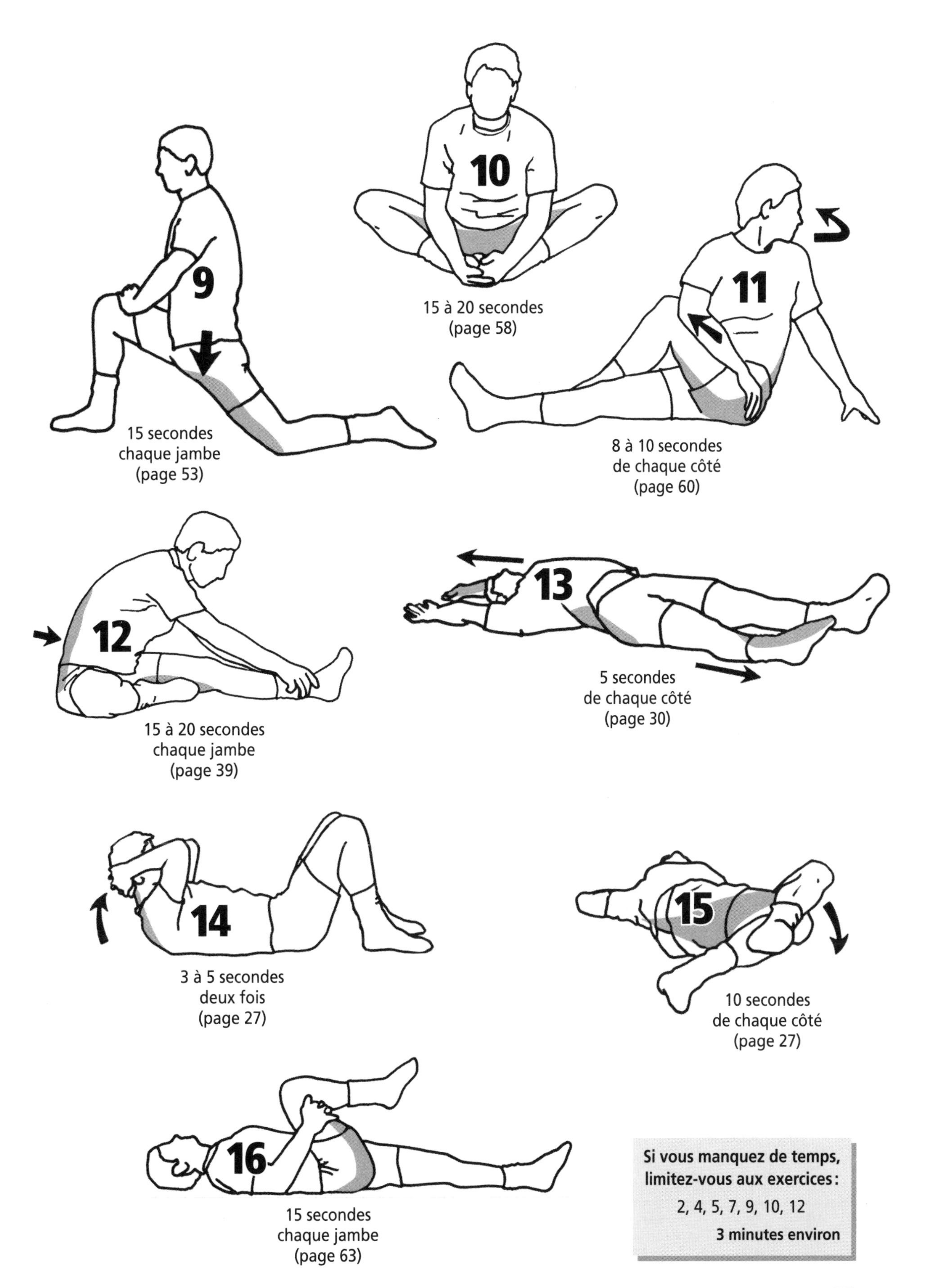
9
15 secondes
chaque jambe
(page 53)
10
15 à 20 secondes
(page 58)
11
8 à 10 secondes
de chaque côté
(page 60)
12
15 à 20 secondes
chaque jambe
(page 39)
13
5 secondes
de chaque côté
(page 30)
14
3 à 5 secondes
deux fois
(page 27)
15
10 secondes
de chaque côté
(page 27)
16
15 secondes
chaque jambe
(page 63)
Si vous manquez de temps,
limitez-vous aux exercices :
2, 4, 5, 7, 9, 10, 12
3 minutes environ

Planche à voile

6 minutes environ

Marchez quelques minutes pour vous échauffer.

1. 10 secondes chaque bras (page 42)
2. 15 à 20 secondes (page 42)
3. 20 à 30 secondes (page 58)
4. 8 à 10 secondes de chaque côté (page 60)
5. 10 secondes chaque jambe (page 36)
6. 10 à 20 secondes chaque jambe (page 39)
7. 3 à 5 secondes deux fois (page 28)
8. 3 à 5 secondes deux fois (page 27)

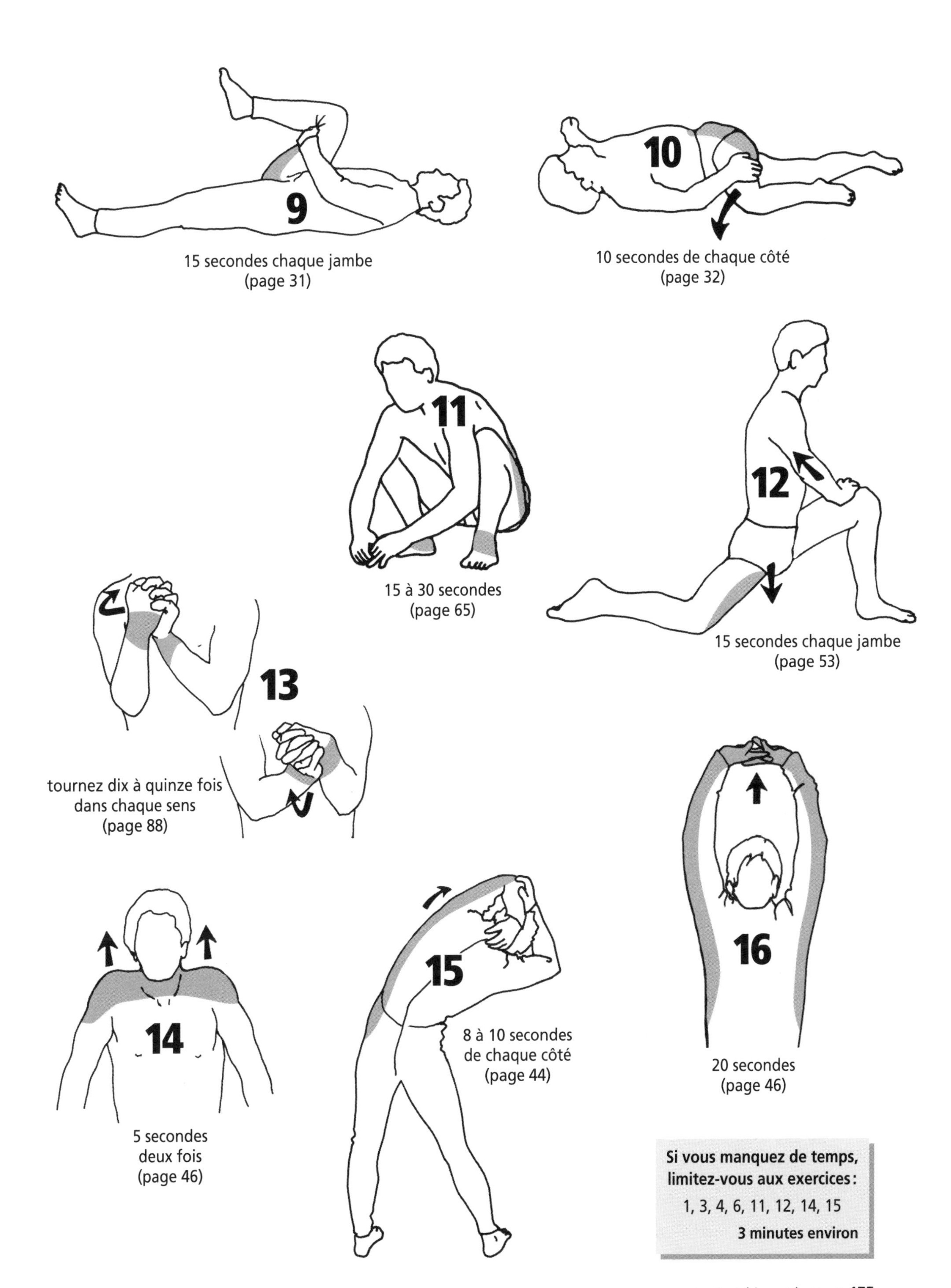

Si vous manquez de temps, limitez-vous aux exercices :

1, 3, 4, 6, 11, 12, 14, 15

3 minutes environ

Randonnée

7 minutes environ

tournez chaque pied dix à quinze fois (page 71)

15 à 20 secondes chaque jambe (page 71)

10 à 15 secondes chaque jambe (page 75)

10 secondes chaque jambe (page 53)

15 à 30 secondes (page 66)

10 à 20 secondes (page 81)

8 à 10 secondes chaque bras (page 44)

3 à 5 secondes plusieurs fois (page 46)

9 — 15 secondes (page 46)

10 — 10 à 15 secondes (page 47)

11 — 8 à 10 secondes de chaque côté (page 47)

12 — 10 secondes deux fois (page 46)

13 — 10 secondes de chaque côté (page 81)

14 — 10 à 15 secondes chaque jambe (page 73)

15 — 15 à 30 secondes (page 55)

16 — 10 à 15 secondes (page 54)

Si vous manquez de temps, limitez-vous aux exercices :

2, 4, 6, 8, 12, 13, 15

3 minutes environ

Rugby

6 minutes environ

Faites un tour de terrain comme échauffement préalable.

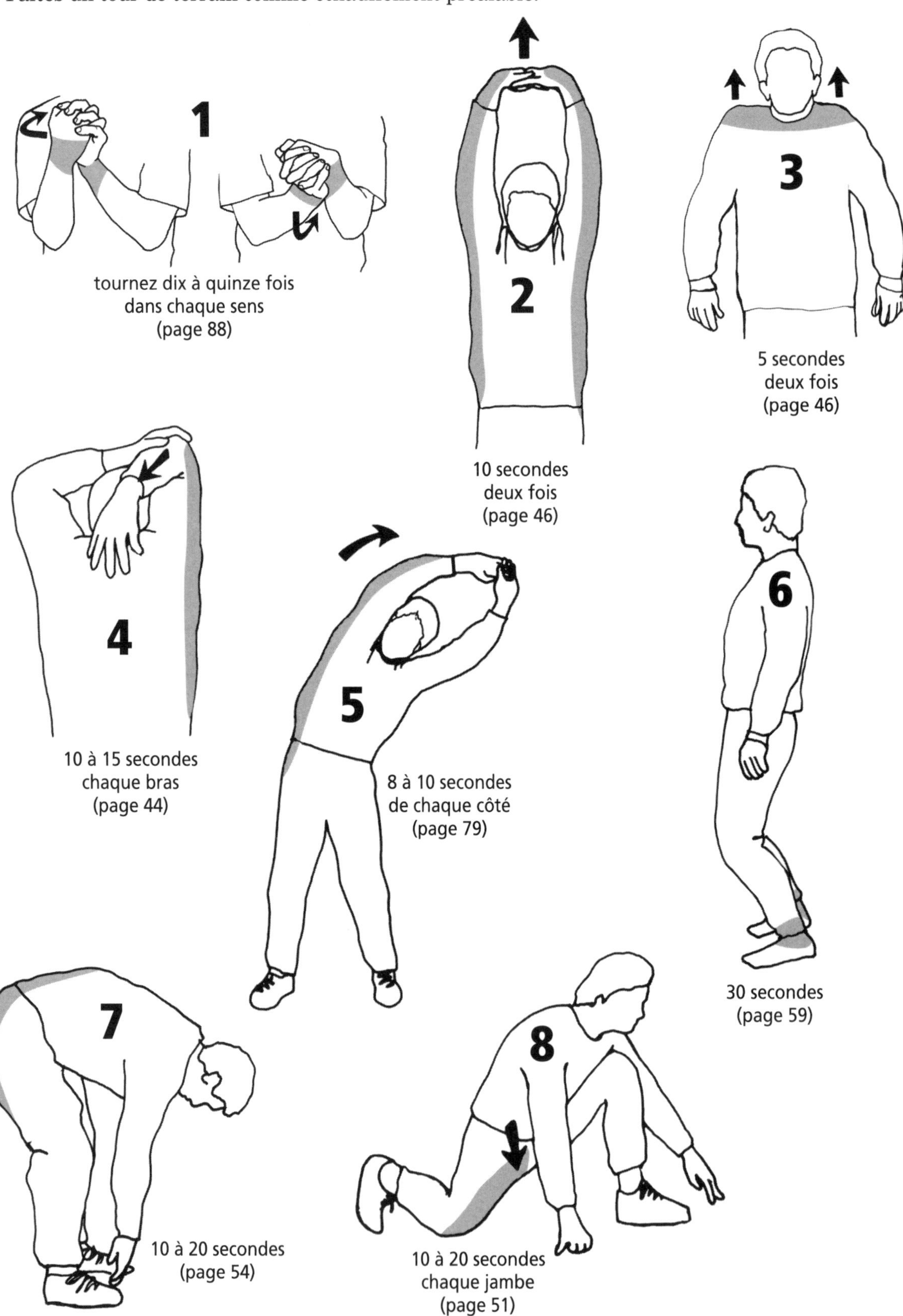

Si vous manquez de temps, limitez-vous aux exercices :

3, 4, 5, 6, 8, 9, 10, 14, 15

3 minutes 30 environ

Ski alpin

3 minutes environ

Marchez quelques minutes pour vous échauffer.

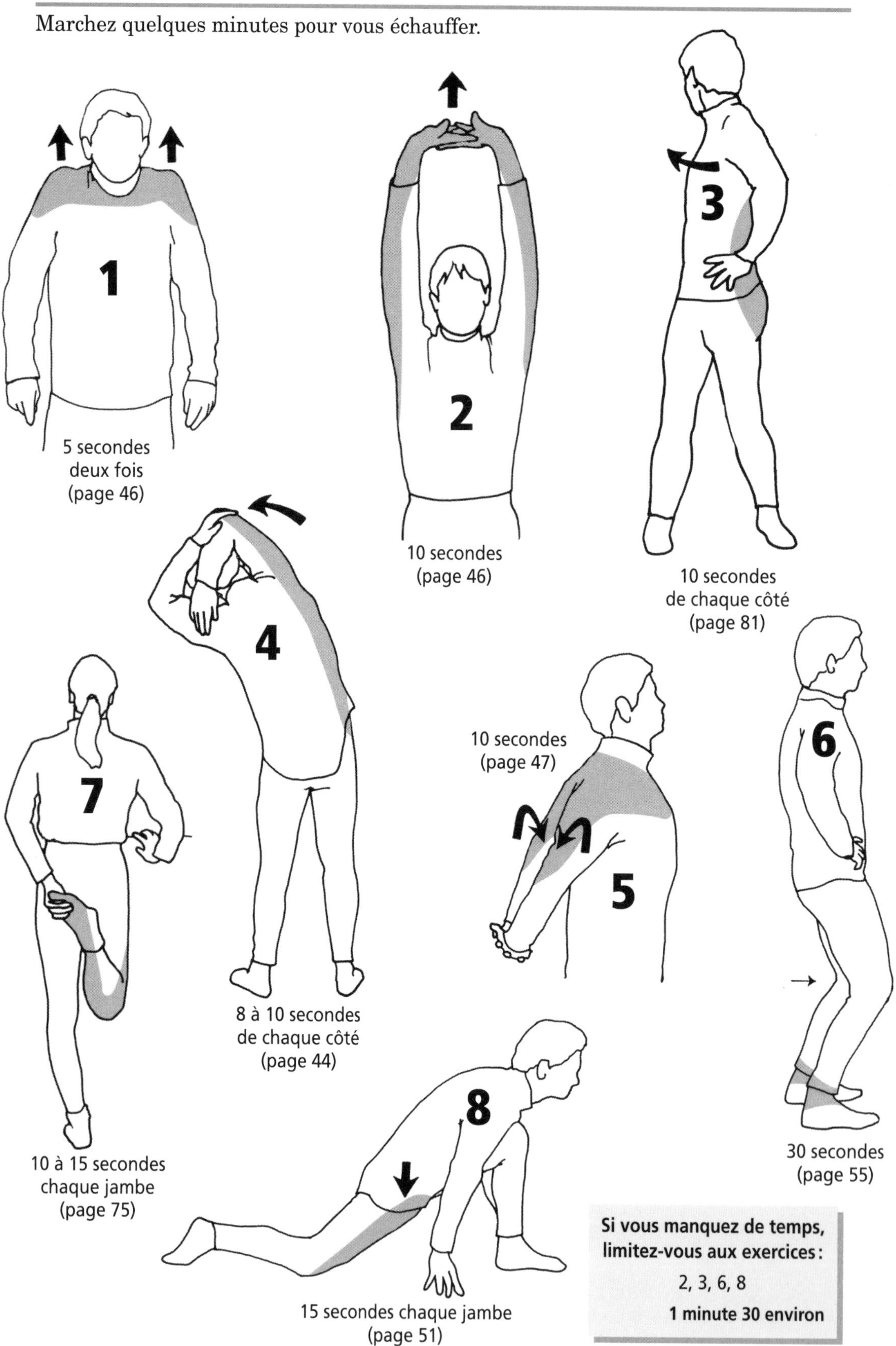

Si vous manquez de temps, limitez-vous aux exercices :

2, 3, 6, 8

1 minute 30 environ

Après l'effort

3 minutes environ

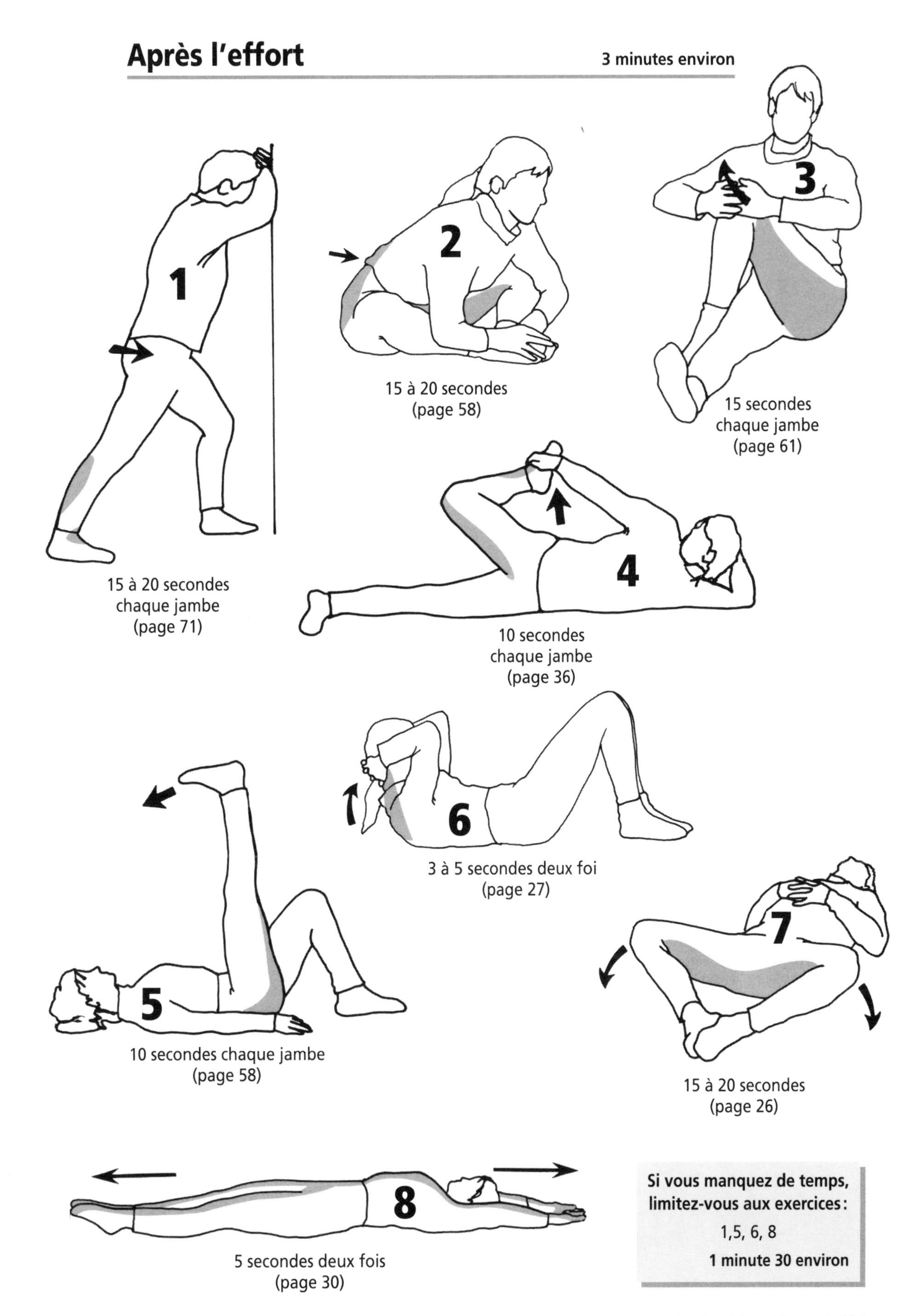

Si vous manquez de temps, limitez-vous aux exercices :

1,5, 6, 8

1 minute 30 environ

Ski de fond

3 minutes environ

Marchez quelques minutes pour vous échauffer.

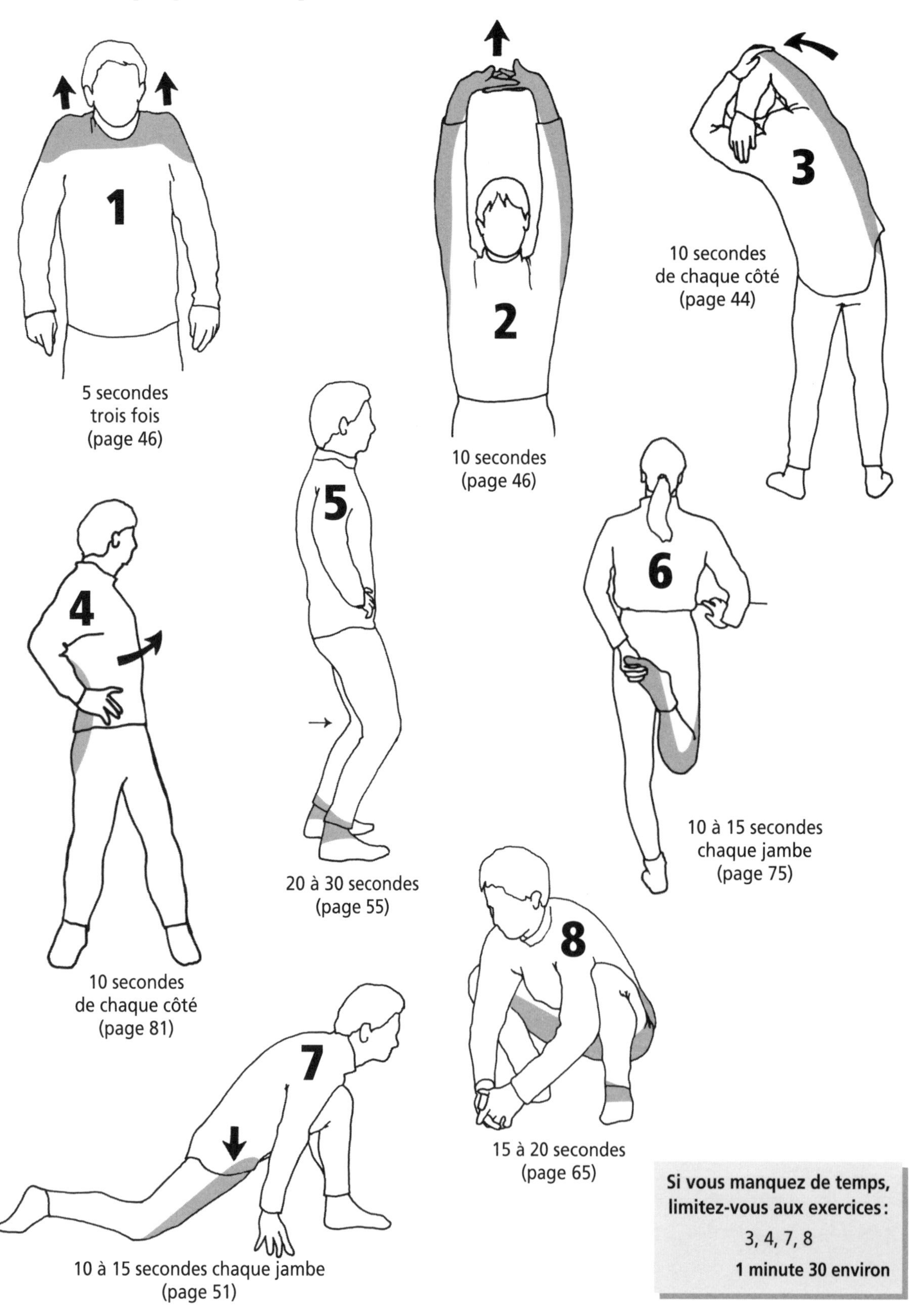

Si vous manquez de temps, limitez-vous aux exercices :

3, 4, 7, 8

1 minute 30 environ

Après l'effort

4 minutes environ

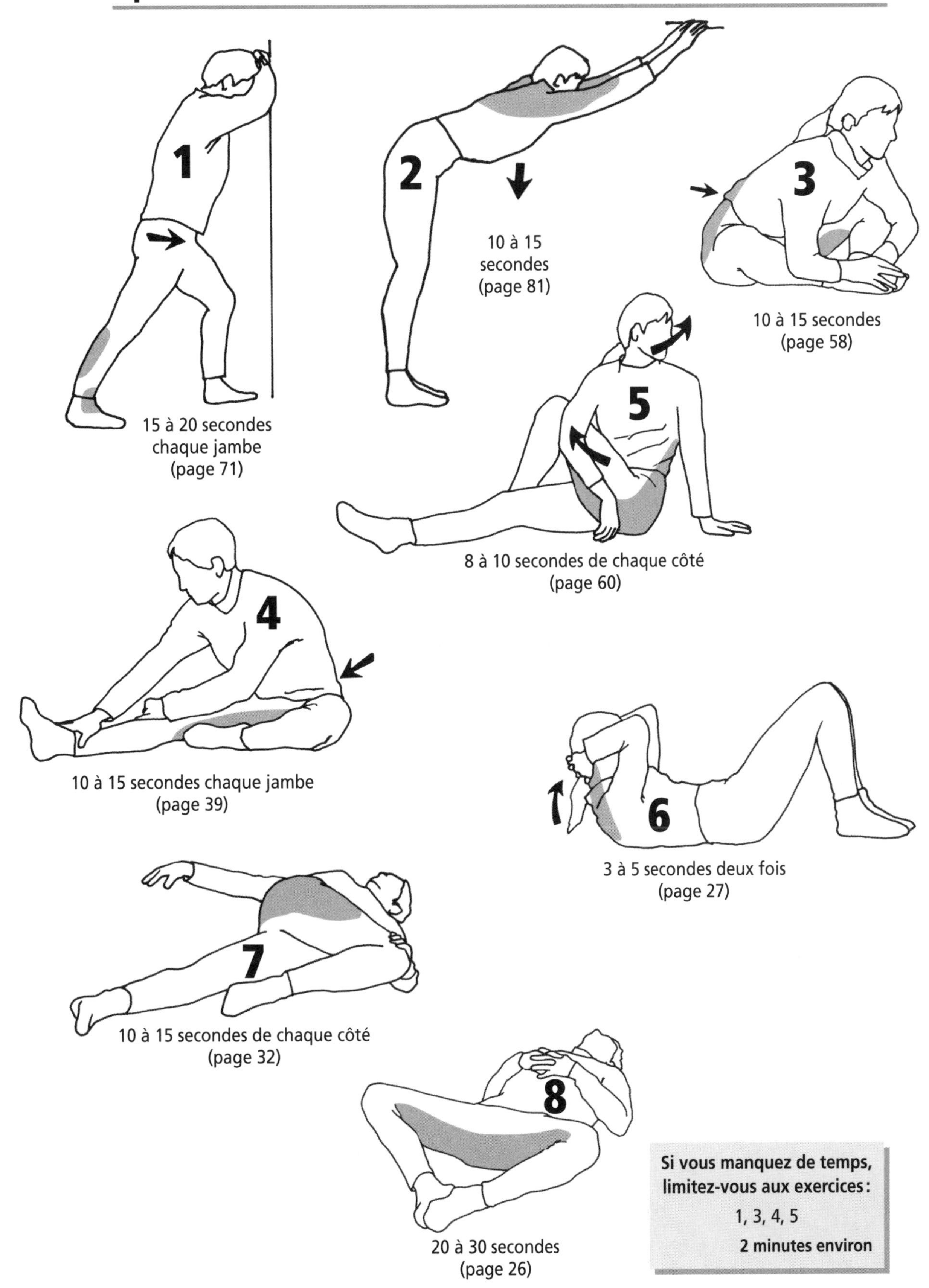

Si vous manquez de temps, limitez-vous aux exercices :

1, 3, 4, 5

2 minutes environ

Snowboard

5 minutes environ

Marchez quelques minutes pour vous échauffer.

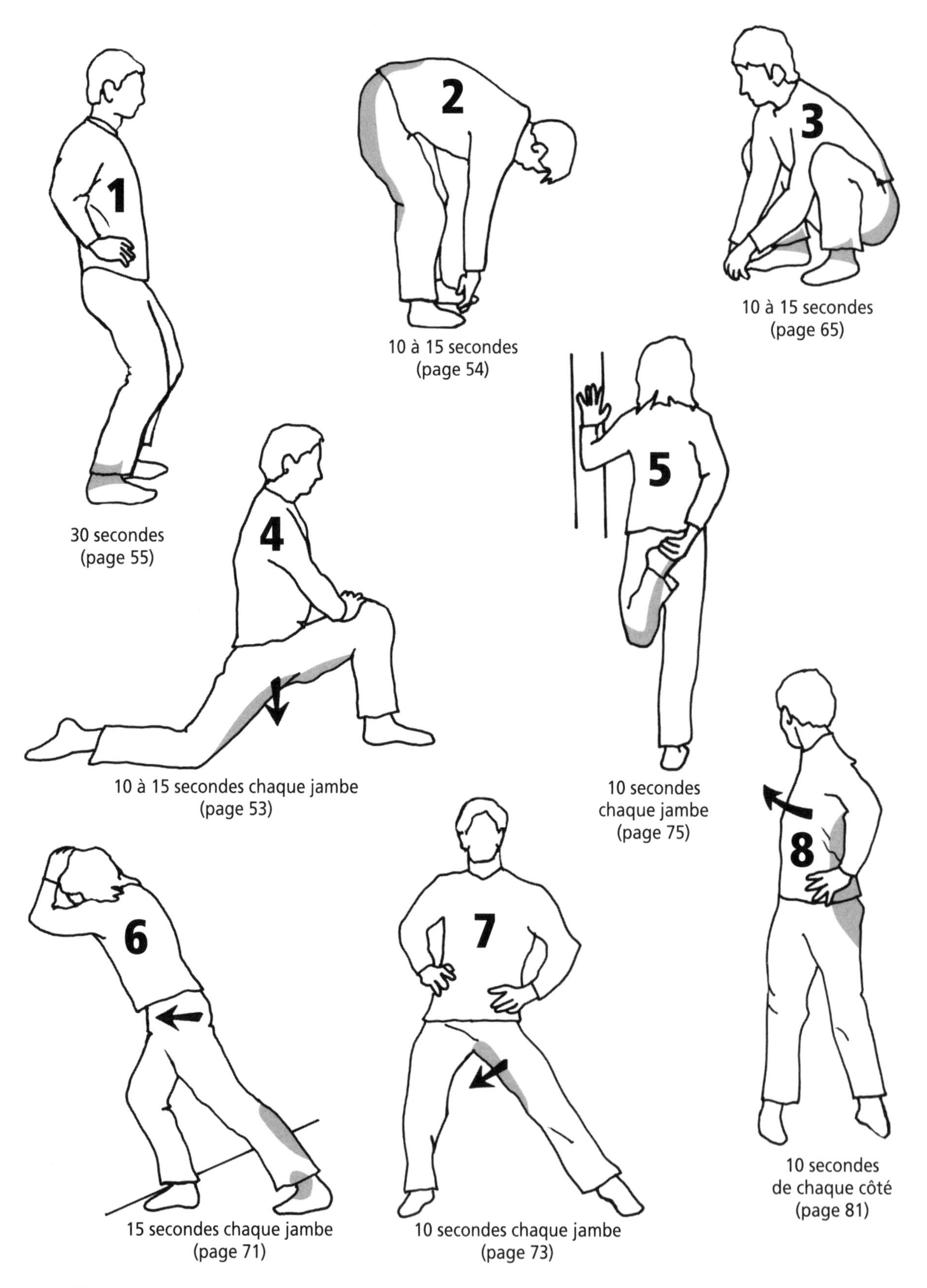

30 secondes
(page 55)

10 à 15 secondes
(page 54)

10 à 15 secondes
(page 65)

10 à 15 secondes chaque jambe
(page 53)

10 secondes
chaque jambe
(page 75)

15 secondes chaque jambe
(page 71)

10 secondes chaque jambe
(page 73)

10 secondes
de chaque côté
(page 81)

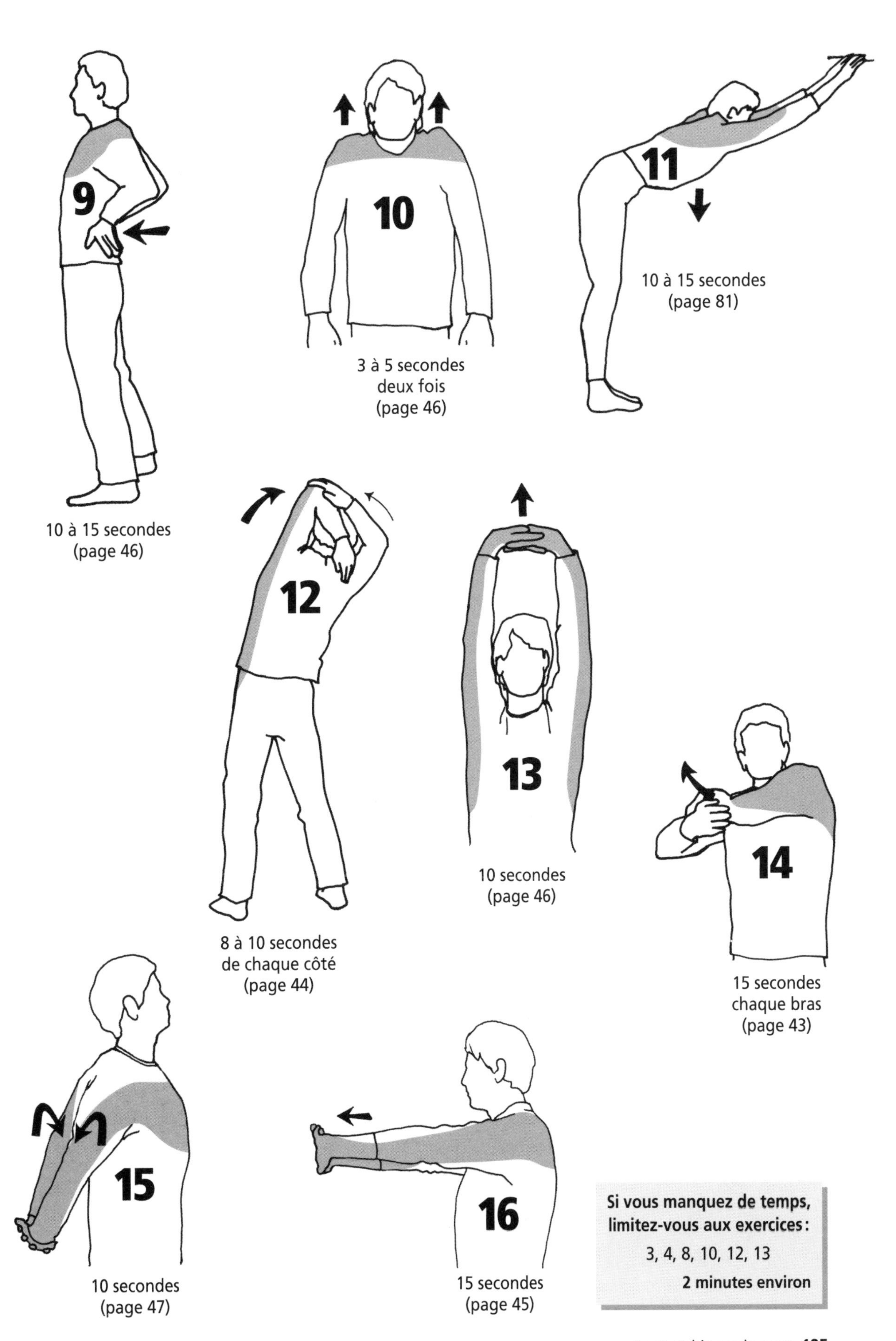

Si vous manquez de temps, limitez-vous aux exercices :

3, 4, 8, 10, 12, 13

2 minutes environ

Sports équestres

5 minutes environ

Marchez quelques minutes pour vous échauffer.

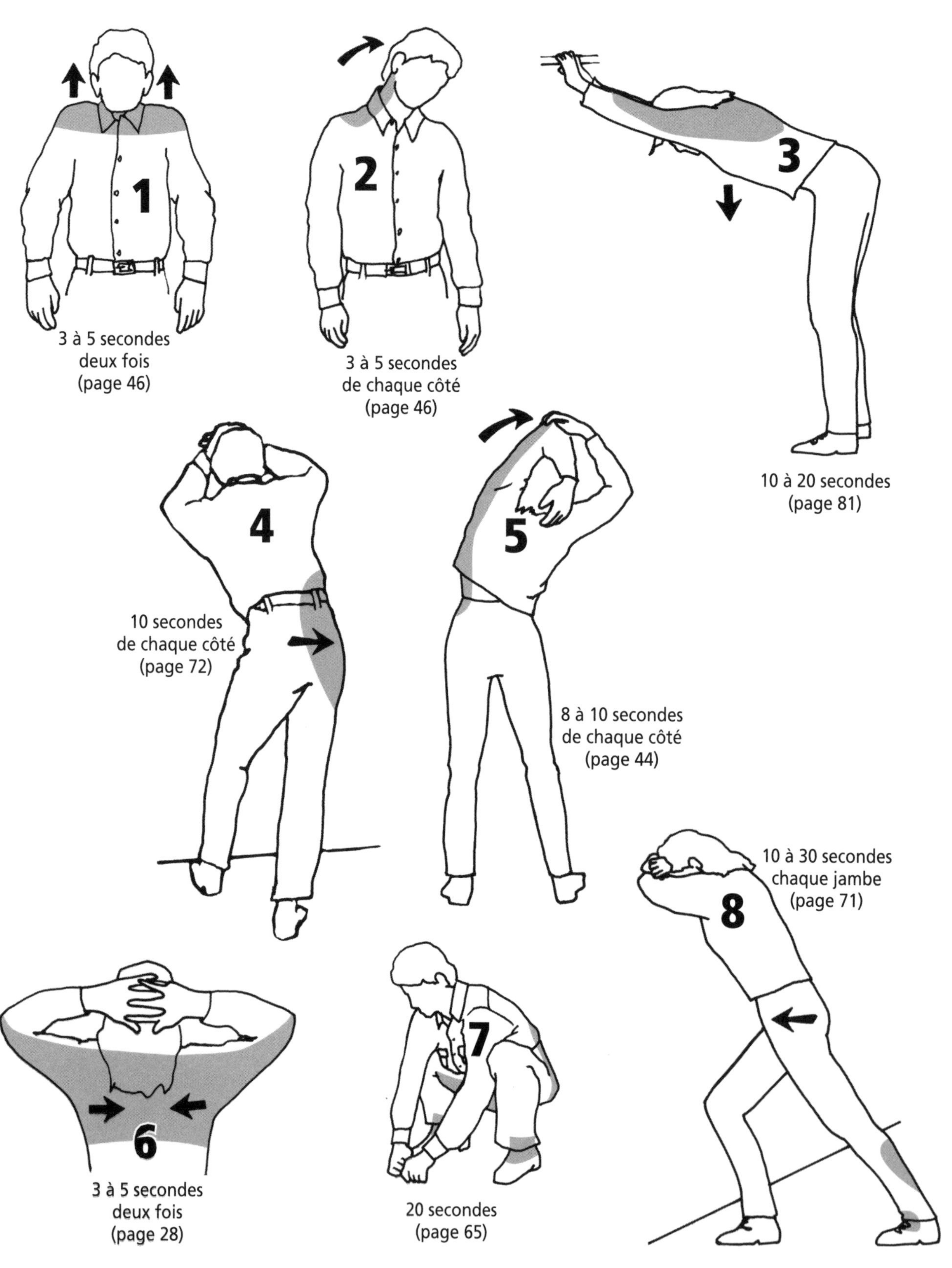

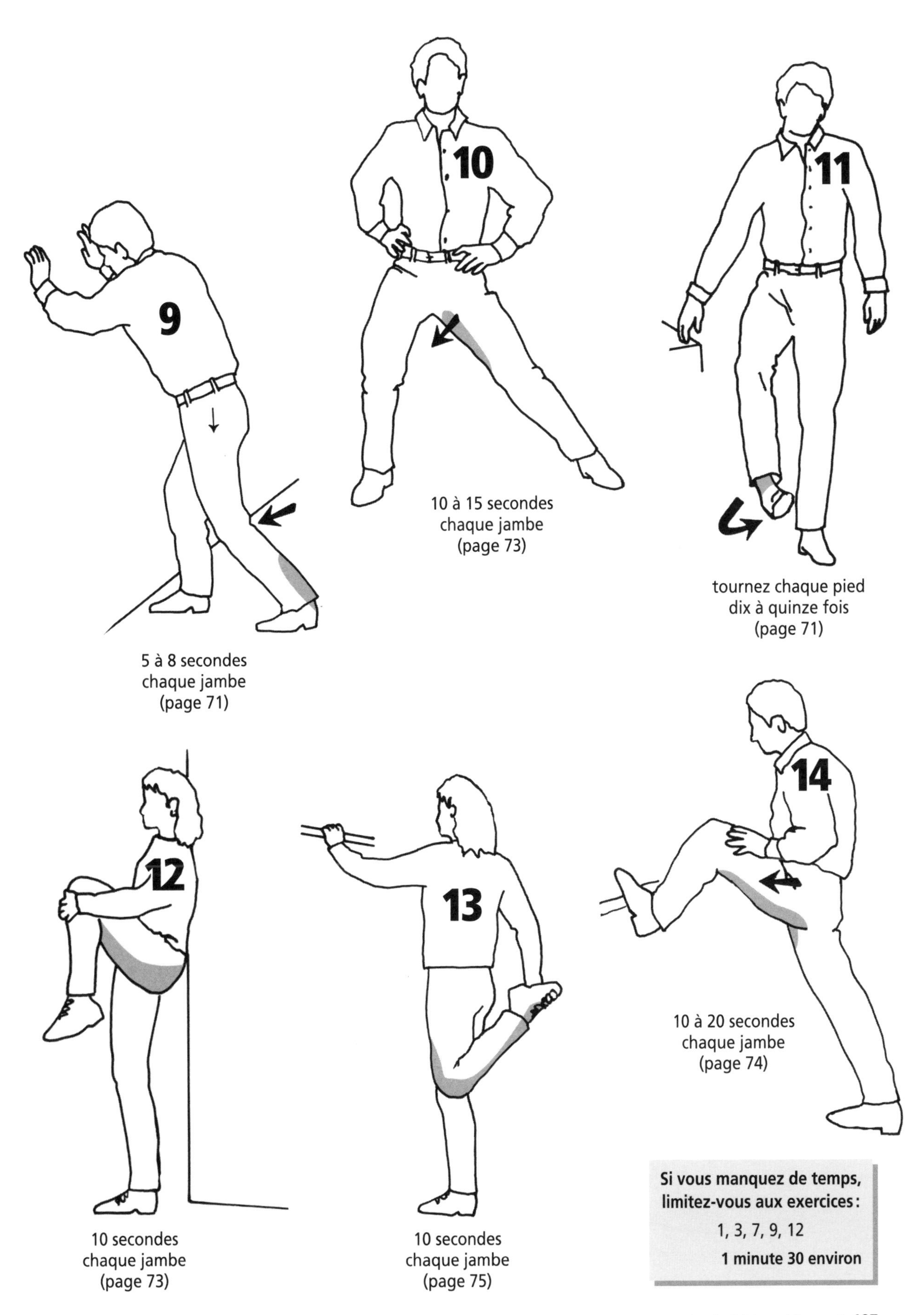

5 à 8 secondes
chaque jambe
(page 71)

10 à 15 secondes
chaque jambe
(page 73)

tournez chaque pied
dix à quinze fois
(page 71)

10 secondes
chaque jambe
(page 73)

10 secondes
chaque jambe
(page 75)

10 à 20 secondes
chaque jambe
(page 74)

Si vous manquez de temps, limitez-vous aux exercices :

1, 3, 7, 9, 12

1 minute 30 environ

Surf

6 minutes environ

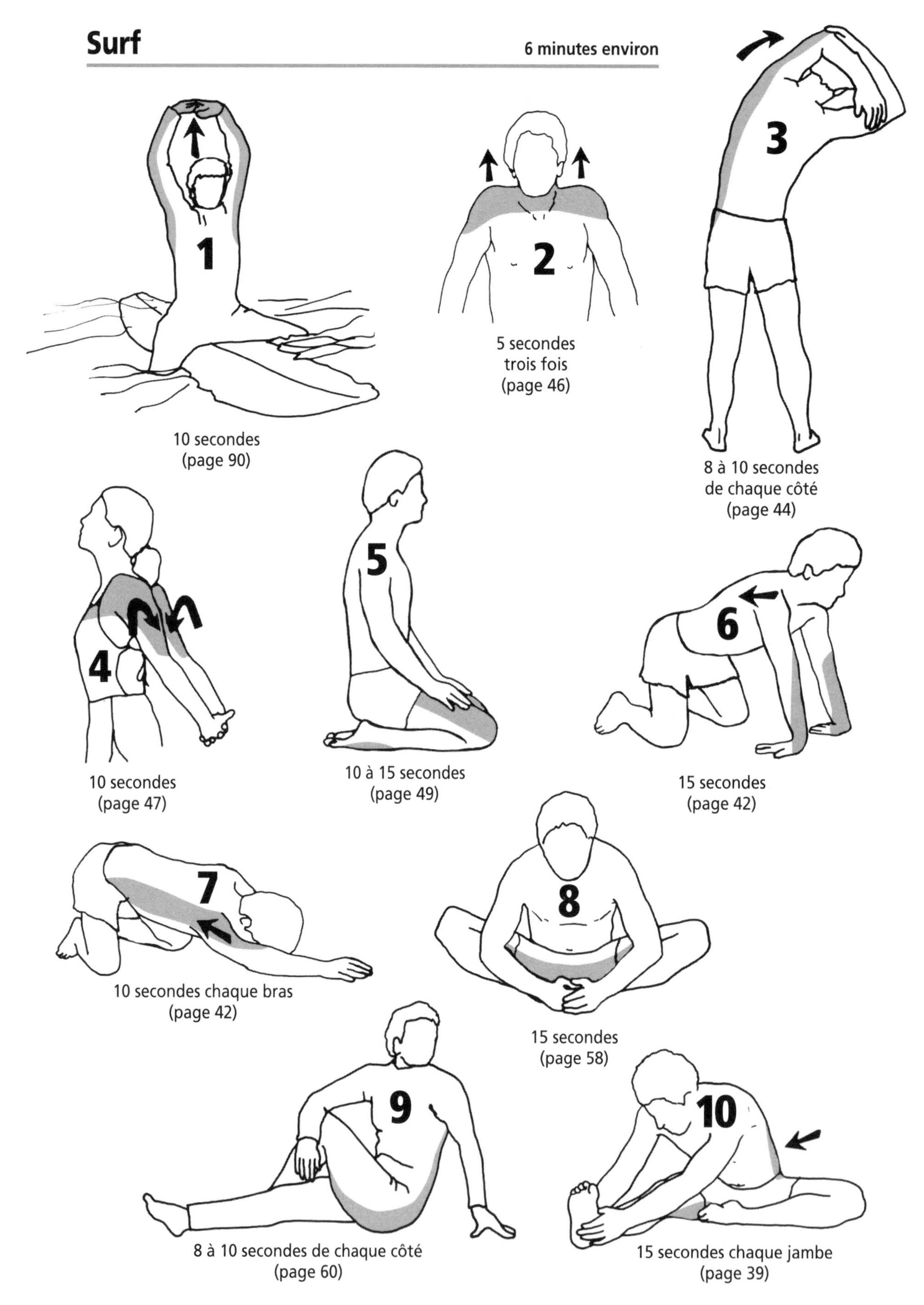

10 secondes (page 90)

5 secondes trois fois (page 46)

8 à 10 secondes de chaque côté (page 44)

10 secondes (page 47)

10 à 15 secondes (page 49)

15 secondes (page 42)

10 secondes chaque bras (page 42)

15 secondes (page 58)

8 à 10 secondes de chaque côté (page 60)

15 secondes chaque jambe (page 39)

Entre deux séries de vagues, faites les exercices sur la planche :
1, 2, 5, 6, 16, 17, 18
1 minute 30 environ

Tennis

5 minutes environ

Marchez quelques minutes pour vous échauffer.

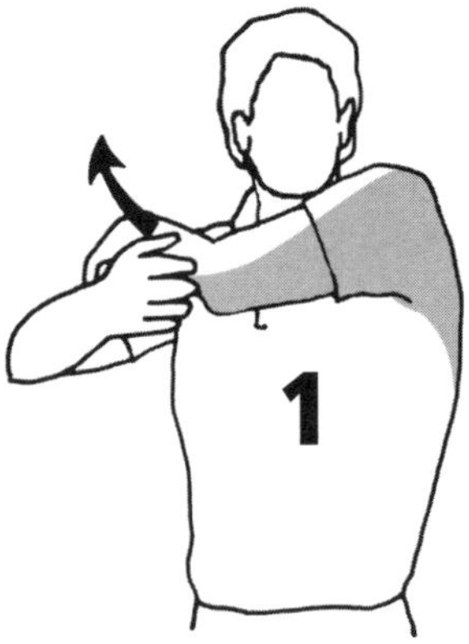

1

10 secondes
chaque bras
(page 43)

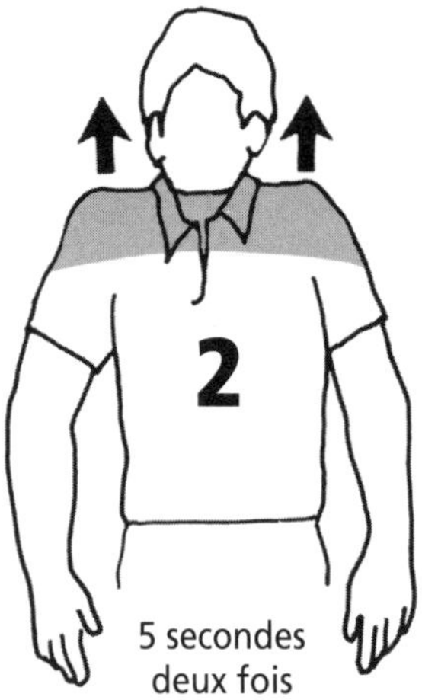

2

5 secondes
deux fois
(page 46)

3

8 à 10 secondes
de chaque côté
(page 44)

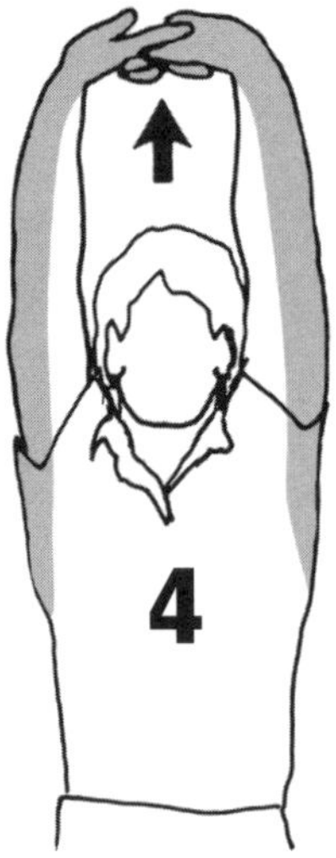

4

15 secondes
(page 46)

5

10 secondes
de chaque côté
(page 80)

6

15 secondes
chaque jambe
(page 71)

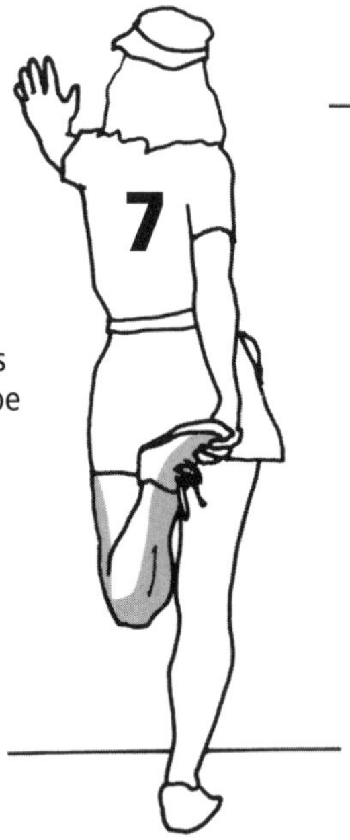

7

10 secondes
chaque jambe
(page 75)

8

15 à 20 secondes
(page 55)

9
10 secondes
chaque jambe
(page 51)
10
10 à 15 secondes
(page 66)
11
10 secondes
(page 42)
13
3 à 5 secondes deux fois
(page 27)
12
15 secondes
(page 58)
14
10 secondes chaque jambe
(page 31)
15
10 à 15 secondes chaque jambe
(page 58)
16
10 secondes chaque jambe
(page 32)
Si vous manquez de temps,
limitez-vous aux exercices :
1, 2, 3, 4, 5, 6, 8, 9, 10
3 minutes environ

Tennis de table

5 minutes environ

Marchez quelques minutes pour vous échauffer.

1
tournez chaque pied
dix fois dans chaque sens
(page 71)

2
15 secondes
chaque jambe
(page 71)

3
10 secondes
chaque jambe
(page 75)

4
10 secondes
chaque jambe
(page 73)

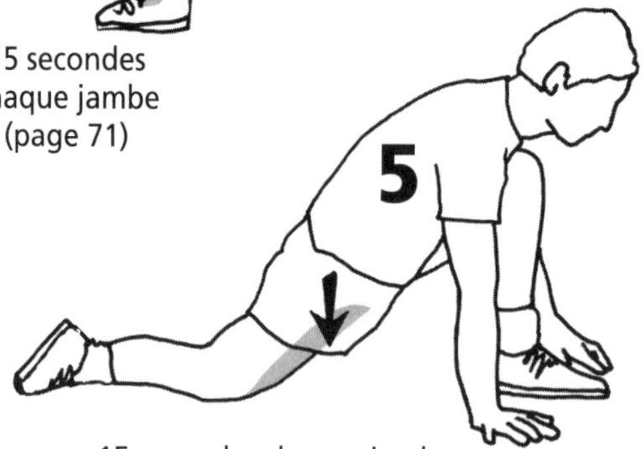

5
15 secondes chaque jambe
(page 51)

6
15 secondes
(page 66)

7
10 secondes
(page 46)

8
10 secondes de chaque côté
(page 80)

5 secondes
deux fois
(page 46)

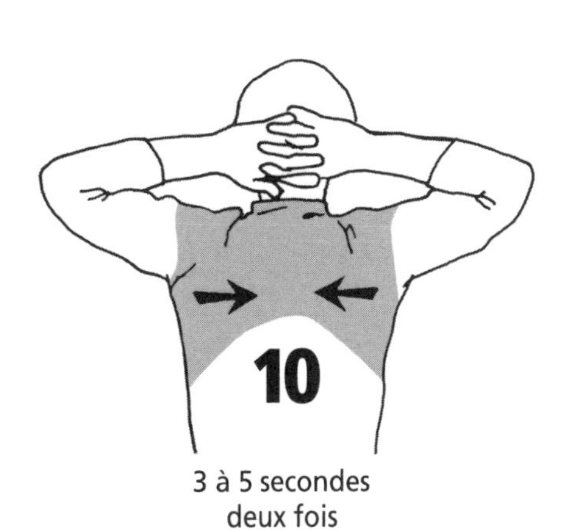

3 à 5 secondes
deux fois
(page 91)

8 à 10 secondes
de chaque côté
(page 44)

12

10 secondes
(page 88)

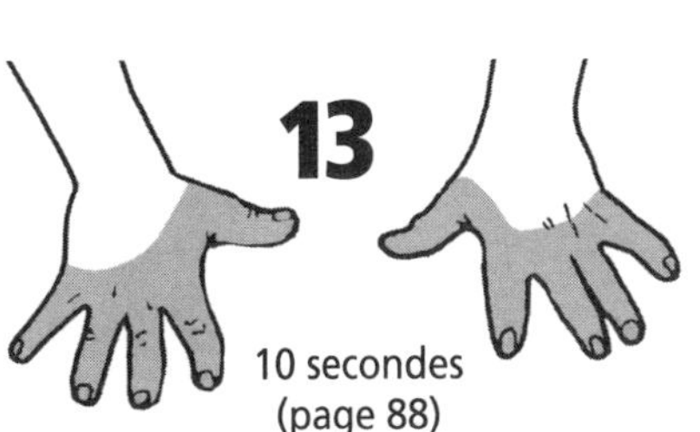
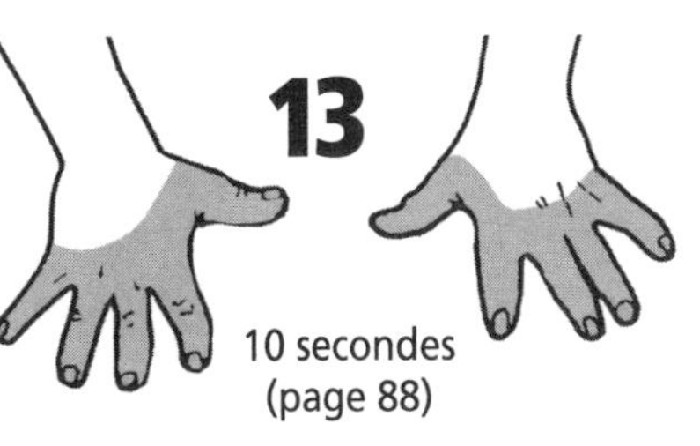

10 secondes
(page 88)

14

15 secondes
chaque bras
(page 43)

10 secondes
chaque bras
(page 47)

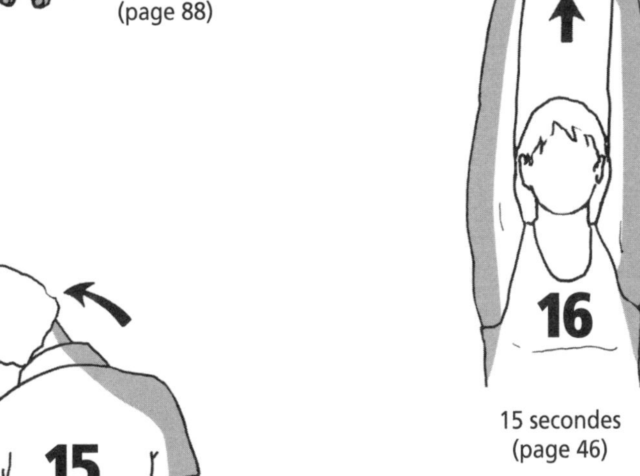

15 secondes
(page 46)

Si vous manquez de temps, limitez-vous aux exercices :

2, 3, 5, 8, 10, 11, 15

1 minute 30 environ

Triathlon / natation

Marchez quelques minutes pour vous échauffer.

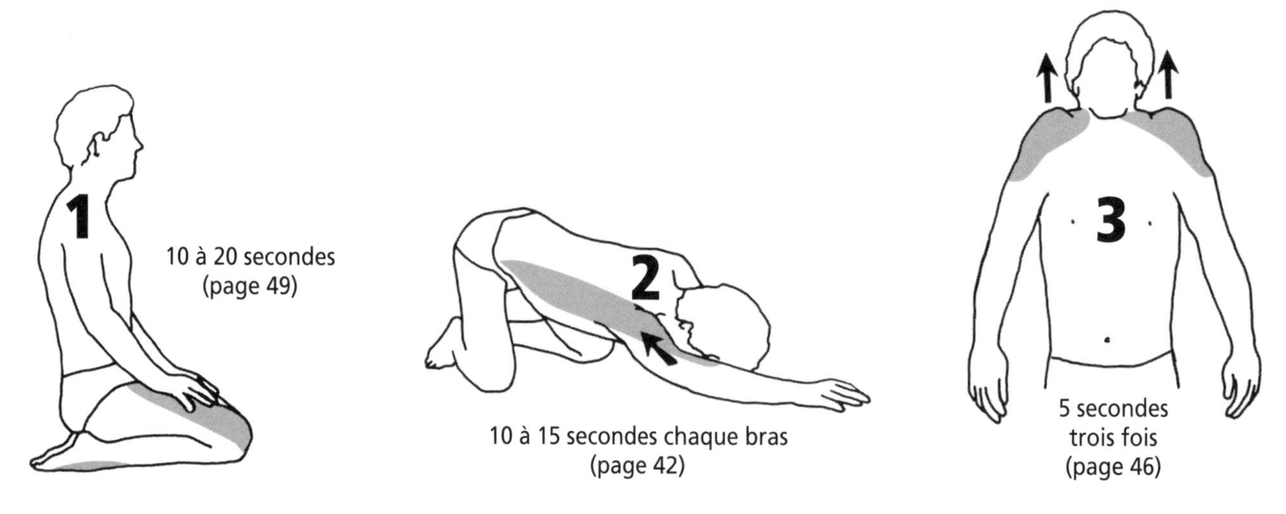

Triathlon / cyclisme

Triathlon / course

2 minutes 30 environ

15 à 20 secondes chaque bras
(page 43)

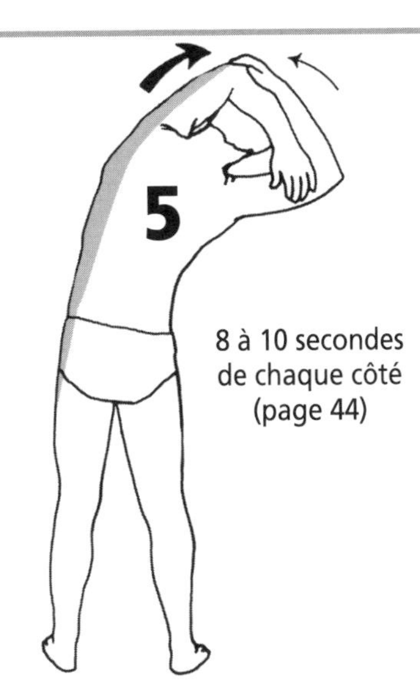

8 à 10 secondes
de chaque côté
(page 44)

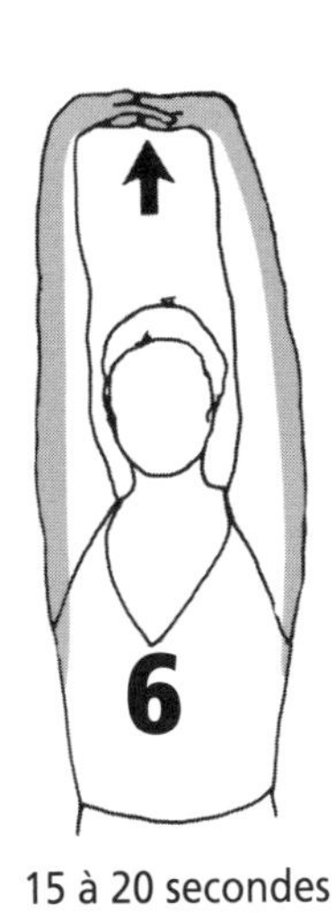

15 à 20 secondes
(page 46)

2 minutes environ

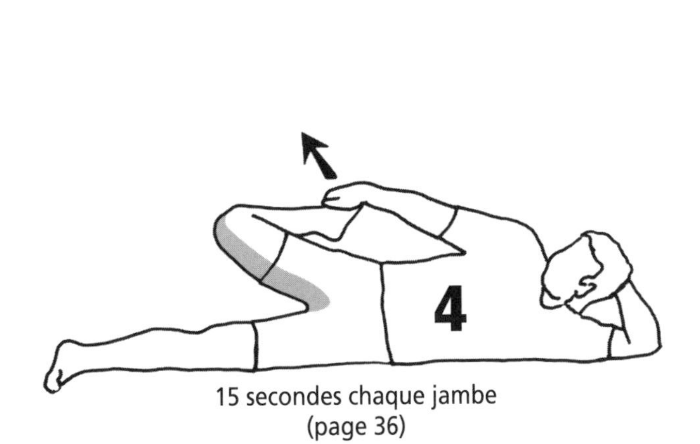

15 secondes chaque jambe
(page 36)

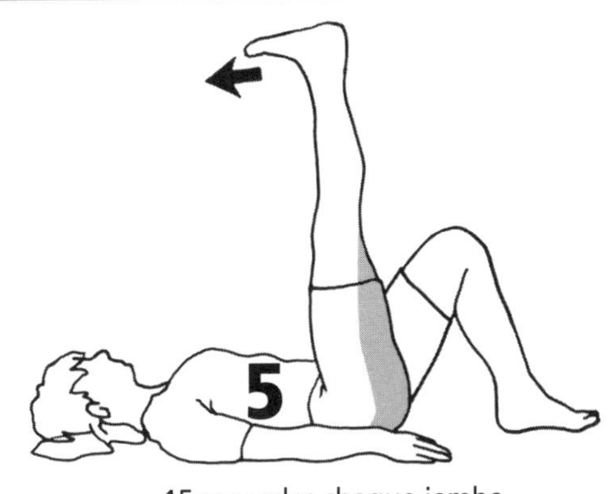

15 secondes chaque jambe
(page 58)

2 minutes environ

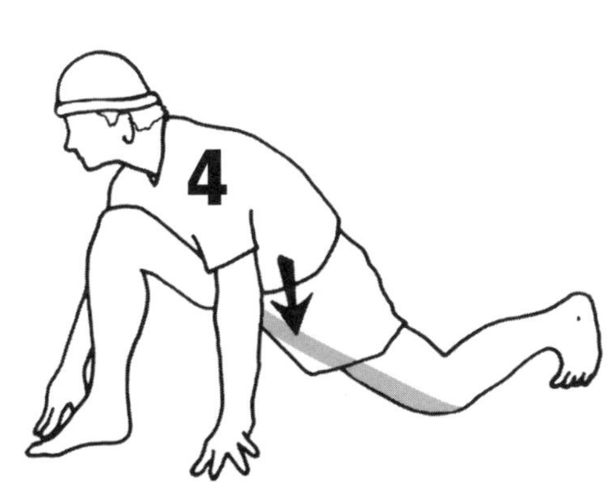

10 à 15 secondes chaque jambe
(page 51)

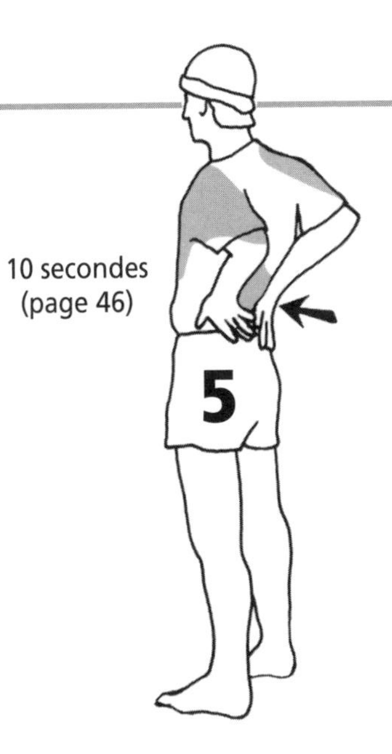

10 secondes
(page 46)

Volley-ball

6 minutes environ

Marchez quelques minutes pour vous échauffer.

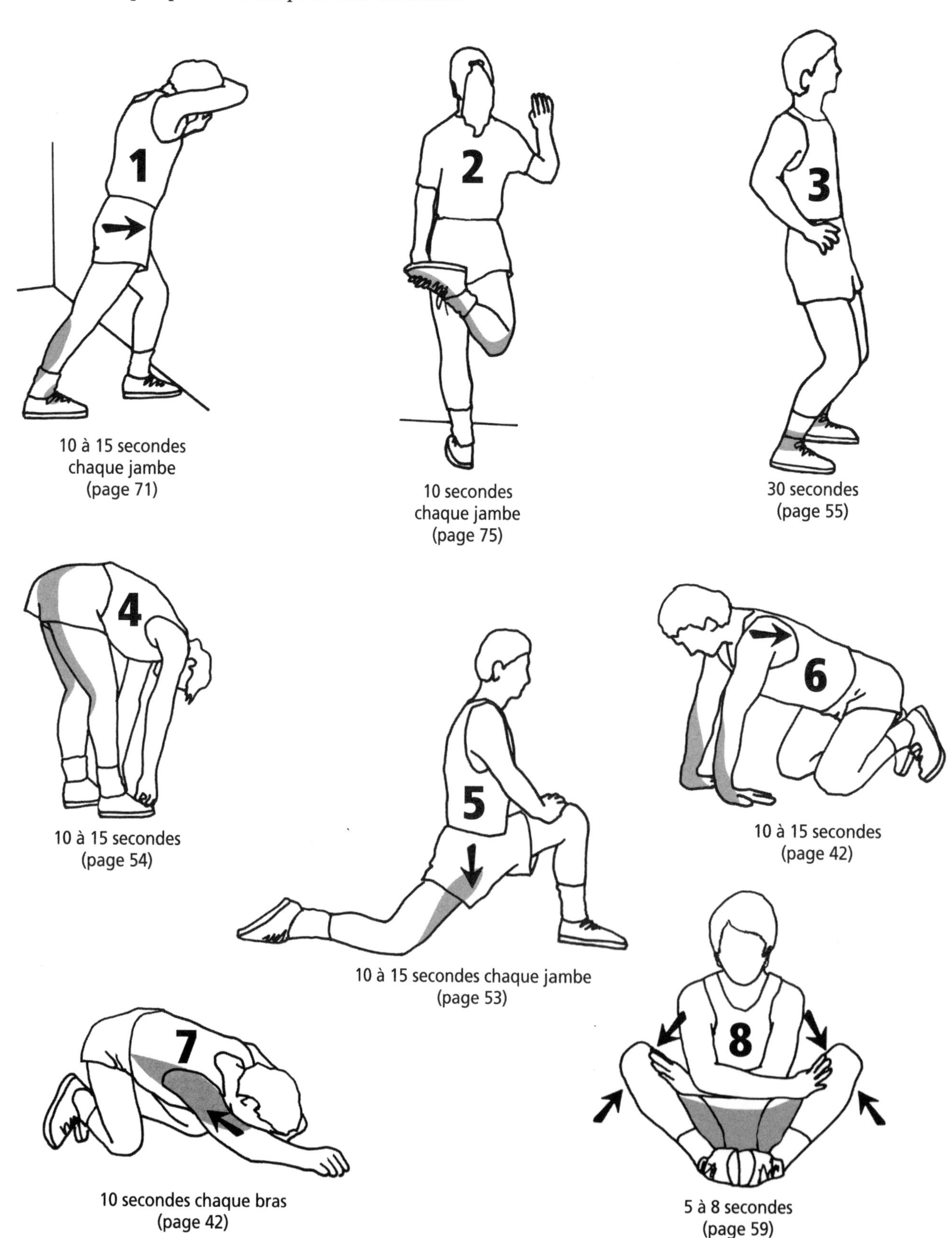

10 à 15 secondes chaque jambe (page 71)

10 secondes chaque jambe (page 75)

30 secondes (page 55)

10 à 15 secondes (page 54)

10 à 15 secondes chaque jambe (page 53)

10 à 15 secondes (page 42)

10 secondes chaque bras (page 42)

5 à 8 secondes (page 59)

Si vous manquez de temps, limitez-vous aux exercices :

1, 2, 3, 5, 13, 14, 15, 16

3 minutes environ

VTT

6 minutes environ

Marchez quelques minutes pour vous échauffer.

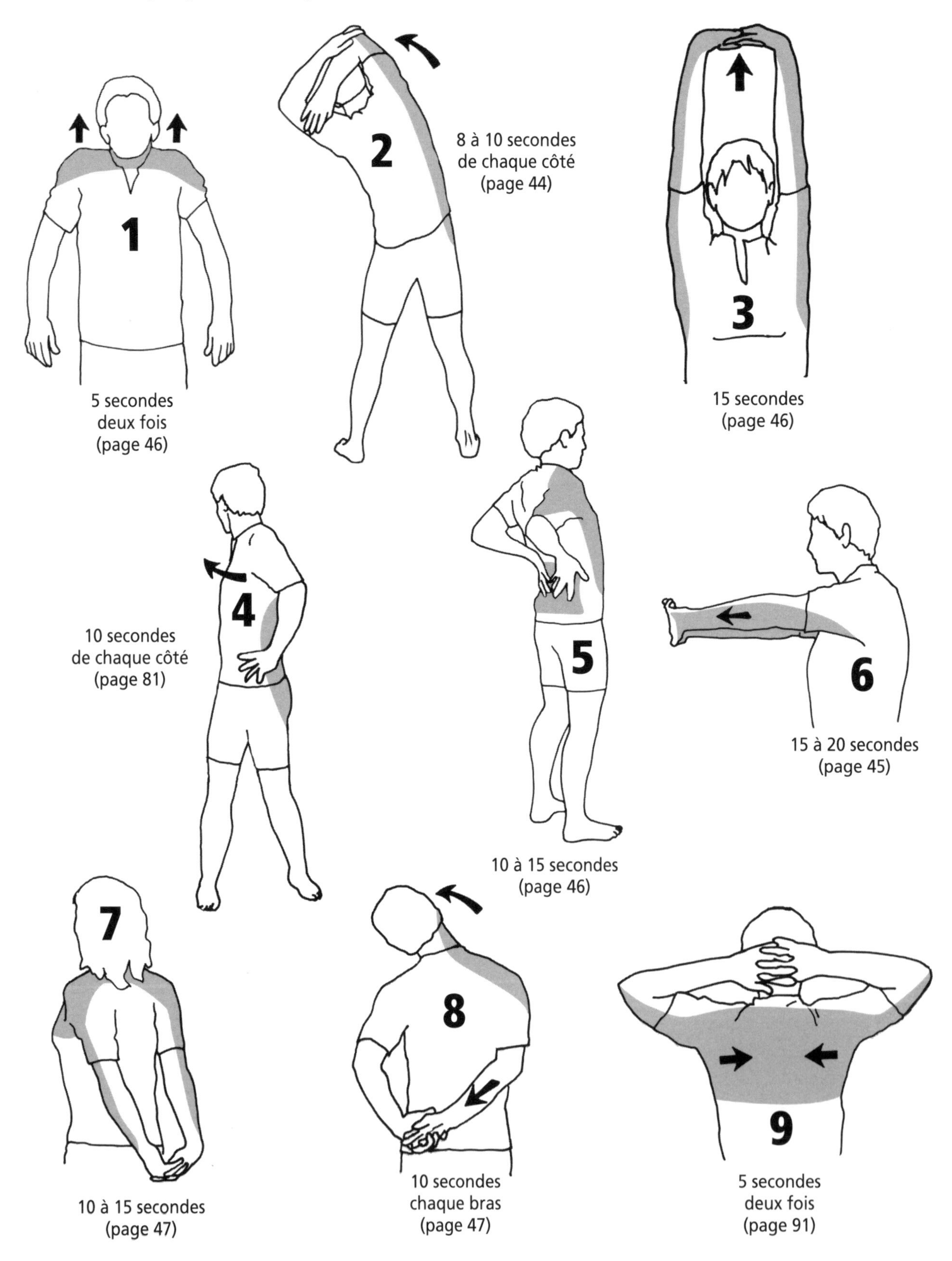

Si vous manquez de temps, limitez-vous aux exercices avec le VTT :

10, 11, 12, 13, 14, 15, 16

3 minutes environ

ANNEXES

Exercices de technique PNF 202
Une alimentation légère et équilibrée 204
Travaillez votre ceinture abdominale 206
Prenez soin de votre dos 210
À l'attention des professeurs et des entraîneurs 215
Mémo à l'usage des prescripteurs 216
Index 220

Exercices de technique PNF

Voici une série d'exercices utilisant la technique PNF décrite page 14. Testez-les pour vérifier si cette méthode vous convient et améliore votre souplesse. Si c'est le cas, adaptez la technique – contraction, détente, étirement – à chaque exercice.

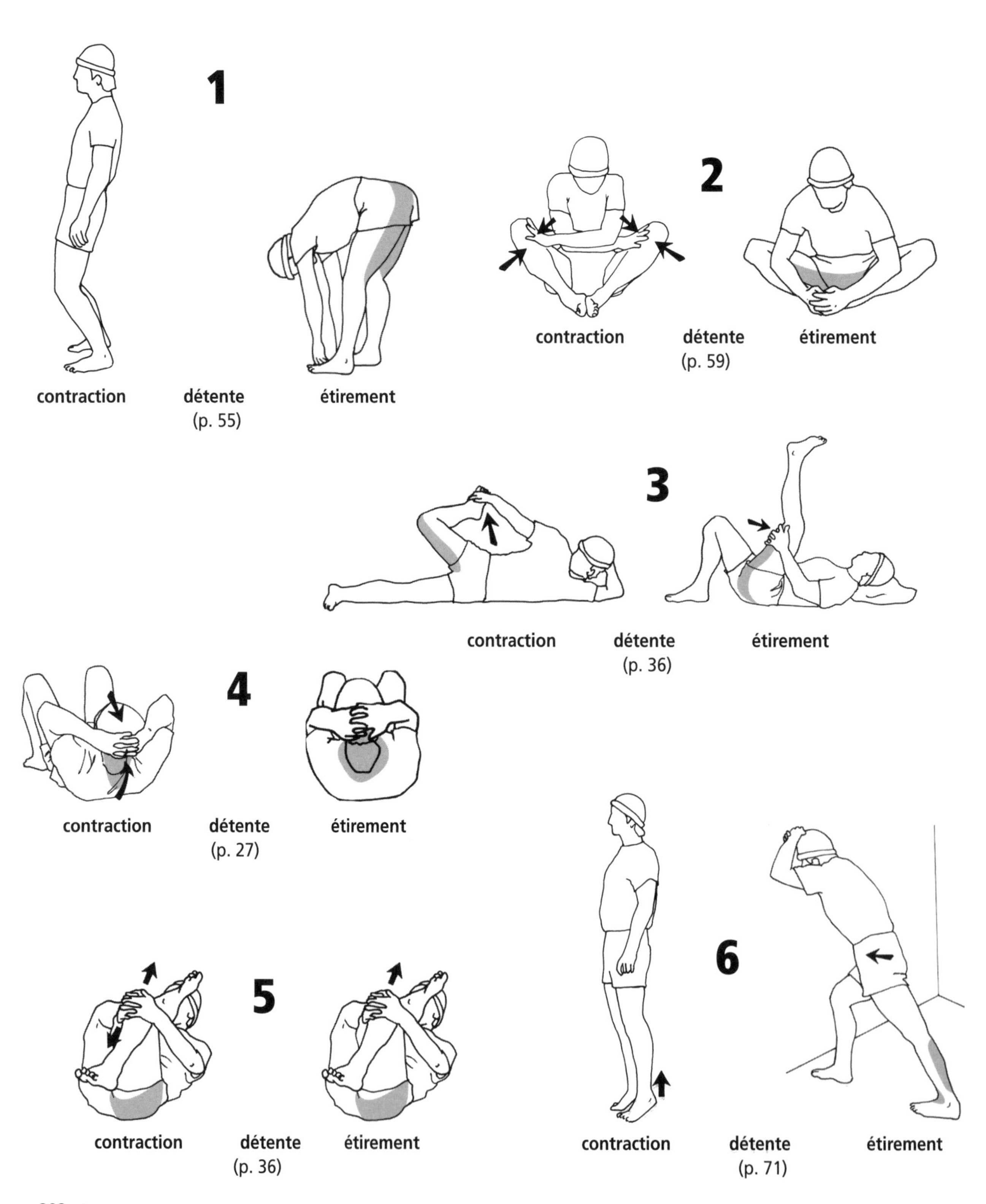

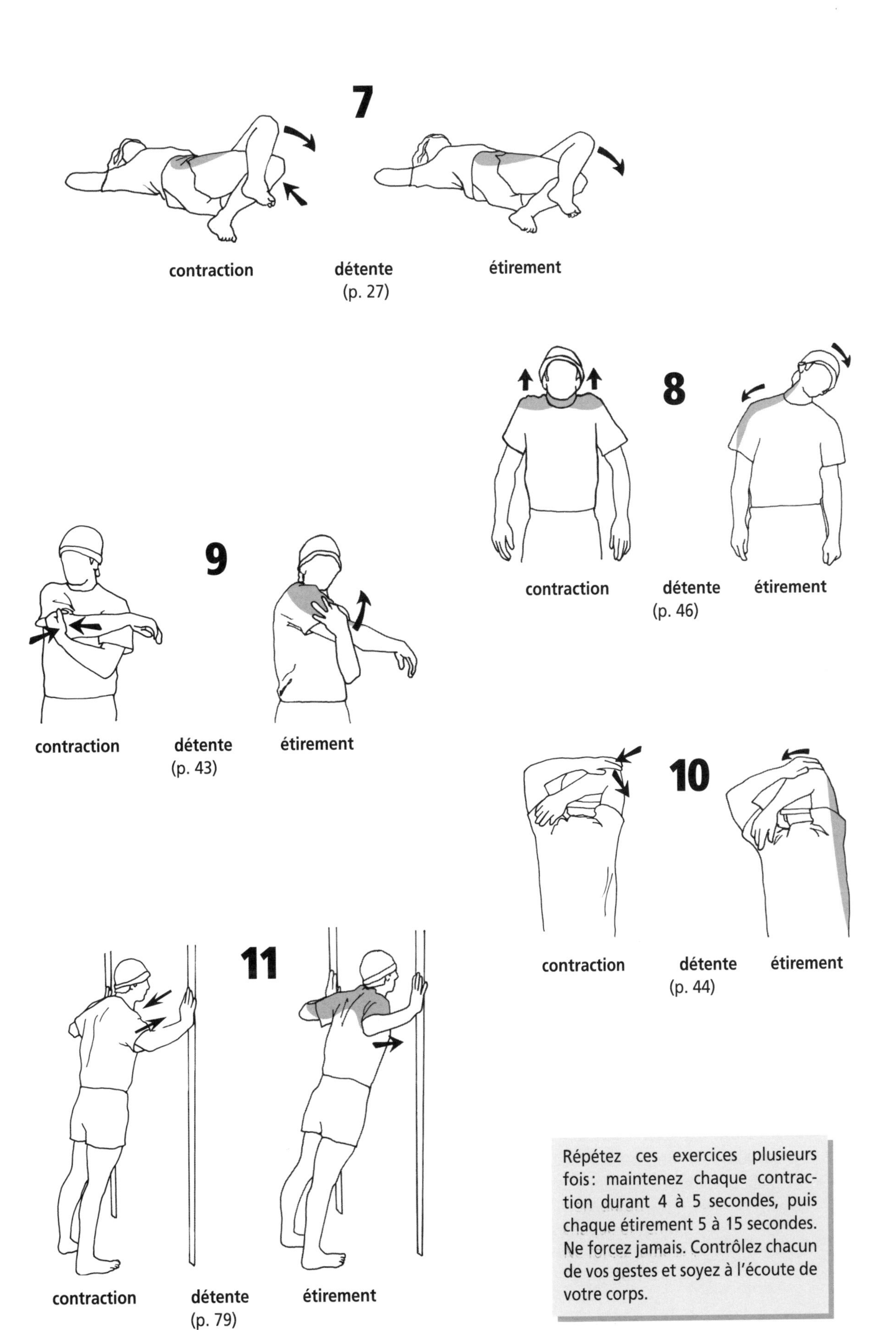

Répétez ces exercices plusieurs fois: maintenez chaque contraction durant 4 à 5 secondes, puis chaque étirement 5 à 15 secondes. Ne forcez jamais. Contrôlez chacun de vos gestes et soyez à l'écoute de votre corps.

Une alimentation légère et équilibrée

Une alimentation légère et équilibrée ne peut avoir qu'une influence positive, tant sur l'humeur que sur le comportement des individus. Tant de notions contradictoires ont été écrites à ce sujet qu'il est facile de tomber dans la confusion. Pour y voir clair, le mieux est de découvrir par vous-même ce qui vous convient.

La quantité. La plupart des gens, en France comme aux États-Unis, absorbent plus de calories que leur organisme ne peut en brûler. Le surplus est stocké sous forme de graisses. Ce n'est pas la faim qui provoque la suralimentation mais un mécanisme de compensation dû à la tension nerveuse et à l'ennui. Ce plaisir éphémère nous laisse, lorsqu'il disparaît, lourd et sans dynamisme.

Aux repas, quittez la table dès que vous vous sentez rassasié. Restez maître de votre esprit. Détendez-vous et cessez de penser à la nourriture.

La qualité. De plus en plus conditionnés par la vie moderne, la publicité et les médias, nous sommes souvent entraînés à manger n'importe quoi : chips, sodas, sucreries plus ou moins chimiques, « hamburgers » et autres « fastfood ». Les enfants absorbent des boissons chocolatées au lieu de boire du lait naturel, remplacent les fruits par des pâtisseries et l'eau fraîche par des boissons gazeuses. Or, les habitudes alimentaires se contractent très jeunes et il est particulièrement difficile d'y remédier plus tard. On trouve actuellement dans le commerce des nourritures indignes de ce nom. Ce n'est pas parce qu'on en vante fallacieusement les qualités qu'il faut s'empresser de les consommer.

De nombreux parents oublient qu'ils sont, auprès des leurs enfants, les seuls prescripteurs. Il leur arrive trop souvent de leur servir des mets qui se préparent facilement ou dont l'apparence et le goût sont flatteurs, mais dont la valeur nutritionnelle laisse à désirer. Non seulement on nous conditionne à avaler tel ou tel aliment mais, nous-mêmes, en revendiquons le droit ! À moins que ce ne soit, tout simplement, la peur du changement. Ce mimétisme et ce conservatisme occultent la découverte d'une diététique correcte.

Il est impossible de transformer en un jour les habitudes alimentaires de toute une vie. On peut, cependant, les abandonner une à une. On peut, en priorité et relativement facilement, ralentir notre consommation d'aliments trop riches : l'excès de sucre raffiné, de farine blanche, de gâteaux et de biscuits contenant des conservateurs. Dans la mesure du possible, évitez les conserves car la cuisson retire presque toute leur valeur nutritionnelle. Abandonnez les « petits en-cas », chips, friandises ou boissons gazeuses.

Graduellement, vos goûts se modifieront sans que vous donniez la préférence à des nourritures sans saveur. Bien au contraire, vos papilles gustatives sauront détecter les richesses subtiles d'aliments plus naturels. Votre sens du goût s'aiguisera et, sans vous forcer, vous prendrez plaisir à consommer des produits sains.

Les livres traitant de cuisine diététique sont aujourd'hui très nombreux ; ils vous aideront à préparer des repas avec des fruits et des légumes frais, des céréales, des noix, de la viande maigre et des produits laitiers, à remplacer la farine blanche par des farines complètes, le sucre blanc par du miel ou du sucre roux, les conserves par des aliments frais. Avec un peu de bon sens et le goût de l'invention, vous parviendrez sans difficulté à maîtriser cette nouvelle façon de cuisiner, qui vous prendra de moins en moins de temps à mesure que vous la pratiquerez.

Avec le temps, vous vous sentirez mieux dans votre corps. Une bonne alimentation et des exercices physiques réguliers vous rendront meilleure mine et meilleure santé. Essayez de déterminer le type et la quantité de nourriture les mieux adaptés à vos besoins afin de rester en forme sans perdre d'énergie.

À corps sain, alimentation saine. Et réciproquement. L'activité physique est très agréable lorsque le corps reçoit quotidiennement la nourriture qui lui convient. Loin d'être alourdi, freiné par des mets trop riches ou trop abondants, vous retrouverez l'entrain qui vous manque souvent pour faire de l'exercice. En revanche, si vous ne prenez pas cela au sérieux, vous fonctionnerez toujours en deçà de vos possibilités.

Pour acquérir de meilleures habitudes alimentaires

1. Mangez seulement quand vous avez faim. Ne vous inquiétez pas : votre corps criera famine au bon moment.
2. Ne grignotez pas avant et en dehors des repas. C'est un surcroît de travail pour l'appareil digestif.
3. Ne mangez pas trop. Mastiquez bien et détendez-vous Quittez la table rassasié, jamais gavé.
4. Lisez attentivement sur les emballages la composition des produits que vous achetez. Évitez ceux qui contiennent des colorants, des arômes artificiels et du sucre raffiné.
5. Méritez vos repas en faisant du sport. Ne vous contentez pas de manger par désœuvrement.
6. De temps à autre, sautez un repas, surtout les jours où vous n'avez à fournir aucun effort physique. Ce petit repos fera du bien à votre appareil digestif.

Il faut courage et volonté pour changer de régime alimentaire et dire « non » aux mauvaises habitudes qui minent l'énergie et la santé. Pour mener une vie saine, combinez le stretching, la relaxation et une diététique appropriée à votre travail et votre activité physique. Vous pourrez de la sorte développer vos capacités de façon simple, heureuse et naturelle.

Travaillez votre ceinture abdominale

Les muscles qui forment la ceinture abdominale remplissent de nombreuses fonctions. Ils interviennent dans la respiration, l'élimination des déchets, l'accomplissement d'un grand nombre de mouvements et le maintien du corps en position debout ou assise. Nous les utilisons pratiquement en permanence, mais nous les oublions et les négligeons la plupart du temps.

Se mettre sur son séant sans l'aide des bras est généralement considéré comme le meilleur exercice pour renforcer les abdominaux. C'est une croyance erronée. Difficile à contrôler, ce mouvement est souvent pénible et redouté avec raison par de nombreuses personnes.

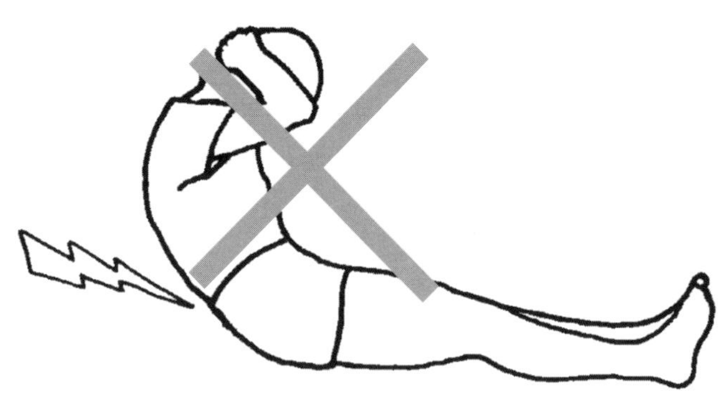

Se redresser en gardant les jambes allongées peut être dangereux pour le bas du dos. La contraction des muscles abdominaux ne permet qu'une élévation limitée du corps (approximativement 30°). Pour aller audelà, il faut solliciter les muscles fléchisseurs des hanches et imposer au bas du dos un effort inhabituel, qui peut lui être préjudiciable.

Cet effort est considérablement réduit lorsque vous fléchissez les jambes. Dans cette position, l'exercice peut être bénéfique à condition que vous songiez d'abord à faire travailler vos muscles abdominaux. Mais soyez prudent. Si vous le faites plusieurs fois d'affilée, vous aurez tendance à accélérer le mouvement, donc à forcer les muscles de votre dos.

Le meilleur exercice pour renforcer les abdominaux sans fatiguer les muscles dorsaux est celui de la boucle abdominale : il s'agit de redresser le haut du corps pour former un angle de 30° avec le sol tout en évitant de plier le bas du dos.

Voici trois exercices et une variante destinés à développer les muscles abdominaux supérieurs, inférieurs et latéraux.

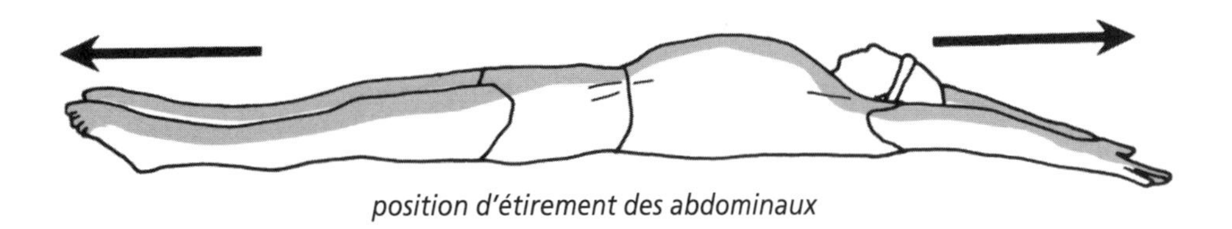

position d'étirement des abdominaux

Si vous avez l'impression que votre ceinture abdominale se contracte trop quand vous les effectuez, placez-vous sur le dos, bras et jambes joints et étendus, doigts et orteils pointés vers l'avant et l'arrière, et étirez-vous pendant 5 à 8 secondes en vous relaxant.

La boucle abdominale

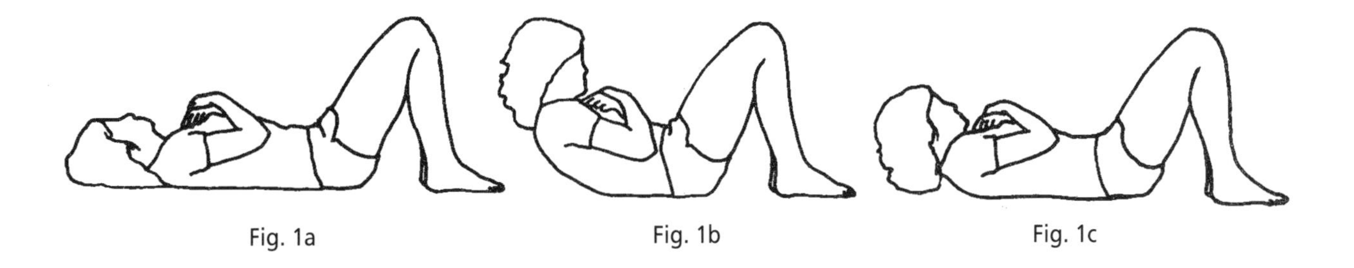

Fig. 1a Fig. 1b Fig. 1c

Allongez-vous sur le dos, les genoux pliés et joints, les pieds bien à plat sur le sol, les mains croisées sur la poitrine *(fig. 1a)*. Pliez-vous lentement, jusqu'à ce que vos omoplates forment un angle d'environ 30° avec le sol *(fig. 1b)*, puis revenez à votre position de départ *(fig. 1c)*, mais sans reposer la nuque sur le sol. Essayez de concentrer votre effort sur les muscles abdominaux supérieurs (plexus solaire). Afin de ne pas fatiguer inutilement les muscles du cou, collez le menton contre la poitrine lorsque vous vous pliez et maintenez-le ainsi lorsque vos épaules touchent à nouveau le sol (fig. 1c).

Répétez cet exercice cinq à dix fois, à la vitesse qui vous convient, en essayant d'acquérir un rythme régulier.

La boucle coudes-genoux

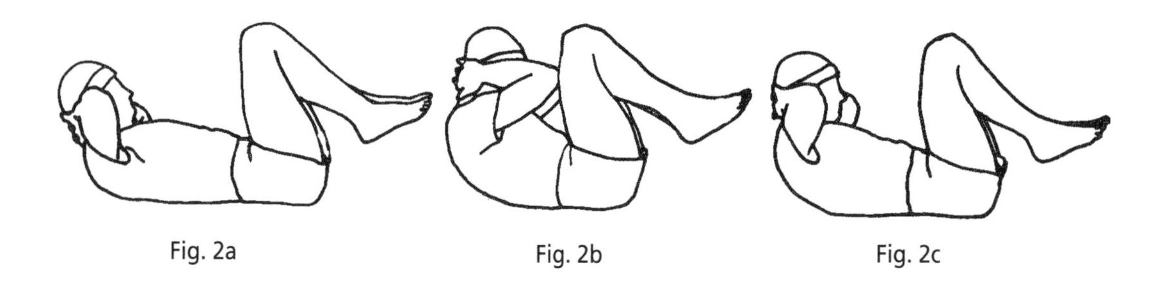

Fig. 2a Fig. 2b Fig. 2c

Partez d'une position légèrement différente, les doigts croisés derrière la tête à la hauteur des oreilles, les pieds ne touchant pas le sol *(fig. 2a)*. Pliez la partie supérieure de votre corps de manière à ce que vos coudes viennent toucher vos cuisses, 3 à 6 cm audessous des genoux *(fig. 2b)*. Dépliez-vous *(fig. 2c)*, puis rapprochez de nouveau les coudes des genoux *(fig. 2b)*. Pendant tout le mouvement, le bas du dos doit demeurer collé au sol.

Cet exercice fait travailler simultanément les abdominaux supérieurs et inférieurs. Effectuez-le une dizaine de fois, en fournissant un effort régulier, sans accélérer ni ralentir votre rythme.

La boucle coudes-genoux opposés

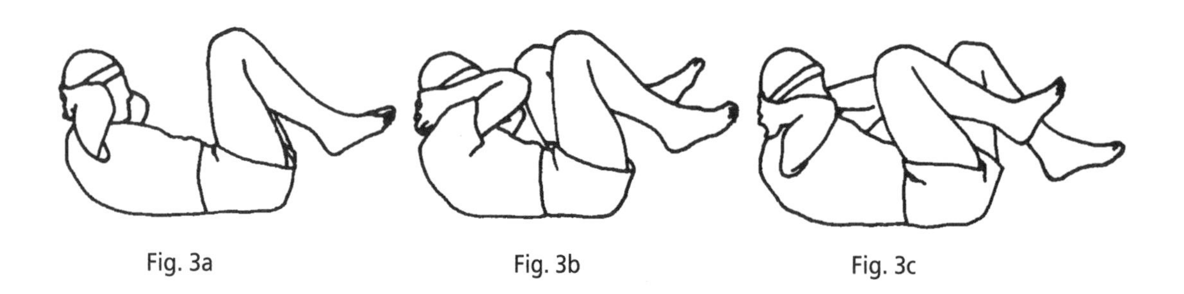

Fig. 3a Fig. 3b Fig. 3c

Partez de la même position que précédemment. Décollez les épaules du tapis *(fig. 3a)*, touchez alternativement la cuisse gauche avec le coude droit *(fig. 3b)*, puis la cuisse droite avec le coude gauche *(fig. 3c)*, et revenez à votre position de départ *(fig. 3a)*. Gardez le haut du corps constamment fléchi. Avancez et reculez alternativement vos genoux, comme si vous pédaliez, mais avec des mouvements moins amples. Pour que les coudes et les genoux se touchent, le haut du dos doit tourner vers la droite ou la gauche, mais les genoux ne doivent pas croiser la ligne médiane du corps. Les chevilles doivent demeurer souples. Effectuez cet exercice en le rythmant, une dizaine de fois (deux flexions opposées comptant pour une fois).

Commencez par développer les abdominaux supérieurs en travaillant la boucle abdominale, puis abordez prudemment les deux exercices suivants et la variante proposée cidessous. Le deuxième et le troisième exercice exigent plus de force et une meilleure coordination que le premier. Pratiquez-les au début pendant 3 à 5 minutes d'affilée, en les alternant. Posséder une ceinture abdominale bien développée est un facteur d'équilibre et de santé.

Variante. Couchez les genoux sur le côté droit. Les mains croisées sur la poitrine, redressez le haut du corps en utilisant les abdominaux latéraux. Posez le menton sur l'épaule gauche. Ne reposez pas la tête sur le sol. Ne surestimez pas vos forces : cet exercice est plus difficile qu'il n'y paraît à première vue. Essayez de l'effectuer de cinq à dix fois de chaque côté.

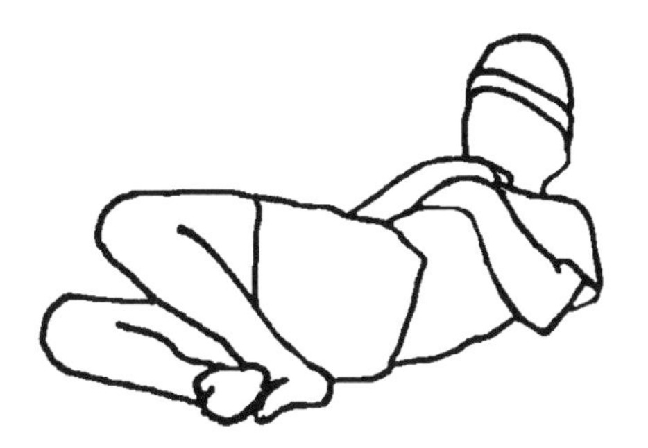

Prenez soin de votre dos

Plus de 50 % des Français souffrent du dos à un moment donné de leur vie. Certains problèmes dérivent de malformations congénitales, comme la scoliose ou la lordose (déviations de la colonne vertébrale). D'autres résultent d'un accident d'automobile, d'une chute ou d'une blessure survenue en pratiquant un sport (la douleur peut, dans ce cas, disparaître puis resurgir plusieurs années après).

Mais la plupart du temps il s'agit tout simplement des effets d'une mauvaise posture, d'un excès de poids, de l'inactivité ou d'un manque de force abdominale.

Pratiqués avec discernement, le stretching et les exercices abdominaux peuvent soulager le dos. Si vous souffrez, consultez un médecin compétent qui vous examinera et pourra situer l'origine de vos douleurs dorsales ou lombaires. Demandez-lui de vous conseiller les étirements et exercices présentés ici qui vous conviennent le mieux.

Si vous avez eu dans le passé des soucis de dos, évitez les étirements qui vous obligent à vous cambrer (hyper-extension). Ce genre d'exercice, qui génère de fortes tensions dans la partie basse du dos, n'a pas été inclus dans cet ouvrage.

La meilleure façon de prendre soin de son dos consiste à respecter les techniques de base du stretching, de la musculation, et les indications que nous donnons pour la position debout, assise et allongée. C'est, en effet, notre attitude physique quotidienne, heure par heure, qui détermine l'état général du corps.

Vous trouverez, dans les pages suivantes, quelques suggestions pour soulager votre dos.

Les principes à respecter

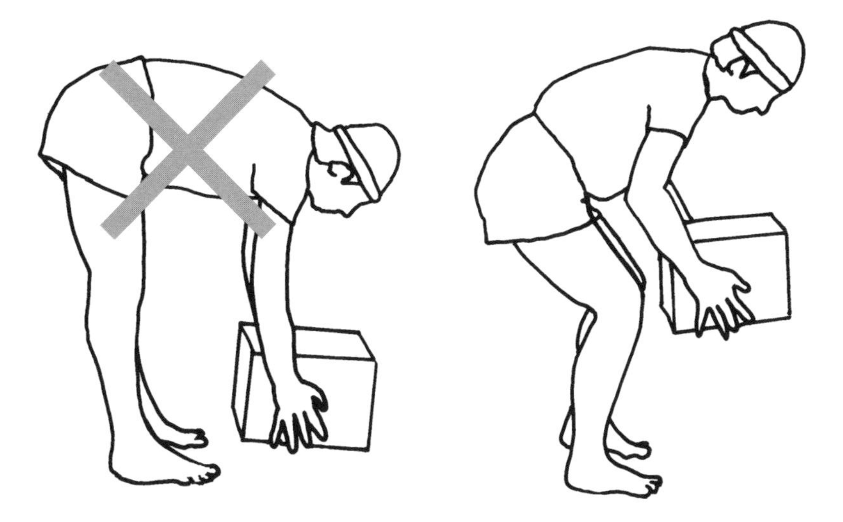

Ne soulevez jamais un objet, quel qu'en soit le poids, en gardant les jambes raides. Pliez toujours les genoux afin que les muscles des jambes supportent l'effort, et non ceux, plus faibles, de la région lombaire. Gardez le fardeau près du corps et le dos aussi droit que possible.

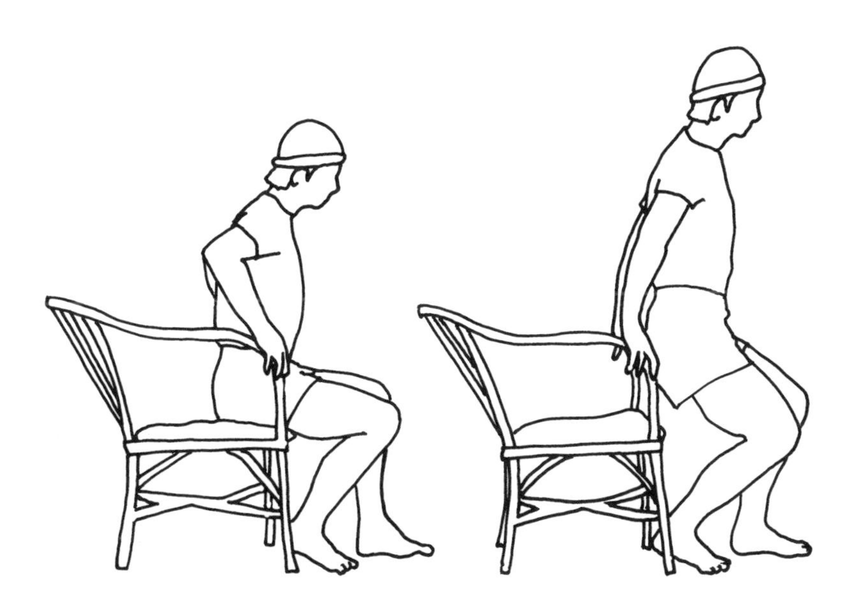

En se levant ou en s'asseyant, on soumet parfois le dos à une pression trop forte. Aussi, quand vous vous levez, ayez un pied plus avancé que l'autre. Faites glisser vos fesses jusqu'au rebord de la chaise. Puis, le dos droit et le menton rentré, utilisez les muscles des cuisses et des bras pour vous redresser.

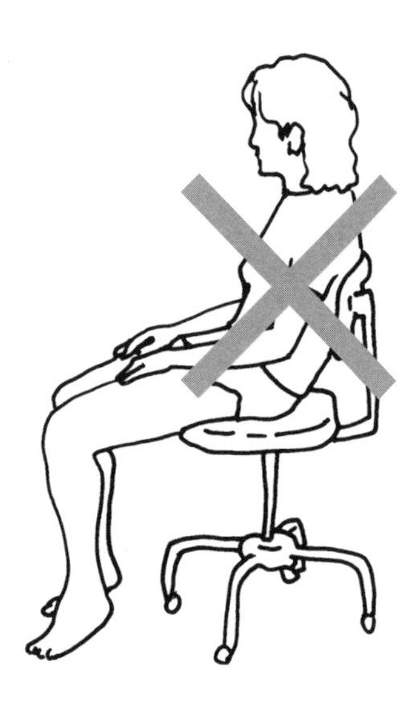

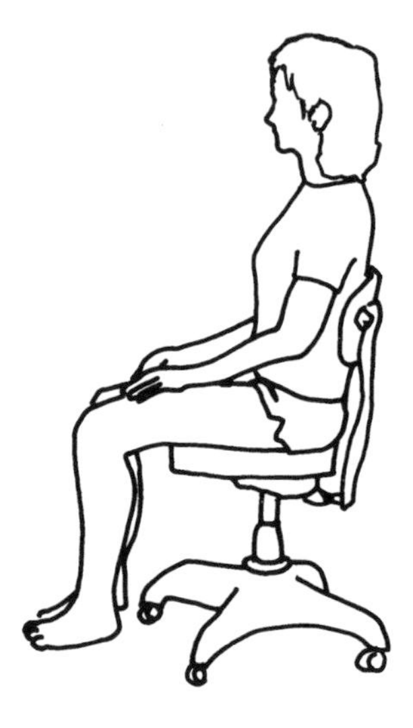

Si vous avez les épaules tombantes et que votre tête a tendance à piquer vers l'avant, prenez sur vous et remettez-vous droit. Pratiquée régulièrement, cette position diminuera la tension du dos et vous rendra de l'énergie. Rentrez légèrement le menton (ni baissé ni pointé vers le ciel), la nuque bien d'aplomb. Tirez les épaules en arrière et vers le bas. Respirez comme si vous vouliez élargir le dos en dessous des omoplates. Quand vous appuyez le bas du dos contre le dossier d'une chaise, contractez les muscles abdominaux. Faites-le aussi quand vous conduisez ou que vous êtes assis à une table. Renouvelez souvent l'exercice et vous entraînerez ainsi vos muscles à garder naturellement et sans effort une position plus tonique.

Si vous restez debout au même endroit pendant un certain temps, pour faire la vaisselle par exemple, posez un pied sur une boîte ou un petit banc. Ceci réduira en partie la tension que la station debout fait subir à votre dos.

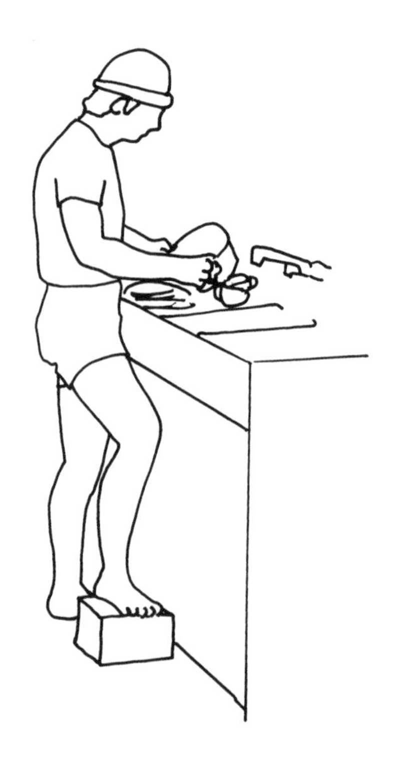

Lorsque vous vous tenez debout, vos genoux devraient toujours être légèrement fléchis, les pieds pointés franchement vers l'avant. Cette position vous évitera de trop pencher les hanches et vous fera utiliser les muscles du devant des cuisses (quadriceps) pour contrôler votre équilibre.

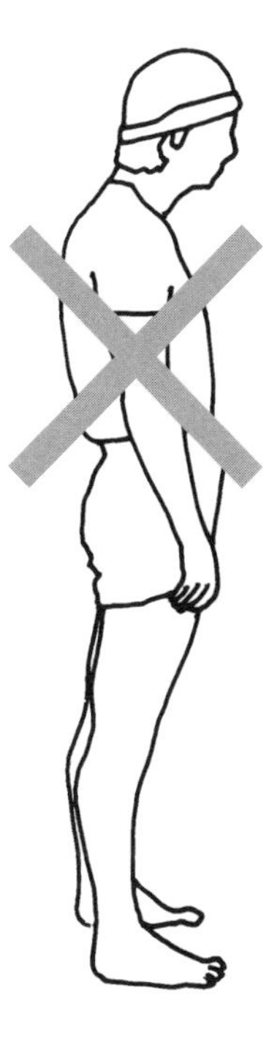

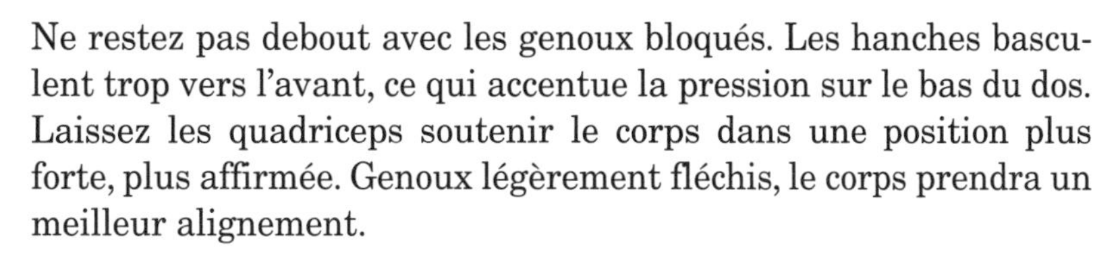

Ne restez pas debout avec les genoux bloqués. Les hanches basculent trop vers l'avant, ce qui accentue la pression sur le bas du dos. Laissez les quadriceps soutenir le corps dans une position plus forte, plus affirmée. Genoux légèrement fléchis, le corps prendra un meilleur alignement.

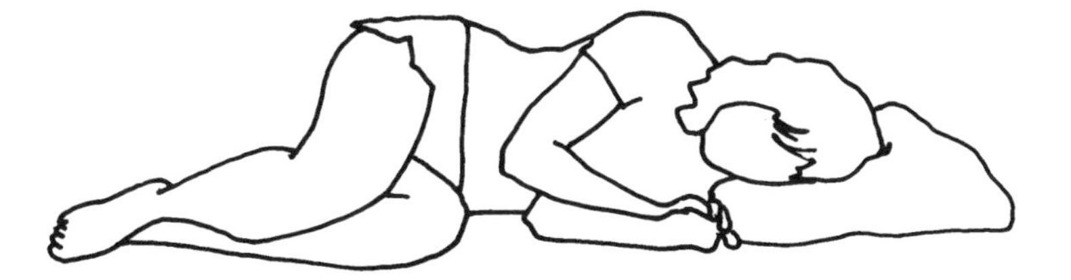

Pour dormir, choisissez de préférence un bon matelas bien ferme. Si possible, dormez sur le côté pour éviter les contractions qui vous guettent si vous dormez sur le ventre. Si vous dormez sur le dos, un petit coussin sous vos genoux vous évitera de vous cambrer et diminuera les tensions dans le bas du dos.

Dès que vous vous rendez compte que votre position est mauvaise, rectifiez-la. Prêtez attention à la manière dont vous vous tenez en marchant, en vous asseyant ou en dormant, et les progrès viendront d'eux-mêmes.

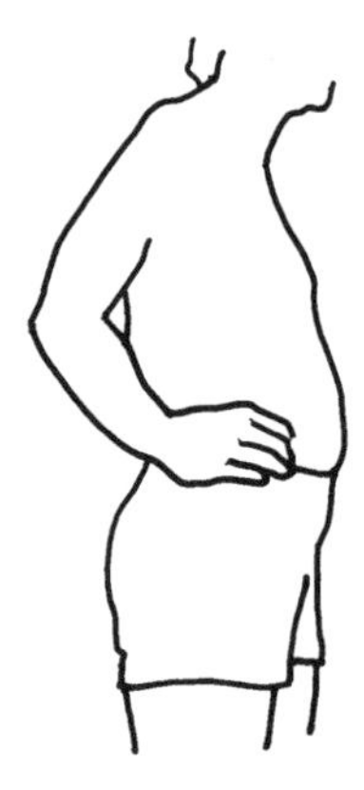

Les maux de dos sont souvent dus à un excès de poids à la taille qui, sans le support d'une bonne ceinture abdominale, produit un basculement progressif de la région pelvienne vers l'avant. Ce changement de gravité fait travailler le dos en permanence et le rend douloureux.

Quelques suggestions pour conserver votre dos en bon état

1. Développez les muscles de l'abdomen en exécutant régulièrement des exercices abdominaux. Là encore, ne forcez pas. Soyez patient et régulier.

2. Travaillez les muscles de la poitrine et des bras en opérant des tractions. Cet exercice stimule le haut le haut du corps sans fatiguer la région lombaire.

3. Étirez-vous comme indiqué en pages 51 (muscles du devant des hanches), 26-33 et 63-67 (muscles du bas du dos), et travaillez votre ceinture abdominale (pages 206-209). En renforçant la région abdominale et en étirant les zones dorsales et lombaires, vous réduirez progressivement le basculement pelvien qui est la cause principale de nombreux problèmes de dos.

4. Contrôlez votre régime alimentaire (pages 204-205) pour résorber peu à peu l'excès de poids et laisser l'estomac se rétrécir. Trop distendu, il réclame beaucoup plus de nourriture que celui d'un athlète entraîné.

5. Apprenez à marcher avant de faire du jogging, et à «jogger» avant de courir. Faites 2 kilomètres par jour (d'une traite), sans accroître la prise de calories, et vous perdrez cinq kilos en un an.

À l'attention des professeurs et des entraîneurs

L'entraînement des jeunes athlètes exige discipline et rigueur. On leur demande d'exercer leur force, de développer leur puissance au maximum, de dépasser constamment leurs propres limites. Entraîneur ou professeur, vous vous intéressez, bien entendu, aux performances d'une équipe, mais votre principal objectif reste éducatif.

La meilleure façon d'enseigner le stretching est d'en donner l'exemple.

Si vous pratiquez vous-même les exercices que vous trouvez agréables et efficaces, vous n'aurez aucune peine à communiquer votre enthousiasme à vos jeunes élèves.

Le stretching a surtout été valorisé, ces dernières années, comme technique de prévention des blessures musculaires. Mais on a trop insisté alors sur la conquête du maximum de souplesse. Il est impératif d'expliquer aux jeunes dont vous êtes chargé que le stretching est totalement individuel, qu'il ne s'agit pas d'une compétition.

Pourquoi comparer les résultats des élèves, puisqu'ils sont tous différents ? On devra insister, non sur le point limite de chacun mais sur la sensation qu'engendre l'étirement. Évitez, au début tout au moins, de demander « de la souplesse, encore de la souplesse » car vous n'obtiendriez que du « forcing », c'est-à-dire une attitude négative et de sérieux risques de blessures.

Si quelqu'un vous paraît raide et tendu, n'attirez pas l'attention des autres sur son cas. Attendez de lui parler à l'écart du groupe et montrez-lui les exercices qui lui conviennent tout particulièrement.

Développez l'idée que le stretching doit être pratiqué avec soin, régularité et bon sens. Nulle limite ou norme à fixer. Ne surmenez pas vos élèves en les poussant à en faire trop : ils découvriront très vite par eux-mêmes ce qu'ils aiment faire, et les progrès viendront naturellement.

Chaque individu est un être à part, comparable à nul autre, et doué d'un potentiel qui lui est propre. Comment faire comprendre cela concrètement à de jeunes sportifs ? En leur disant tout simplement qu'ils doivent faire de leur mieux, rien de plus.

Le plus beau cadeau à offrir à vos élèves, c'est de préparer leur avenir.

L'habitude d'un exercice régulier, du stretching quotidien, d'une alimentation saine, leur servira toute leur vie. Les convaincre de l'importance d'être en bonne condition physique, indépendamment de la force et des dons de l'athlète, est l'un des objectifs essentiels de votre enseignement.

Mémo à l'usage des prescripteurs

Avec ce résumé des étirements décrits dans le livre, les professionnels de la santé visualisent leurs prescriptions en entourant ceux qu'ils recommandent pour chacun.

Exercices de relaxation pour le dos • *26-33*

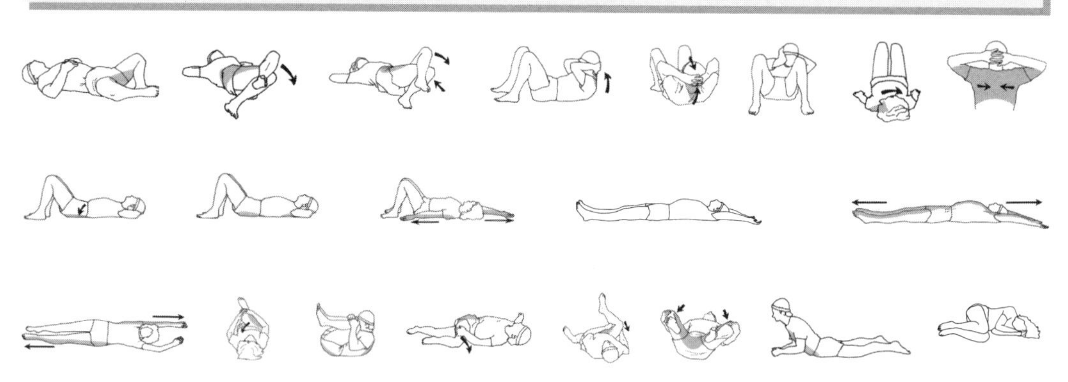

Exercices pour les jambes, les pieds et les chevilles • *34-41*

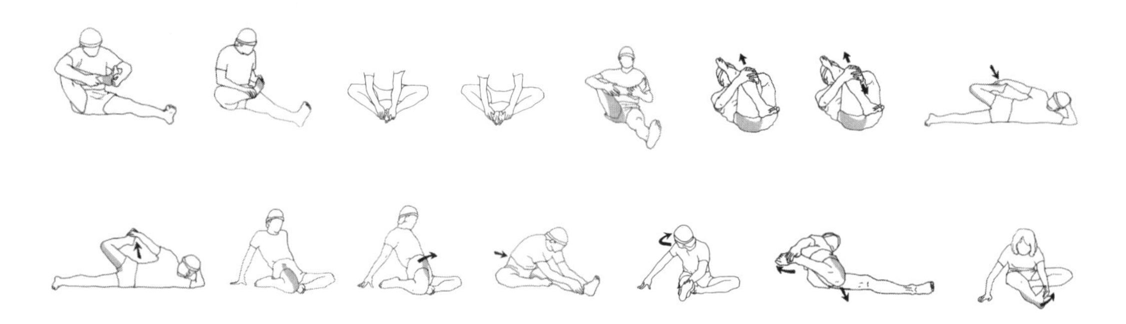

Exercices pour le dos, les épaules et les bras • *42-48*

Exercices pour les jambes • *49-53*

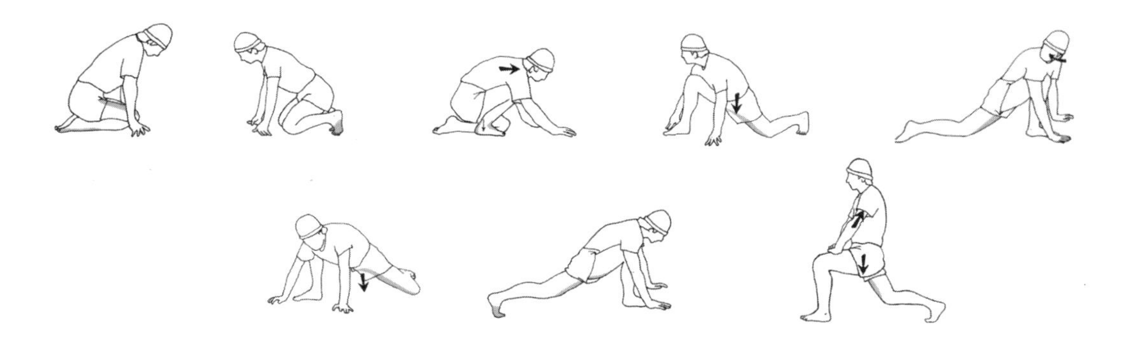

Exercices pour le bas du dos, les hanches, l'aine et les muscles tendineux • *54-61*

Exercices pour le dos, les hanches et les jambes • *63-67*

Élévation des pieds • *68-70*

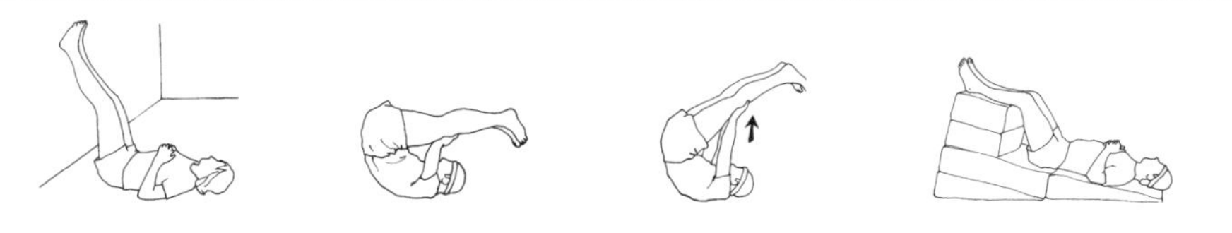

Mémo à l'usage des prescripteurs (suite et fin)

Exercices en position debout pour les jambes et les hanches • *71-77*

Exercices en position debout pour le haut du corps • *79-84*

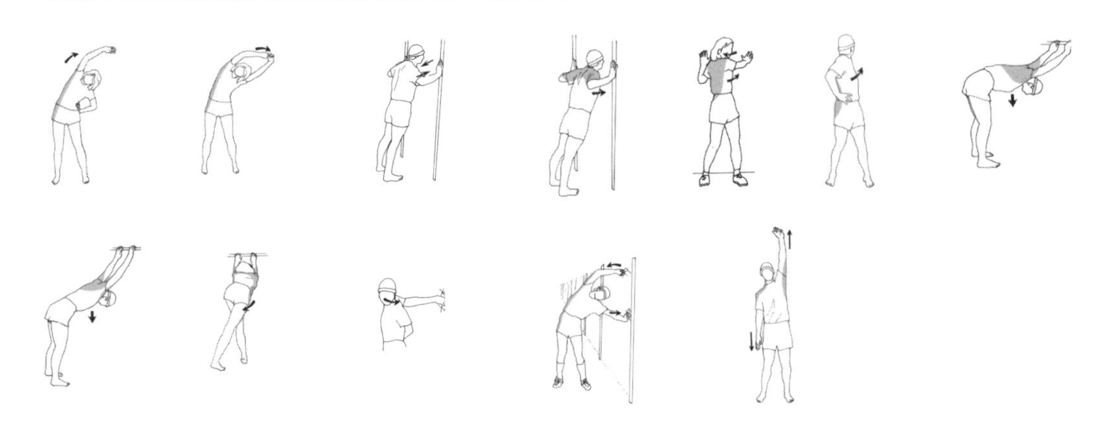

Exercice à la barre fixe • *85*

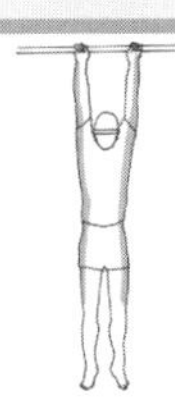

Exercice avec une serviette • *86-87*

Exercices pour les mains, les poignets et les avant-bras • *88-89*

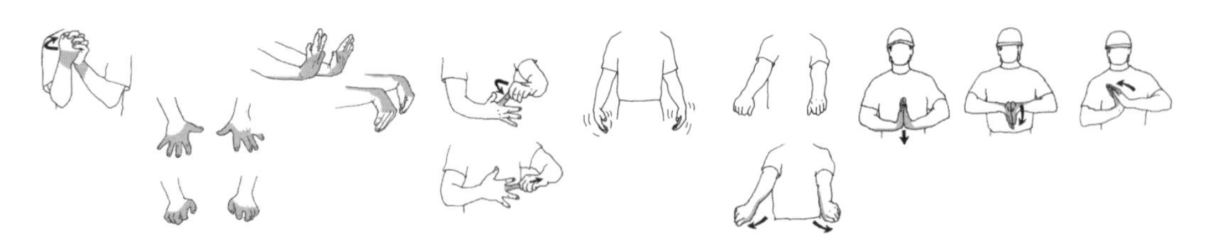

Exercices en position assise • *90-93*

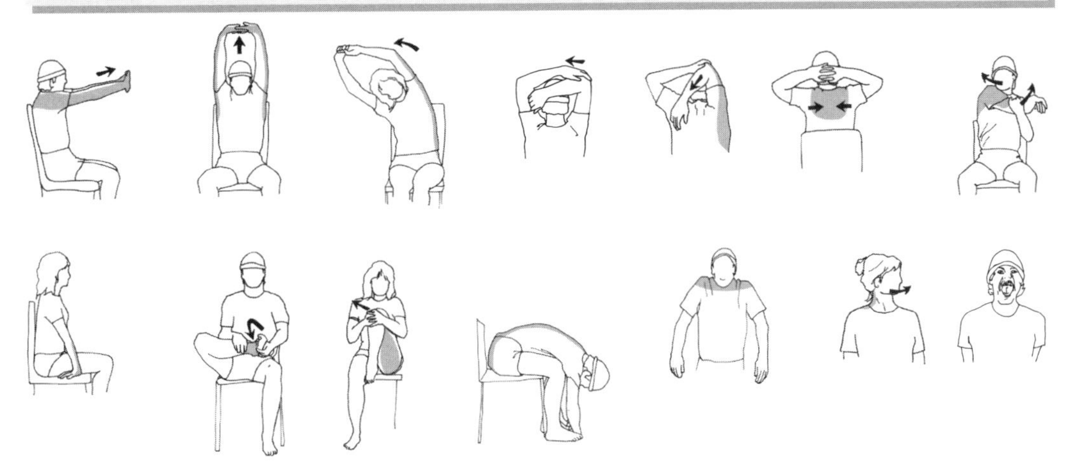

Exercices d'élévation des pieds pour l'aine et les jambes • *94-96*

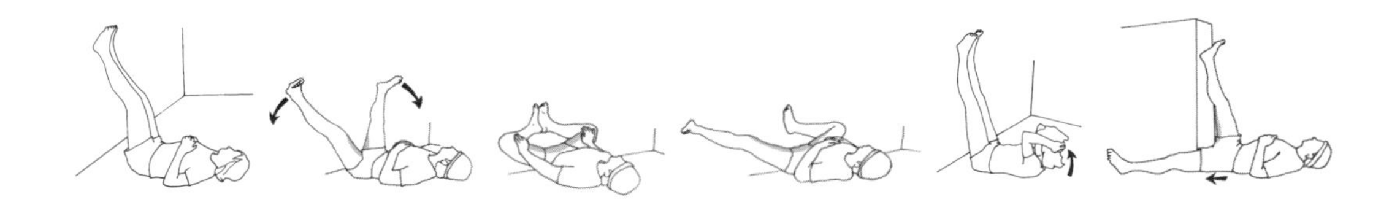

Exercices jambes écartées pour l'aine et les hanches • *97-100*

Apprendre le grand écart • *101-102*

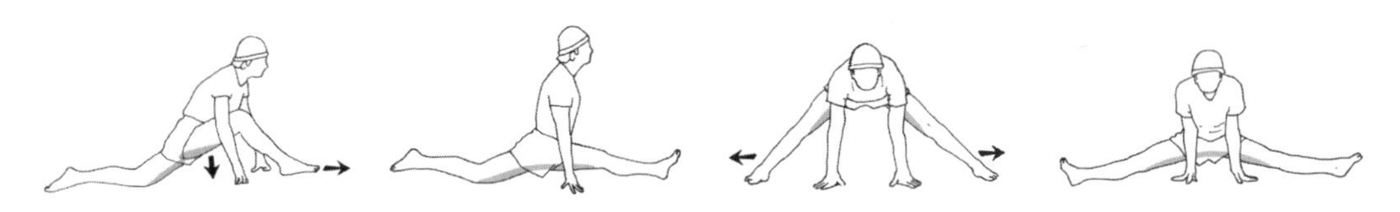

Index

abdominaux (muscles), 29-30
  ceinture abdominale, 206-207
aérobic
  exercices d'entraînement, 130-131
aine, 26, 51-52, 58-60, 65-66, 69, 74, 76-77, 94-103
  exercices d'élévation des pieds, 94-96
  exercices d'étirement, 54-62
  exercices jambes écartées, 97-100
  exercices quotidiens, 112
alimentation, 204-205
arts martiaux
  exercices d'entraînement, 132-133
avant-bras, 42, 91
  exercices d'étirement, 88-89
avion, exercices à faire en, 127
badminton
  exercices d'entraînement, 134-134
barre fixe, exercices à la, 85
base-ball
  exercices d'entraînement, 136-137
basket-ball
  exercices d'entraînement, 138-139
bassin, 37, 51-52, 74, 101
biceps, 47, 82, 87
bowling
  exercices d'entraînement, 140-141
bras
  exercices d'étirement, 42-48
  exercices quotidiens, 110, 111
bureau
  exercices quotidiens à faire au, 114-115
chevilles, 34-37, 49-51, 65-66, 71-72, 91
  exercices d'étirement, 34-41
corps
  différentes parties, 24-25
  exercices avec une serviette pour le haut du corps, 86-87
  exercices en position debout pour le haut du corps, 79-84
cou, 28, 47, 80
  exercices quotidiens, 111
cou-de-pied, 34, 50
coude, 43, 47
course
  exercices d'entraînement, 142-143
  Voir aussi triathlon
cuisse (muscle externe de la), 37
cyclisme
  exercices d'entraînement, 144-145
  Voir aussi triathlon
danse
  exercices d'entraînement, 146-147
doigts, 88
dos, 40, 43, 46, 63-66, 80, 98
  exercices d'étirement, 42-48, 63-67
  exercices de relaxation, 26-33
  prenez soin de votre dos, 210-214
  bas du dos, 26-27, 30-33, 40, 54, 57, 60, 63-66, 80, 85, 92
  exercices d'étirement, 54-62
  exercices quotidiens, 113
  haut du dos, 29, 40, 42-44, 47, 60, 63-64, 81-82, 85, 90-91
échauffement, 14
effort physique, exercices quotidiens à faire avant, 116-117
enfants, exercices quotidiens, 122
entraîneurs, conseils aux, 215
épaule
  avant, 30, 47, 82-83, 86
  haut, 29-30, 42-47, 76, 79, 81, 83, 85-87, 90-91
  exercices d'étirement, 42-48
  exercices quotidiens, 110-11
escalade,
  exercices d'entraînement, 148-149
exercices de stretching, 15
  d'initiation, 15-21
  quotidiens,108-109, 115
fessiers (muscles), 32, 35, 60, 73, 92
flanc, 29, 42, 45-47, 79-81, 83, 85, 90, 98-99
football
  exercices d'entraînement, 150-151
genou, 35-37, 49-53, 65-66, 75
  arrière du genou, 41, 54, 56-57, 94, 102
golf
  exercices d'entraînement, 152-153
grand écart, 101-103
gymnastique
  exercices d'entraînement, 154-155
haltérophilie
  exercices d'entraînement, 156-157
hanche, 26-27, 32, 60-61, 72, 92
  exercices d'étirement, 54-62, 63-67
  exercices en position debout, 71-78
  exercices jambes écartées, 97-100
  exercices quotidiens, 112
handball
  exercices d'entraînement, 158-159
haut du corps
  Voir corps
hockey sur glace
  exercices d'entraînement, 160-161
initiation au stretching
  généralités, 6-21
  exercices, 15-21

jambe
avant de la, 49, 75
face externe de la, 41
exercices d'élévation des pieds, 94-96
exercices d'étirement, 34-41, 49-53, 63-67
exercices en position debout, 71-78
exercices quotidiens, 112
jambes écartées, exercices pour l'aine et les hanches 97-100
jardinage
exercices à faire pendant le, 119
kayak
exercices d'entraînement, 162-163
lutte
exercices d'entraînement, 164-165
mains, 45, 88-90
exercices d'étirement, 88-89
exercices quotidiens, 110
marche
exercices à faire avant, 125
Voir aussi échauffement
matin
exercices quotidiens, 106
méthode de stretching, 8-13
mollet, 39-41, 71-72
moto-cross
exercices d'entraînement, 166-167
natation
exercices d'entraînement, 168-169
Voir aussi triathlon
nuque, 27-28, 63-64, 69, 92, 95
omoplates, 28, 30, 40, 43-44, 45, 80-81, 91
ordinateur
exercices à faire devant un, 114-115
orteils, 34, 50
patinage artistique
exercices d'entraînement, 170-171
patinage de vitesse
exercices d'entraînement, 172-173
pieds
élévation, 68-70, 94-96
exercices d'étirement, 34-41
planche à voile
exercices d'entraînement, 174-175
PNF (Proprioceptive neuromuscular facilitation)
technique, 14
exercices, 202-203
poignet, 42, 88-91
exercices d'étirement, 88-89
poitrine, 47, 69, 81-82, 87, 91
position assise
exercices en, 90-93
exercices à faire après une longue, 118
position debout
exercices pour les jambes et les hanches, 71-78
exercices pour le haut du corps, 79-84
pratique du stretching, 8-13
prescripteurs, mémo à l'usage des, 216-219
professeurs, conseils aux, 215
quadriceps, 37-39, 52, 74-75
randonnée
exercices d'entraînement, 176-177
rugby
exercices d'entraînement, 178-179
ski alpin
exercices d'entraînement, 180-181
ski de fond
exercices d'entraînement, 182-183
snowboard
exercices d'entraînement, 184-185
soir
exercices quotidiens à faire le, 107
soixante ans
exercices pour les plus de, 120-121
sports équestres
exercices d'entraînement, 186-187
squash
exercices d'entraînement, 156-157
surf
exercices d'entraînement, 188-189
taille, 26-27, 79, 83, 98, 100
télévision
exercices à faire devant la,124
tendineux (muscles), 35, 39-41, 52, 54, 56-58, 69, 73-74, 76-77, 94-103
exercices d'étirement, 54-62
tendon d'Achille, 50, 65-66, 71-72
tennis
exercices d'entraînement, 190-191
tennis de table
exercices d'entraînement, 192-193
triathlon
exercices d'entraînement, 194-195
triceps, 43-45, 90
visage (muscles du), 93
volley-ball
exercices d'entraînement, 196-197
voûte plantaire, 34, 50
voyage, exercices à faire pendant un, 126
VTT
exercices d'entraînement, 198-199

À propos des auteurs

Bob Anderson, qui enseigne depuis vingt-cinq ans sa méthode d'initiation au stretching à des millions de gens, représente aujourd'hui l'une des autorités mondiales les plus populaires en la matière.

Avec sa femme Jean, Bob a publié la première version de son ouvrage en 1975, dans un garage du sud de la Californie. Les dessins furent réalisés par Jean à partir des photos qu'elle prenait pendant que Bob pratiquait ses étirements. En 1980, le livre fut mis à jour et publié par Shelter Publications, qui assura sa diffusion dans le grand public. Depuis, l'ouvrage est reconnu, tant par les profanes que par les professionnels du corps médical, comme une référence, et a été vendu à plus de trois millions d'exemplaires et traduit en dix-neuf langues.

Bob est actuellement un homme en pleine santé, mais ce ne fut pas toujours le cas. Souffrant d'une forte surcharge pondérale, il entama en 1968 un programme de remise en forme qui lui fit perdre près de 30 kilos. Conscient de son manque de souplesse, il se mit parallèlement au stretching et en ressentit très vite les bienfaits, notamment dans la pratique de la course et du cyclisme.

À la même époque, les gens prirent conscience des dangers de la vie sédentaire et de la nécessité de se maintenir en bonne condition physique, et les instituts de remise en forme se mirent à fleurir. Après plusieurs années de pratique en compagnie de sa femme et d'un petit groupe d'amis, Bob développa une méthode de stretching qui pouvait convenir à tout le monde. Puis il commença à enseigner son art aux sportifs de haut niveau – nageurs, cyclistes, haltérophiles, joueurs de tennis ou de volley-ball – et initia au stretching les membres de l'équipe olympique américaine de ski alpin et de patinage artistique. Il voyagea ainsi pendant des années en partageant son savoir avec les clubs d'athlètes et les cliniques spécialisées dans le sport. Il continue aujourd'hui à travailler, à titre d'expert, auprès d'équipes professionnelles et de cliniques traitant spécifiquement les scléroses.

Jean Anderson est diplômée de l'université de Californie où elle a étudié les arts plastiques. En 1970, elle se mit avec Bob à la course, au cyclisme et au stretching, et réalisa, à partir des photos qu'elle prenait de Bob en train de faire ses étirements, les dessins qui illustraient le premier ouvrage. Jean fut donc la photographe, l'illustratrice, la graphiste et l'éditrice de la première édition de *Stretching*. Aujourd'hui, elle supervise la diffusion de l'ouvrage et continue à faire de la randonnée, du vélo et du tennis pour rester en forme.

Achevé d'imprimer en France en janvier 2004
par Pollina s.a., 85400 Luçon - n° L91706

suite du premier tirage